D0580875

Coup de chaud en Alaska

ADDISON
FOX

Coup de chaud en Alaska

Traduit de l'anglais (États-Unis)
par Patricia Lavigne

Vous souhaitez être informé en avant-première de nos programmes, nos coups de cœur ou encore de l'actualité de notre site *J'ai lu pour elle* ?

Abonnez-vous à notre *Newsletter* en vous connectant sur **www.jailu.com**

Retrouvez-nous également sur Facebook pour avoir des informations exclusives.

Titre original
BABY IT'S COLD OUTSIDE

Éditeur original
Signet Eclipse, published by New American Library,
a division of Penguin Group (USA) Inc., New York

À Kerry Donovan

J'étais déjà folle de joie à l'idée d'écrire ce livre –
puis j'ai eu la chance de l'écrire avec toi.

1

New York, premier dimanche après Thanksgiving

Jane Austen avait tort, songea amèrement Sloan McKinley tandis que la Lincoln noire à l'arrière de laquelle elle était assise se rapprochait du Washington Bridge et des lumières de Manhattan – son quartier. La seule chose dont avait envie un célibataire pourvu d'une jolie fortune, c'était de coucher.

Ce qui, à la réflexion, rendait les riches et les pauvres assez semblables.

Si audacieuses soient-elles, les affirmations de cette chère vieille Jane concernant les inclinations des jeunes célibataires nantis n'en rendaient pas la sienne moins juste, Sloan le savait.

Ce qu'elle ignorait, en revanche, c'était d'où sa mère tenait qu'en faisant défiler tout le gratin de Scarsdale devant elle, elle parviendrait à la caser.

Sloan connaissait ces types depuis la naissance. Elle avait joué au foot en junior, disséqué des grenouilles en sciences nat et assisté au bal de la promo en leur compagnie. Elle savait qui était mauvais perdant, qui avait mis des morceaux de grenouille dans le cartable du proviseur et qui avait vomi par la portière de la limousine le soir de la remise des diplômes.

Oui, malheureusement, elle les connaissait. Aucun d'eux n'avait développé de qualités exceptionnelles ou irrésistibles en grandissant. Elle ne voulait pas d'eux à quinze ans, et n'en voulait pas davantage aujourd'hui.

Un exemple au hasard : Trevor Stuart Kincaid IV – Trent pour les intimes. Si ce connard posait encore une fois la main sur son genou en lui caressant l'intérieur de la cuisse du petit doigt, elle allait lui mettre en pièces son pantalon Armani.

Dire qu'elle s'était réjouie à l'idée de le revoir !

— Je suis ravi que ta mère m'ait invité à dîner, dit-il. En plus, c'est beaucoup plus agréable de ne pas rentrer seul.

— Elle a toujours un tas de bonnes idées.

Sloan se déplaça de nouveau, repoussa fermement la main de Trevor non sans remarquer qu'il avait posé son bras libre sur le dossier derrière elle.

— Si tu me parlais du projet sur lequel tu travailles en ce moment, enchaîna-t-elle. L'hôtel que tu as dessiné à Seattle est absolument fabuleux.

— Le Dahlia ?

Durant un instant, le regard injecté de sang de Trevor brilla à la lumière des lampadaires ; elle sentit une pointe d'espoir renaître. Elle avait visité l'hôtel en question peu de temps après son ouverture et avait éprouvé un choc en découvrant qu'elle connaissait depuis l'enfance l'architecte qui l'avait conçu.

Ce choc – ainsi que la confirmation de ce sentiment profond que ce qu'on est à quinze ans n'augure pas de ce qu'on sera pour la vie –, elle l'avait cherché désespérément depuis l'instant où Trent était entré chez ses parents.

— C'est un super plan. Ils me payent pour construire le même en Malaisie. Je n'ai pas à me plaindre. À propos de super plan…

Il se rapprocha avant de poursuivre :

— Pourquoi nous ne sommes jamais sortis ensemble, toi et moi ?

« Peut-être parce que Mitzi Goddby a dit à toute la classe durant une réunion de promo que tu étais nul au lit, que tu avais un faible pour la cocaïne et que tu ne laissais jamais de pourboire », faillit-elle lui rétorquer. Au lieu de quoi, elle se contenta de :

— Sans doute parce que nos vies ont pris des chemins différents.

— On dirait que ces chemins viennent de se rejoindre.

— Nous ne sommes probablement pas aussi proches que tu le crois.

— Ça peut s'arranger.

Sloan vit le chauffeur hausser un sourcil dans le rétroviseur, puis jeter un regard mauvais à Trent. Bien qu'elle ne se sente pas menacée – Trent avait beau être le roi des connards et avoir des mains baladeuses, il n'était pas dangereux –, elle savait que face à elle, la plupart des gens ne voyaient que ce qu'ils souhaitaient voir. C'était l'effet cheveux blonds, yeux bleus, silhouette élancée.

Le vilain petit canard dégingandé dont Trent devait avoir gardé le souvenir – ce qui était l'une des nombreuses raisons pour lesquelles leurs chemins ne s'étaient jamais croisés – s'était transformé en cygne.

Malheureusement, l'image de vilain petit canard semblait s'accrocher à elle.

Les gens se croyaient discrets, mais elle savait comment on parlait d'elle dans sa famille. L'unique enfant de Forrest et Winifred McKinley devait son « sauvetage », selon le terme des riches matrones de Westchester, à la puissante influence de la génétique. L'adolescente tout en os avait depuis longtemps laissé place à une femme assurée, intelligente, et dotée d'une peau parfaite – un miracle dont sa mère remercierait le ciel à jamais.

Ce dont elle ne le remerciait pas, en revanche, c'était de ne toujours pas avoir donné d'époux à sa fille à l'âge canonique de trente-trois ans.

L'horreur !

Ainsi, toutes les craintes que Winnie avait nourries durant l'adolescence de Sloan : qu'elle ne trouve pas de mari, n'ait pas d'enfants et ne fasse jamais partie des personnalités dynamiques de Scarsdale, étaient toujours d'actualité. Sloan en avait eu l'amère confirmation au repas de Thanksgiving quand, juste avant l'arrivée du dessert, elle avait surpris Betsy et Mary Jo, les deux meilleures amies de sa mère, qui discutaient de son cas.

Malgré ses efforts pour les oublier, leurs chuchotements résonnaient encore à ses oreilles :

— Winnie en est malade, tu sais. Tu te rends compte ? Elle est s'est rendue seule à la soirée de sa promo.

— Oh, Mary Jo, c'est tellement triste ! Quand elle m'a amené les jumeaux, l'autre jour, Sara m'a raconté que Sloan était la seule de sa promo à ne pas avoir de petit ami.

— C'est curieux, tout de même. Qu'est-ce qui cloche chez cette fille ?

— Remarque, elle a toujours été indépendante.

— Être indépendante, c'est prendre un cocktail toute seule au Plaza en attendant quelqu'un pour déjeuner, pas se rendre non accompagnée à une réunion d'anciens élèves.

Sentant que ses ongles s'enfonçaient dans ses paumes, Sloan s'obligea à desserrer les poings.

Se remémorer cette conversation l'agaçait de plus en plus. Pourquoi n'arrivait-elle pas à la chasser simplement de son esprit et à passer à autre chose ? Elle avait mieux à offrir au monde qu'un utérus, non ? Et même si elle espérait bien en faire usage un jour ou l'autre, il ne représentait pas l'unique partie de son corps en bon état de fonctionnement.

— Tu as quelque chose de prévu mercredi soir ? J'ai deux billets pour le concert de Coldplay.

L'invitation de Trent la tira de ses pensées.

Quel risque courrait-elle en acceptant ? se demanda-t-elle. Voir Trent se droguer et partir sans laisser de pourboire ? La musique n'en serait pas moins bonne, et ce serait toujours une sortie.

Un rapide coup d'œil à son compagnon qui la fixait d'un regard libidineux lui rappela l'autre risque.

Elle n'était pas intéressée par Trent et ses multiples façons d'occuper son temps. En outre, elle avait passé l'âge de faire semblant.

Une vibration dans la poche de son manteau lui permit de botter en touche. Elle sortit son portable, et oublia instantanément Trevor Stuart Kincaid IV en lisant le message de sa meilleure amie Jane.

S.O.S. Désespérément besoin d'aide. Une chance que tu viennes me sauver en Alaska ? Tout ce truc d'héritage dégénère grave.

Trent considéra le téléphone, l'air à la fois jaloux et irrité. Prenant sur elle pour ne pas l'envoyer paître, Sloan expliqua brièvement :

— C'est une amie. Son père est mort et il y a des problèmes d'héritage.

— Ah. C'est moche.

Elle perçut encore la contrariété dans son ton, mais la jalousie avait disparu.

— Très. D'autant que tout ça était totalement inattendu. Excuse-moi une minute.

Sloan tapa sa réponse.

Que se passe-t-il ? Le notaire avait dit que les choses s'arrangeaient, non ? P.-S. : ma mère a encore frappé. Tu ne devineras jamais avec qui je rentre en ville.

Sloan appuya sur « Envoi » et reporta son attention sur Trent. Ils n'étaient plus loin de chez elle ; il était temps qu'elle s'extraie de manière définitive des pensées que sa mère avait fait germer dans l'esprit de ce garçon.

— Alors, pour Coldplay ? Ça te tente ?

— Désolée, Trent, mais j'ai une semaine très chargée au travail.

— Ne me dis pas que tu ne peux pas te libérer une soirée. D'autant que le concert ne commence pas avant 20 heures.

— Non, je ne préfère pas.

Le visage anguleux de Trent, qui affichait jusqu'ici une expression vaguement ennuyée, se durcit. Il plissa les yeux et pinça les lèvres.

— Tu te fous de moi ?

— Pardon ?

— Je t'avoue que je ne comprends pas. D'abord, ta mère me fait tout un cirque pour que je vienne dîner, puis toi et moi prenons le même taxi. Quelle conclusion dois-je en tirer ?

— Que deux personnes qui se connaissent depuis l'âge de cinq ans et habitent la même ville partagent un taxi pour rentrer chez elles.

Trent glissa les doigts dans ses cheveux coiffés avec soin.

— C'est quoi ces conneries ? Tu me chauffes toute la soirée, et tu te tires avant la fin ?

Sloan sentit toute la colère accumulée durant ce long week-end rempli d'allusions subtiles à ses insuffisances dans l'unique domaine valorisé par sa famille former une boule brûlante au creux de son estomac.

— Je te le répète : nous partageons un taxi pour rentrer, un point c'est tout. Si tu as interprété ça comme une avance, je n'y peux rien.

— Une bourge allumeuse. J'aurais dû m'en douter.

La sonnerie de son portable annonça un nouveau texto, mais elle n'y prêta pas attention.

Comment osait-il ?

Les mains un peu trop baladeuses et les commentaires suggestifs, passait encore, mais *ça* ? Pour reprendre ses mots : il se foutait d'elle ?

La voiture s'était arrêtée devant son immeuble et le chauffeur en descendit pour ouvrir le coffre où se trouvaient ses bagages. Le visage de Trent s'était transformé en un masque froid où la contrariété se mêlait à l'indifférence.

— Peu importe, enchaîna-t-il. Ta mère se demande pourquoi tu n'es toujours pas mariée, mais en fait, tu es tellement coincée que tu ne peux même pas sortir avec un mec. On est arrivés à ton château. Je te souhaite une joyeuse vie, princesse.

La portière s'ouvrit. Le plus prudent, c'était d'ignorer ce dernier affront et de rentrer chez elle sans répliquer.

« Au diable, la prudence ! » déclara son subconscient tandis qu'elle sortait du taxi.

Pivotant sur elle-même, elle se pencha pour passer la tête dans l'habitacle et déclara d'un ton mielleux :

— Vois-tu, Trent, j'ai des milliers de raisons pour ne pas te proposer de montrer prendre un verre. Mais il y en a une, plus importante que les autres, que tu dois absolument connaître.

— Et quelle est cette raison, princesse ? lança-t-il avec mépris sans lever les yeux de son portable.

— Ton pénis.

Cette fois, elle réussit à détourner son attention de son écran.

— Pardon ?

— Outre le fait qu'il ne soit pas très impressionnant, j'ai entendu dire que toute cette cocaïne que tu absorbes le rend peu performant. Tu devrais peut-être y songer la prochaine fois que tu t'enfileras mille dollars de poudre dans le nez. Bye bye, chéri.

Elle claqua la portière avant que le chauffeur le fasse, notant au passage le sourire ravi de ce dernier, à qui elle glissa vingt dollars de pourboire en sus de celui déjà inclus dans le montant payé avec la carte de crédit de sa mère.

— Quel salaud visqueux ! Encore heureux que tu n'aies pas baisé avec ce connard.

Sloan avait cessé de pleurer environ une heure plus tôt. De cette bonne crise de larmes ne lui restait plus que la fatigue et une énorme frustration mêlée de rage. Comment avait-elle pu laisser Trent lui balancer des horreurs pareilles ?

— Mouais. N'empêche qu'il ne se serait sûrement pas fait des idées si ma mère ne l'avait pas encouragé. Elle désespère tellement de me voir mariée qu'elle a dû lui raconter que je n'avais pas eu de relations sexuelles depuis cinq ans.

— Même si ça ne faisait que cinq jours, ça ne la regarde pas de toute façon.

Merci, Jane. Décidément, son amie était toujours prête à prendre fait et cause pour elle, quel que soit le sujet.

En réalité, ça faisait deux ans, pas cinq, rectifia Sloan en silence.

Et merde !

Déjà deux ans ?

Un rapide calcul le lui confirma. Ce qui ne fit qu'ajouter à sa morosité post-Trent. Refusant de sombrer dans l'autoapitoiement, elle tourna son attention vers Jane.

— Alors, explique-moi. Que se passe-t-il exactement ?

Son amie lui raconta rapidement le combat de plus en plus violent qui se livrait autour de l'héritage de son père dans le village d'Indigo, en Alaska, où il avait fini ses jours.

— En gros, voilà la situation, conclut-elle. Un testament dont on conteste le contenu, son ancienne maison sous scellés avec interdiction d'y pénétrer, et tous les habitants de ce fichu village qui font mine de m'ignorer.

— Qu'en dit ton avocat ? Ça ne devrait pas être plus simple ? Ce testament existe, après tout !

Sloan hésita un instant, mais comme il s'agissait de Jane, elle ajouta :

— Tu es sûre qu'il est compétent ? Ce n'est peut-être pas pour rien qu'il s'est installé dans un trou.

— Il a été super, je t'assure. Et il a l'air aussi surpris que moi par la réaction des gens.

— Qu'ont-ils contre toi ? Cette histoire ne les concerne en rien, elle ne regarde que ton père et toi.

— En fait, il y a autre chose.

Sloan reconnut le ton de Jane, ce mélange de panique et de rire nerveux indiquant que la situation était bien pire que son amie ne le laissait supposer.

— Quelle autre chose ?

— J'ai une sœur.

— Quoi ? !

— Elle s'appelle Kate.

Sloan faillit en lâcher le combiné.

— Tu as une sœur et tu me le dis seulement maintenant ?

— C'est elle qui pose problème. Elle a décidé que je n'avais aucun droit sur la maison de mon père.

— Mais le testament ? C'était son choix de te la léguer.

— L'ennui, c'est qu'il l'a changé peu de temps avant de mourir. Du coup, elle le remet en cause.

— Et ton avocat ne peut rien faire ? Tu n'as même pas pu rentrer voir ce qu'il y avait à l'intérieur de la maison ?

— Non. Tant que l'affaire n'est pas jugée, ni elle ni moi n'avons le droit de toucher à quoi que ce soit. C'est pour cette raison que je suis toujours à l'hôtel.

Sloan continuait de penser que l'avocat n'était peut-être pas très compétent, mais elle n'insista pas. Jane était assez grande pour savoir s'il était suffisamment bon ou non.

— Parle-moi un peu de cette sœur.

— Tout ce que je sais d'elle, c'est qu'elle est aussi chaleureuse qu'un python. D'ailleurs, le terme « garce » me paraît plus approprié que celui de « sœur ».

— Tu es certaine que ce n'est pas le chagrin qui la pousse à agir ainsi ? Je veux dire, elle devait connaître ton père.

— J'aimerais que ce soit la raison, commenta Jane. Au moins, ça expliquerait les choses. Je pourrais même comprendre qu'elle soit froide et distante, mais la façon dont elle se comporte est tout bonnement inacceptable. Elle mène une campagne active pour dresser les gens contre moi.

— Tu as essayé de lui parler ?

Depuis toujours, Jane attirait la sympathie. Sa personnalité pétillante fonctionnait comme un aimant. Sloan savait que le deuil était parfois à l'origine de comportements bizarres chez certaines personnes, mais de là à monter tout un village contre son amie, cela dépassait l'entendement.

— Si tu savais, Sloan, j'ai tout essayé – les rares fois où j'ai réussi à capter son regard, je veux dire. J'ai mis en avant l'amitié, les liens du sang, le sens de la famille. J'ai même tenté de jouer les grandes sœurs. Rien ne marche. Et comme tout ce fichu village est de son côté, je ne peux aller nulle part. Celui qui a dit que les petites bourgades étaient accueillantes s'est fourré le doigt dans l'œil jusqu'au cou. Tous ces gens n'en ont rien à cirer des étrangers.

— Ils ne t'adressent pas la parole ? Ils n'ont pas envie d'entendre ta version de l'histoire ?

Jane émit un ricanement.

— Ils communiquent le moins possible avec moi. Hormis pour mon avocat, j'ai l'impression d'être transparente.

— J'imagine qu'ils espèrent ainsi te pousser à jeter l'éponge et à rentrer chez toi.

— Encore faudrait-il que j'aie un endroit où aller, murmura Jane. À part chez toi, bien sûr, ajouta-t-elle. Sans oublier ma mère et les deux grandes occasions de l'année où elle se rappelle qu'elle a une fille.

Sloan eut soudain honte de s'être apitoyée sur son sort après son trajet en compagnie de Trent. Sa situation avait beau être déplorable, ce n'était rien comparé à celle de son amie.

— Alors, qu'est-ce que tu en dis ? reprit celle-ci. Ça te paraît possible de venir m'aider ? En plus, tu trouveras peut-être un sujet pour un nouvel article.

La proposition était plutôt tentante, devait admettre Sloan. Et Jane avait un argument de poids. Car même si elle avait la chance d'avoir régulièrement du travail, elle était free lance, et devait donc constamment chercher de nouveaux sujets. Un séjour en Alaska pourrait lui en procurer. Elle avait justement discuté la semaine dernière avec le directeur d'un magazine de voyages qui recherchait des articles à la fois distrayants et originaux.

L'Alaska.

À des milliers de kilomètres d'ici.

— D'accord.

— D'accord quoi ?

Une vague d'optimisme submergea Sloane. Soudain, elle avait la certitude que c'était là le meilleur choix possible, *la* solution. Une chance de sortir de l'ornière des habitudes, d'oser l'inconnu.

— J'achète mon billet demain matin, répondit-elle.

— Tu es sérieuse ?

Sloan ne put réprimer un petit rire.

— N'aie pas l'air aussi étonné.

— Je suppose que je ne m'attendais…

Jane s'interrompit. En l'entendant inspirer profondément, Sloan devina qu'elle retenait ses larmes.

Ce qui confirmait qu'elle avait pris la bonne décision.

— Tu vas voir, on va s'amuser, déclara-t-elle. On va jouer à fond de notre charme new-yorkais, et avant même de s'en rendre compte, les gens d'Indigo nous adoreront.

Sloan raccrocha quelques minutes plus tard, le cœur plein d'espoir.

Un voyage au milieu de nulle part était sans aucun doute le meilleur remède à son mal.

— Alors, comment cette jeune femme traverse-t-elle l'épreuve ? demanda Sophie Mongtgomery à son petit-fils.

— Grand-mère, tu sais bien que je ne peux pas te parler de mes dossiers, répliqua Walker Montgomery avec un soupir. Ça s'appelle le secret professionnel.

— En tant que maire d'Indigo, j'ai le droit de savoir ce qui se passe dans mon village. Surtout quand mes concitoyens se sentent à ce point concernés.

Walker réprima un ricanement, mais rétorqua d'un ton ferme :

— Tes concitoyens se sentent concernés par *tout* ce qui se passe. Et je te rappelle que ton droit se limite à ce que tes électeurs veulent bien te dire. Dans la mesure où ni Kate ni Jane ne se sont confiées à toi, tu n'as pas à savoir quoi que ce soit, et en m'interrogeant comme tu le fais, tu te montres indiscrète.

— Je ne suis pas indiscrète, se défendit Sophie.

Walker plongea son regard dans celui de son aïeule. Les yeux bruns de cette dernière étaient à ce point semblables au sien qu'il aurait aussi bien pu se contempler dans un miroir.

— Si, tu l'es. Comme tous les habitants de ce village.

— Très bien. Je suis sûre que je peux apprendre ailleurs tout ce que j'ai besoin de savoir.

Walker n'en était pas aussi certain. Jane Thompson était une dure à cuire. Sa silhouette frêle et ses grands yeux de biche cachaient une personnalité plus forte que celle de sa demi-sœur. S'il l'avait au départ jugée un peu trop douce, le mois qui venait de s'écouler s'était chargé de le faire changer d'avis.

La petite New-Yorkaise avait une volonté d'acier et ne renoncerait pas à ce qu'elle estimait lui revenir de plein droit. Ni la découverte d'une sœur en Alaska ni l'obligation de trouver un moyen de partager son héritage avec elle n'y changerait quoi que ce soit.

Pressé de changer de sujet, Walker aborda le seul capable de détourner instantanément sa grand-mère de l'affaire dont tout Indigo faisait des gorges chaudes. Même si cela lui coûtait.

— Si tu t'intéressais plutôt à ta compétition ridicule, suggéra-t-il.

— Elle est tout sauf ridicule. Je te signale que c'est grâce à elle que tes parents se sont rencontrés.

Walker leva les yeux au ciel.

— Comment pourrais-je l'oublier ? Tu me le rappelles tous les ans.

— Toi aussi, tu pourrais rencontrer quelqu'un et être heureux si tu ouvrais les yeux et regardais autour de toi, s'entêta-t-elle. Des femmes de tous les États-Unis ont entendu parler de cette « compétition ridicule ». C'est la troisième année de suite que nous avons plus de trente inscrites.

— Elles vont toutes descendre à l'Indigo Blue ? Il y a assez de chambres ?

— Tu sais très bien que cet hôtel a été conçu pour faire face à l'afflux touristique.

— Parce que nous avons un afflux touristique, ne put s'empêcher d'ironiser Walker.

Sa grand-mère poussa un soupir.

— Ça doit être génétique, feignit-elle de se lamenter. Tu es aussi pénible que ton grand-père.

Sur ce point, au moins, elle avait raison, pensa Walker. Celui à qui il devait son prénom était un homme extrêmement raisonnable, ayant un respect pour la loi au moins aussi profond que le sien. Ce que son petit-fils n'avait pas hérité de lui, en revanche, c'était sa foi absolue en l'amour, et son désir d'honorer et de chérir une seule et même femme durant toute sa vie. De ce côté-là, Walker tenait plutôt de son père.

Quoi qu'il en soit, si sa grand-mère était incapable de comprendre qu'il appréciait sa vie telle qu'elle était, c'était son problème, pas le sien. Du moins jusqu'à ce que, chaque année, arrive le mois de décembre et sa petite compétition annuelle…

Alors, on recommençait à murmurer sur son passage – des murmures qui devenaient assourdissants chaque fois qu'il s'approchait un peu trop près d'un groupe de femmes. Les plus redoutables étaient les amies de sa grand-mère, mais une nouvelle génération de mères commençait à assurer la relève, poussée elle aussi par le désir de caser sa progéniture.

« C'est Walker Montgomery, un célibataire endurci. »

« Le petit-fils de Sophie est encore moins facile à enchaîner qu'un ours blanc. »

« Peut-être que Walker n'ose pas faire son coming out. »

Walker se moquait totalement de la façon dont chacun – gay ou hétéro – menait sa vie. Pourquoi diable refusait-on de lui rendre la politesse ?

Lâchant un soupir, il s'écarta de l'armoire de rangement contre laquelle il était appuyé, attrapa son manteau posé sur une chaise et alla embrasser sa grand-mère.

— À plus tard.

— Tu viens à la réunion à la mairie ce soir ?

Il hocha la tête.

— J'y serai.

— À ce soir, alors, fit-elle en lui tapotant la joue. Je t'aime, Walker Montgomery. Si obstiné que tu sois.

Il sourit.

— Dans ce cas, nous sommes deux. Parce que, moi aussi, je t'aime, grand-mère tête de mule.

Incroyable comme il était facile d'acheter un billet pour se rendre au milieu de nulle part, songea Sloan avec amusement en montant dans le train.

Jane l'avait soûlée d'informations et de conseils durant les deux jours qui avaient précédé son départ. Apparemment, le train était le moyen de transport conseillé par l'office de tourisme local pour se rendre à Indigo depuis Anchorage.

Elle n'était pas mécontente de ne pas être obligée d'emprunter un avion minuscule pour rejoindre son amie, même si l'idée d'un office de tourisme d'Indigo la laissait rêveuse. Certes, l'industrie touristique de l'Alaska était en plein essor, mais de là à ouvrir un bureau dans un trou perdu…

Le train s'ébranla en laissant échapper un sifflement perçant. Sloan s'emmitoufla dans son manteau. Malgré la température étonnamment agréable à l'intérieur, elle n'arrivait pas à chasser la sensation de froid qui l'avait envahie sur le quai au bout de quelques minutes.

Elle envoya un texto à Jane pour l'avertir qu'elle était en route, puis sortit un livre de son sac. Elle n'avait pas lu deux pages quand son regard fut attiré par un reflet lumineux sur la vitre.

D'immenses étendues neigeuses entourées de montagnes immaculées scintillaient dans la brume grenat du soir. Jane lui dit de s'attendre à être dépaysée : cinq à six heures de jour ressemblant à un crépuscule interminable, suivies de dix-huit heures de nuit.

Un frémissement d'excitation la parcourut lorsqu'elle aperçut au loin un troupeau d'élans. Derrière eux, culminant à plus de six mille mètres, s'élevait le plus haut sommet d'Amérique du Nord. Mont Denali pour les Alaskains, il était connu ailleurs sous le nom de McKinley – une appellation qui donnait à Sloan un agréable sentiment de familiarité, comme s'il s'agissait de *sa* montagne.

Son excitation s'accrut à mesure que le train filait au sein de ce décor grandiose d'une beauté époustouflante.

Et incroyablement rude.

Comment pouvait-on vivre là ?

D'accord, beaucoup de gens se posaient la même question à propos de Manhattan, mais il était quand même plus facile d'affronter tous les jours les transports en commun, les boutiques à chaque coin de rue et la tentation de myriades de divertissements que ces milliers de kilomètres de terre glacée.

Se détournant de l'impressionnant spectacle, elle reporta son attention sur son livre. Mais la soudaine impatience qui s'empara d'elle l'empêcha d'aller au bout de sa page.

Du sens.

Voilà ce qui manquait à sa vie ces derniers temps.

Et que ce voyage lui permettait de retrouver.

Elle soutiendrait Jane dans l'épreuve qu'elle traversait, trouverait des sujets d'articles intéressants, se détendrait et oublierait New York durant quelques semaines.

Le ciel crépusculaire s'élargit à l'horizon tandis qu'elle se replongeait dans son roman.

Tout était parfait.

2

Sloan ne remercierait jamais assez le ciel de l'énorme faveur qu'il lui avait faite via le bureau d'attribution des places en chambre universitaire de Vassar. Qu'il se soit agi d'un hasard ou d'une conjonction de planètes particulière, elle avait reçu le plus beau cadeau de sa vie le jour où elle s'était retrouvée à partager la chambre de Jane Thompson.

Sur le quai de la gare, les deux amies étaient tombées dans les bras l'une de l'autre comme si elles ne s'étaient pas vues depuis au moins un an.

Sloan pressa une dernière fois les frêles épaules de Jane – les multiples couches de tissu qui les recouvraient lui faisaient une carrure d'attaquant de l'équipe des Giants.

— Bon, je t'adore, mais j'aimerais bien rentrer à l'intérieur. Je suis congelée !

— Il faudra t'acheter un manteau plus adapté. Je t'avais dit d'emporter des vêtements chauds.

— J'ai pris mon manteau en pure laine.

— Ça ne suffira pas.

Sloan glissa le bras sous celui de sa sœur de cœur et l'entraîna rapidement vers l'escalier.

— Je m'en rends compte, approuva-t-elle.

En attendant que ses bagages arrivent, elle jeta un coup d'œil autour d'elle. Édifiée sur une charpente en rondins de bois, la gare ressemblait à un grand chalet, avec ses murs de planches, ses magnifiques tapis en laine colorés et l'immense cheminée qui se dressait dans le fond. Le mobilier, également en bois, avait été spécialement dessiné pour rester dans l'ambiance du chalet. Les fauteuils, d'une taille impressionnante, étaient somptueux.

— C'est superbe, souffla-t-elle.

— Et ce n'est rien. Attends de voir le reste du village.

Alors que Jane adressait un signe de la main à un homme qui s'avançait vers elles, chargé comme s'il s'apprêtait à vivre un an dans les bois, Sloan remarqua une grande pancarte placardée sur le mur.

INDIGO SOUHAITE LA BIENVENUE À TOUTES LES CHARMANTES CÉLIBATAIRES VENUES S'AMUSER PARMI NOUS. NOUS SOMMES HEUREUX DE VOUS ACCUEILLIR.

— Jane, murmura-t-elle tout en sortant un billet de dix dollars de son sac.

Si elle avait su qu'il faudrait les porter dehors dans ce froid glacial, jamais elle n'aurait emporté deux valises en plus de son gros sac de couchage.

— Oui ?

— Qu'est-ce que c'est que cette pancarte à propos des célibataires ? Est-il vraiment nécessaire de me rappeler que je n'ai pas de mec chaque fois que je vais quelque part ?

— T'inquiète, ça ne t'est pas destiné personnellement, répondit Jane en hissant le sac de couchage sur son épaule avant d'empoigner l'une des valises. C'est pour un concours qui doit avoir lieu la semaine prochaine.

— Quel genre de concours ? Eh, laisse-moi porter ça ! s'écria Sloan en lui reprenant le sac de couchage.

— D'après ce que j'ai compris, c'est l'événement annuel du coin au cours duquel les hommes célibataires d'Indigo élisent une ou plusieurs gagnantes parmi des femmes tout aussi célibataires venues de tout le pays. Le but, bien sûr, c'est d'obtenir un mariage à la clé.

— Mon Dieu, je n'imaginais pas que l'influence de ma mère se faisait sentir jusqu'en Alaska !

Le sac de couchage en travers de l'épaule, une grosse valise dans une main et son sac dans l'autre, Sloan suivit Jane en direction de l'arrêt du minibus de l'hôtel.

— Ta mère n'est en rien coupable, mais c'est bien une idée de mère, expliqua cette dernière. Apparemment, c'est un groupe d'amies, toutes grands-mères à Indigo, qui ont eu l'idée de ce concours il y a des années. Et c'est devenu une sorte de tradition.

— Parce que c'est sérieux ? Il s'agit d'un vrai concours ?

— Tout à fait. Avec plus d'une trentaine de candidates, d'après ce que j'ai entendu.

— Waouh !

Était-ce vraiment si dur d'être seule ? Les femmes célibataires étaient-elles désespérées au point de se rendre au milieu de nulle part dans l'espoir de trouver un mari ? Un nulle part glacial, qui plus est, songea Sloan en frissonnant.

Puis l'image de Trent et de ses mains baladeuses lui revint à l'esprit, et elle se dit que, finalement, l'Alaska n'était peut-être pas une si mauvaise idée que cela.

Elle devait toutefois reconnaître que l'excitation et l'impatience qu'elle avait éprouvées dans le train étaient un peu retombées depuis son arrivée. Car, manifestement, Indigo ne la laisserait pas échapper si facilement à l'énorme conspiration destinée à lui rappeler encore et toujours son statut honteux de célibataire.

Le vieux minibus cabossé au logo de l'*Indigo Blue* les transporta à l'hôtel en moins de cinq minutes. Sloan prit conscience d'un autre de ses a priori en découvrant la bâtisse. Autant la navette pour y arriver était vétuste, autant le bâtiment était impressionnant. À peu près de la taille d'un pâté de maisons new-yorkais, se détachant sur le ciel sombre, il semblait tout droit sorti d'un film.

— En plus d'être un hôtel, cet endroit sert de salle communale, précisa Jane tandis qu'elles récupéraient les bagages dans le coffre.

— Pourquoi ? Il n'y en a pas à la mairie ?

— Si, mais apparemment, les habitants trouvent plus sympa de se réunir ici.

Sloan suivit Jane dans le hall et s'essuya les pieds sur le grand tapis de sol à l'entrée.

— C'est magnifique ! s'exclama-t-elle.

Elle baissa les yeux sur ses bottes en cuir et soupira. Comme c'était parti, elles rendraient l'âme avant son retour à New York. Dommage, elles étaient jolies.

Jane la tira par le bras. Elle s'arracha à la contemplation de ses bottes, et retint un cri en découvrant les sculptures de verre qui couvraient l'un des murs du vaste hall.

— Je rêve ou c'est une œuvre de Chihuly ? risqua-t-elle, admirative.

— Tu ne rêves pas, c'est bien de Chihuly, lui confirma Jane.

Comme aimantée par les sculptures, Sloan posa ses bagages et s'en approcha. Les grandes arabesques de couleurs aux nuances lumineuses de rouges, de verts, d'orangés, de jaunes, de bleus et de violets semblaient danser sur le mur.

Sloan se tourna vers Jane, derrière laquelle une femme venait d'apparaître.

— C'est une commande ? s'enquit-elle.

— En quelque sorte. C'est un cadeau de mon fils, répondit l'inconnue sans dissimuler sa fierté.

Gratifiant Sloan d'un sourire, elle lui tendit la main.

— Susan Forsyth, se présenta-t-elle. Je suis la propriétaire de cet hôtel.

Sloan lui serra la main et se présenta à son tour, avant de reporter son attention sur les sculptures.

— C'est un cadeau extraordinaire, commenta-t-elle.

— C'est un jeune homme extraordinaire, répliqua Susan.

Sur quoi, elle les invita à la suivre à l'accueil.

Tandis qu'elles lui emboîtaient le pas, Jane désigna discrètement la jeune fille à l'air maussade qui trônait derrière le comptoir.

— Jusqu'à présent, je la trouvais plutôt aimable, murmura-t-elle, mais elle nous regarde d'un sale œil depuis que nous nous sommes approchées des sculptures.

Sloan attendit que Susan se soit éloignée pour demander à voix basse :

— En quoi ça la dérange ? On ne va pas les voler.

— À mon avis, il s'agit juste de moi. Ma présence fait cet effet-là à beaucoup de gens. Mais, comme je viens de te le dire, jusqu'à présent, elle était plutôt sympa. Peut-être est-ce à cause de ce concours.

Sloan considéra un instant la blonde à l'allure athlétique derrière le comptoir.

— Je ne vois pas pourquoi. Je doute que les filles d'Indigo aient très envie d'y participer.

— Certes. N'empêche que si j'étais à leur place, je ne serais pas folle de joie à l'idée de voir débarquer des dizaines de filles dont le seul but est de se caser avec un des mecs de la région.

— Tu as raison.

— Même si elles n'en disent rien, je sens bien que cette histoire de concours les chiffonne. Ça donne l'impression que les filles d'ici sont tellement nulles que les hommes sont obligés de chercher ailleurs.

— C'est vrai que c'est un peu insultant, reconnut Sloan, l'air soudain songeur.

— Toi, je te vois venir, lança Jane.

— Décidément, je ne peux rien te cacher, s'esclaffa Sloan. J'avoue que tu viens de me donner une idée d'article. Que dirais-tu d'essayer de sympathiser avec elle ? J'aimerais bien avoir son avis sur ce concours.

Jane observa la jeune femme derrière le comptoir qui discutait avec Susan.

— C'est pas gagné. Elle ne semble pas avoir très envie de se faire des amis.

— Allons, fais un peu confiance à notre irrésistible charme new-yorkais.

Lorsqu'elles les eurent rejointes, Susan indiqua son interlocutrice.

— Sloan, Jane, je vous présente Avery Marks.

— Bienvenue à l'*Indigo Blue*, fit Avery avec cette politesse distante typique des établissements chics.

— Merci, Avery.

Après avoir balayé le hall du regard, Sloan déclara :

— Votre hôtel est magnifique.

— C'est grâce à Susan. Elle a beaucoup travaillé pour arriver à ce résultat, répondit Avery avec un manque total de conviction.

Sans se départir de son sourire, Sloan étudia la jeune femme avec attention. Quelque chose la contrariait, c'était évident, et qui paraissait aller bien au-delà de la simple perspective du pic touristique annuel d'Indigo.

En tout cas, cela ne semblait pas en rapport avec l'argent à en juger par l'indifférence avec laquelle elle s'empara de la carte American Express Platinium que Sloan lui tendait.

— Merci pour tout, Susan, déclara Jane. Le temps que Sloan s'installe, et nous vous rejoignons à la mairie pour le conseil municipal.

À ces mots, Susan jeta un regard ennuyé à Avery.

— Avec plaisir, répondit-elle néanmoins. J'y vais justement de ce pas. Ma belle-mère m'a demandé de l'aider à se préparer.

Dès que Susan fut hors de portée de voix, Sloan décida de passer à l'attaque. Pour une raison qu'elle s'expliquait mal, elle éprouvait une certaine sympathie pour la jeune hôtesse d'accueil à l'air maussade. Un sentiment assez proche de celui que lui inspirait le mont Denali.

Il y avait chez l'un et chez l'autre quelque chose d'impitoyable.

Contre toute attente, cela la touchait.

Se penchant sur le comptoir, elle adressa un sourire chaleureux à Avery. Un sourire plein d'empathie et de tendresse qui semblait dire « nous sommes dans le même bateau, et je deviendrai ton amie, que ça te plaise ou non ».

— Dites-moi, Avery, depuis que nous sommes entrées, vous nous fusillez du regard. Je peux savoir pourquoi ? Ce que vous nous reprochez et ce qui pourrait vous convaincre que nous ne sommes pas ennemies ?

— Vous êtes sûres que j'ouvre une autre bouteille ? demanda Avery en plissant les yeux. Le conseil municipal commence dans un quart d'heure.

— Certaines, répondirent en chœur Sloan et Jane.

— La journaliste que je suis a dû apprendre à tenir l'alcool, poursuivit Sloan. Et puis, si nous n'avons pas le temps de la finir, elle attendra notre retour.

Avec un haussement d'épaules, Avery quitta son fauteuil et se dirigea vers le bar en riant.

— Tu es incroyable !

— Bien d'accord, confirma Jane en levant son verre. Franchement, Sloan, c'est une manière super classe de faire connaissance avec quelqu'un.

Sloan sentit ses joues s'empourprer.

— Disons que j'avais envie de faire bonne impression.

Avery déboucha une autre bouteille de cabernet et les rejoignit.

— C'est réussi, affirma-t-elle.

— Tu avais l'air tellement guindée que je me suis demandé si je devais t'insulter ou te faire rire. Je suis contente d'avoir choisi la seconde solution. Et même si ce n'est plus d'actualité, je tiens à te le redire : aucune de nous deux n'est ton ennemie.

— Je n'ai aucun doute à ce sujet, déclara Avery. Et moi aussi, je suis contente, ajouta-t-elle avec un sourire sincère.

Une fois leurs verres pleins, Jane passa à l'attaque.

— Parle-nous de ce concours. J'ai vu les affiches fleurir un peu partout, mais vu que je suis *persona non grata*, je n'ai trouvé personne à qui demander plus d'informations.

Avery fit la grimace.

— Kate ne te rend pas la vie facile.

— C'est le moins qu'on puisse dire, répliqua Jane avant de boire une gorgée. Cette femme est aussi froide et coupante qu'un iceberg.

— J'aimerais pouvoir t'assurer que ça va s'arranger, mais...

Avery s'interrompit, le temps de goûter à son vin.

— ... Kate Winston est une vraie peau de vache. Quand elle a décidé qu'elle n'aimait pas quelqu'un, rien ni personne ne pourra la faire changer d'avis. En réclamant quelque chose qu'elle estime lui appartenir de droit, tu es devenue son ennemie jurée.

— Merveilleux. Tout simplement merveilleux. Je ne peux pas rentrer chez moi et je ne suis pas la bienvenue ici.

Sloan tapota le bras de Jane, surprise qu'elle fasse allusion, même vaguement, à l'événement qui l'avait poussée à quitter New York pour les contrées sauvages de l'Alaska.

Était-ce l'alcool qui lui déliait la langue, ou le résultat d'un mois de solitude et de rejet ? Dans le doute, elle préféra changer de sujet, de peur que Jane ne parle trop et le regrette ensuite.

— Alors, en quoi consiste exactement ce concours de célibataire ? s'enquit-elle.

— C'est un truc créé par trois grands-mères du village.

— Dont celle que Susan allait aider à la mairie ?

Avery hocha la tête.

— En effet. Julia Forsyth, sa belle-mère. Les deux autres sont Mary O'Shaughnessy et Sophie Montgomery. Les trois personnes les plus déterminées que j'aie jamais rencontrées.

— Je ne comprends pas, fit Sloan, perplexe. En quoi un concours de célibataires peut-il les intéresser ? Cela ressemble plutôt à un événement concocté par une enseigne de bières.

— Ça les intéresse parce qu'elles ont des petits-fils, répondit Avery.

Une ombre glissa dans son regard quand elle précisa :

— Trois très beaux partis.

— Elles ont imaginé ce concours uniquement pour marier leurs petits-fils ? s'étonna Jane. Tout ce qu'elles racontent sur l'impact touristique de l'événement, ce sont des histoires ? En vérité, il s'agit juste d'un moyen pour parvenir à leurs fins, en l'occurrence, caser que ces types ?

— En gros, oui. Et d'après ce que j'ai entendu, elles sont dégoûtées que ça n'ait pas encore marché.

— Ça t'ennuie ?

Sloan posa la question en gardant les yeux fixés sur son verre qu'elle faisait tourner entre ses doigts.

— Qu'est-ce qui m'ennuie ?

— Ce concours. Que des femmes arrivent des quatre coins du pays pour essayer de décrocher les meilleurs partis du village.

Avery fronça les sourcils, et Sloan devina ce qu'elle allait répondre avant même qu'elle ouvre la bouche.

— Qui est-ce qui parle, là ? La journaliste ou ma nouvelle amie ?

Sloan posa la main sur son bras.

— Je suis avant tout une amie. Et pour être franche, si l'idée de cette pêche aux célibataires m'intrigue, elle me fait surtout frémir. Alors, oui, ma question est purement personnelle. Et je promets de te prévenir chaque fois que ce ne sera pas le cas.

Elle vit les épaules d'Avery se détendre.

— D'accord. En réalité, ça ne nous dérange pas autant que nous le laissons croire. Toutes les filles d'ici jouent le jeu, et se conduisent comme s'il s'agissait d'un terrible affront, ce qui nous permet d'être certaines que les gens nous traiteront bien. Mais, honnêtement, nous nous en moquons un peu. Dans la majorité des cas, nous sommes capables de faire ce qu'il faut pour garder le type qui nous plaît.

— Dans la majorité des cas ? répéta Jane.

Le sourire d'Avery s'évanouit.

— Oui, pas toujours, répondit-elle, une pointe de tristesse dans la voix.

Jane secoua lentement la tête.

— Crois-moi, parfois il est préférable de ne rien faire. Ou en tout cas de ne pas pardonner. Sinon, les hommes en profitent.

— Tout à fait d'accord, approuva Sloan en levant son verre en direction de Jane.

Si celle-ci avait envie de s'épancher, ce n'était pas à elle de l'en empêcher.

Devant le regard interrogateur d'Avery, elle précisa :

— Elle veut dire qu'ils en profitent pour partir.

— Ah.

Leur nouvelle amie contempla son verre de vin sans mot dire. Sloan devina qu'elle avait aimé un homme qu'elle n'avait pas réussi à retenir. Le moment étant mal choisi pour réveiller des blessures mal cicatrisées, elle déclara :

— Bon, je crois qu'il est temps qu'on se mette en route.

— Tu veux vraiment y aller ? fit Jane.

Elle la connaissait depuis trop longtemps pour ne pas percevoir sa réticence.

— Toi, je parie que tu as appris que ta toute nouvelle demi-sœur serait présente.

— Exact, soupira Jane, le nez dans son verre.

— Raison de plus pour s'y rendre.

— Tu es sûre ? On pourrait rester ici à boire et discuter.

— Pas question, décréta Sloan en se levant.

Trois verres de vin, et elle ne vacillait même pas, constata-t-elle avec satisfaction.

— J'y vais !

— Rien ne vous y oblige, rappela Avery en se levant à son tour.

Sloan attrapa le manteau de Jane sur un fauteuil proche.

— Je sais, dit-elle en le lançant à son amie. Mais je ne voudrais pas perdre une occasion de faire enrager Kate. Allez, Jane, en route !

3

Walker régla le micro et parcourut du regard ses concitoyens rassemblés dans le centre Montgomery.

Il avait beau vivre dans ce bourg de sept cent douze habitants depuis de nombreuses années, entendre son nom associé à cette grande salle des fêtes lui faisait toujours un drôle d'effet. Elle avait certes été bâtie en hommage à son grand-père, mais aujourd'hui, Montgomery, c'était lui.

— Tout est prêt, mon chéri ? s'enquit sa grand-mère en le rejoignant sur le podium.

Elle venait d'achever sa conversation avec ses deux acolytes, Julia Forsyth et Mary O'Shaughnessy, et un sourire radieux illuminait son visage.

— Exactement comme vous le souhaitez, madame le maire. Vos fans vous attendent.

Sa grand-mère lui donna une petite tape sur le bras.

— Merci. Même si l'ironie n'était pas indispensable.

Walker fut incapable de réprimer un sourire. Il aimait taquiner sa grand-mère. D'abord, parce qu'elle marchait à tous les coups, ensuite parce qu'elle adorait cela.

— À toi de jouer, dit-il avant d'appuyer sur la touche ON du micro.

Tandis que Sophie lisait le procès-verbal de la dernière réunion – présentation du budget, décision d'augmenter la surface des vestiaires de la patinoire, et suggestions concernant le problème de l'orignal égaré qui avait causé des dégâts dans l'épicerie de Patty –, Walker alla s'installer au fond de la salle.

Il salua Mick O'Shaughnessy, le petit-fils de Mary, et s'assit à côté de lui sur une de ces horribles chaises pliantes en métal. Redressant la tête, il avisa une chevelure blonde à quelques rangées devant lui. Lisse et épaisse, elle descendait au milieu du dos de sa propriétaire. Walker n'avait pas besoin de voir son visage pour être certain de n'avoir jamais croisé cette femme.

La voix de sa grand-mère emplissait la vaste salle tandis qu'elle passait du dernier procès-verbal aux problèmes en cours, mais il ne l'entendait pas. Toute son attention était fixée sur la masse soyeuse devant lui.

Qui était cette femme ?

Du coin de l'œil, il avisa les poings serrés de Mick posés sur ses genoux.

— Ça va, vieux ?

— Mmm ?

Son ami avait le regard tourné dans la même direction que lui un peu plus tôt.

Était-il aussi intrigué que lui par cette blonde ?

— Ouais, répondit Mick sans tourner la tête.

— Dans ce cas, pourquoi ai-je l'impression que tu es prêt à bondir sur l'orignal de Patty ?

Cette fois, son ami le regarda.

— Et qui est cette blonde qui semble tant t'intéresser ? enchaîna Walker.

— La blonde, je ne sais pas. Mais la petite brune canon à côté, c'est Jane. La fille de Jonas Winston.

— Je sais qui est Jane. Je suis son avocat.

— Ah oui, c'est vrai, fit Mick en frottant son menton que couvrait une barbe de trois jours.

— Elles ont l'air de bien se connaître.

Mick reporta son attention sur les deux femmes.

— La blonde vient d'arriver. Par le train, au grand dam de Maggie et de tous ceux qui travaillent sur la piste.

Walker secoua la tête. Voilà qui résumait bien l'ambiance d'Indigo. Une inconnue posait à peine le pied dans le village qu'on avait déjà quelque chose à lui reprocher.

— Maggie ferait bien de s'intéresser un peu plus à sa tour de contrôle et un peu moins aux cancans, rétorqua-t-il. Le trajet en train est magnifique, et autrement moins éprouvant, surtout lorsqu'on vient pour la première fois.

Un sourire apparut sur les lèvres de Mick.

— Vu le nombre de gens qui vomissent sur mes sièges, ce n'est pas moi qui te contredirais.

— Et tu sais qui c'est ?

— À part que c'est une amie de Jane, de New York, non. Vu que tout le village a pris le parti de Kate, personne ne parle vraiment à Jane. Du coup, on ignore qui est exactement cette amie et ce qu'elle fait là.

— Maggie doit mourir d'envie d'en apprendre plus.

Mick acquiesça d'un signe de tête.

— Tu parles ! Remarque, tant mieux pour moi. Pendant ce temps-là, elle me fichera la paix avec la compétition organisée par nos grands-mères.

À cet instant, le ton de Sophie changea tandis qu'elle donnait à l'assemblée une série d'instructions pour les jours à venir.

Walker soupira.

— Chaque fois que je crois qu'elles vont enfin arrêter ce truc ridicule, elles poussent encore plus loin. Tu étais au courant qu'ils ont failli en parler aux infos sur la chaîne régionale ?

— Failli ?

— Le service éditorial a fait sauter le sujet à la dernière minute.

— Et tu sais pour quelle raison ?

Walker songea au coup de fil qu'il avait discrètement passé à quelques vieux copains de la fac.

— Disons que j'ai encore quelques contacts influents.

— Bravo, le félicita Mark. Voilà qui prouve que les études servent à quelque chose.

Walker se carra sur son siège, le regard irrésistiblement attiré par l'amie de Jane.

— Sûr, approuva-t-il. Même si j'ai choisi de vivre dans un trou, je veille à ce que mes relations s'étendent beaucoup plus loin.

— Mais qu'est-ce que tu fais ? murmura Jane.

Sloan se tourna vers son amie tout en essayant de trouver une position confortable sur sa chaise pliante. Depuis leur arrivée, elle s'était déjà présentée à cinq couples d'un certain âge et trois adolescents en tenue de hockey, qui avaient paru flattés de son attention.

— Il y a quatre jours, tu m'as envoyé un texto me demandant de venir t'aider, rappela-t-elle. Eh bien, c'est exactement ce que je fais : je t'aide.

— Parce que tu appelles ça m'aider ! s'insurgea Jane à voix basse. Franchement, Sloan, tu trouves que c'est une bonne idée de venir à une assemblée municipale où sont présents les trois quarts du village, alors que ces gens n'attendent qu'une chose : que je reparte à New York par le premier train ?

— C'est une façon de montrer ton intérêt pour cet endroit et ses habitants tout en en profitant pour rencontrer des gens. En quoi cela pourrait-il te nuire ? Du reste, c'est uniquement la faute de Kate si tu es dans ce pétrin.

— Pour être franche, rectifia Jane avec une moue, c'est avant tout celle de mon défunt père.

— C'est vrai. Mais si on oublie cette histoire, tout le monde ici a l'air plutôt sympa. Whisky et Sucre d'orge sont adorables, et je trouve ça très émouvant qu'ils fêtent leur cinquantième anniversaire de mariage. C'est fou, non ?

Malgré son anxiété, Jane ne put s'empêcher d'esquisser un sourire.

— Totalement incroyable.

— Par ailleurs, ajouta Sloan en balayant la salle d'un regard rapide, nous devons faire comprendre à ces gens que c'est *toi* la sœur dont ils doivent prendre le parti. Cette réunion me semble idéale pour commencer.

Plus elle y pensait, plus Sloan était convaincue qu'il s'agissait d'une bonne idée. Le problème, ce n'était pas Jane, mais sa détestable sœur. À ce propos…

Où donc était passée cette pauvre martyre à qui tout le village venait en aide ?

Feignant de redresser son manteau sur le dossier de la chaise, Sloan en profita pour regarder derrière elle. Elle n'aperçut aucune femme dont les traits évoquaient de près ou de loin ceux de Jane.

Elle poursuivit son inspection, consciente que si elle continuait trop longtemps, elle finirait par se faire repérer. Elle s'apprêtait à se retourner de nouveau vers l'estrade quand son regard fut arrêté par un bloc de virilité pure.

Les deux hommes étaient assis l'un à côté de l'autre ; la largeur de leurs épaules les avait obligés à écarter légèrement leurs chaises. Elle considéra celui de gauche, avec son visage anguleux, sa barbe de trois jours et des cheveux bruns un peu longs.

Plutôt sexy.

Mais pas son genre.

D'ailleurs, même s'il l'avait été, ç'aurait été sans importance, estima-t-elle un instant plus tard en examinant son voisin.

Il portait un gros pull bleu marine dont le col roulé mettait en valeur la ligne ferme de sa mâchoire. Ses traits étaient réguliers, et son nez juste assez grand pour lui éviter d'être classé dans la catégorie « beau gosse ».

Car, sans le moindre doute, il ne s'agissait pas d'un gosse, mais d'un homme – et d'un homme d'une virilité à couper le souffle.

Magnétique.

Attirant.

Sensuel.

Mais « beau » ? Non, sûrement pas.

Sloan déglutit. Elle s'apprêtait à se détourner, à contrecœur, quand son regard croisa celui de l'inconnu. Il avait les yeux bruns, et la regarda sans ciller, manifestement aussi intéressé par ce qu'il regardait qu'elle l'était de son côté. Il haussa un sourcil interrogateur, et elle aurait sans doute souri si Jane ne lui avait pas fermement attrapé le bras à ce moment-là.

— Qu'y a-t-il ?

Les doigts de son amie s'enfoncèrent dans sa chair ; elle fixait la porte d'entrée d'un air affolé. Sloan suivit son regard, et vit s'avancer une petite brune.

Même si elle n'avait pas connu Jane depuis plus de quinze ans, elle aurait immédiatement deviné que la femme qui venait d'entrer était sa sœur. Jusqu'à leur façon de marcher, la tête haute et le pas dansant, qui se ressemblait.

N'en déplaise à Jane, qui détestait ce qualificatif, elles étaient sémillantes.

Un murmure parcourut l'assemblée. L'ennemie jurée de Jane avait enfin fait son apparition.

En dépit de ce que sa grand-mère appelait son « âge avancé de trente-six ans », Walker Royce Montgomery n'avait jamais vu de chats se battre. Mais à en juger par la tension qui régna soudain dans la salle, il n'était pas exclu qu'il assiste à son premier combat.

— Combien tu paries que ça dégénère ? lui chuchota Mick alors que Sophie, sur l'estrade, poursuivait ses recommandations.

Walker ne répondit pas. Il se contenta de regarder Kate Winston s'installer deux rangs devant sa sœur. La ressemblance entre les deux femmes était troublante. Mais si intéressé soit-il par le drame qui s'annonçait, il se retrouva presque malgré à lui à regarder de nouveau l'amie de Jane.

Avec ses longs cheveux blonds, elle lui avait immédiatement évoqué la mer, le ciel bleu et le sable chaud des côtes californiennes, mais une tout autre image s'imposa à lui quand il la vit examiner Kate, les dents serrées.

L'image d'une guerrière.

D'une déesse vengeresse.

Merde, depuis quand avait-il autant d'imagination ? Il se rappela silencieusement à l'ordre. Elle était prête à défendre son amie, tout simplement.

Sa grand-mère éleva la voix, sans doute pour ramener sur elle l'attention de ses concitoyens.

— Les premières candidates arriveront vendredi soir prochain.

— Sophie, l'une d'elles est déjà là, intervint Whisky McGilvray. Elle s'appelle Sloan. Sucre d'orge et moi venons de lui parler.

Sloan.

Walker se répéta mentalement ce prénom, l'associant à l'image de la déesse vengeresse. Le résultat était plaisant, estima-t-il.

Très plaisant.

Si elle manquait parfois de subtilité, sa grand-mère avait de bonnes manières et un véritable don pour mettre les gens à l'aise. Avec un grand sourire, elle fit signe à la nouvelle venue.

— Sloan, je vous en prie, approchez.

Le rose aux joues, Sloan se leva et se dirigea vers l'estrade. Walker ne put s'empêcher de s'attarder sur ses longues jambes et le délicat balancement de ses hanches tandis qu'elle marchait.

La voix de Mick le tira de sa contemplation.

— Qu'est-ce que ta grand-mère mijote encore ?

À regret, Walker se détourna du spectacle fort sensuel qui avait retenu son attention pour se tourner vers lui.

— Prépare-toi à avoir honte pour notre village.

— Pourquoi ?

Walker désigna l'estrade.

— Regarde.

— Bienvenue à Indigo, ma chère. S'il vous plaît, parlez-nous un peu de vous.

Les joues de Sloan s'empourprèrent davantage.

— Bonjour, tout le monde, commença-t-elle. Je m'appelle Sloan McKinley.

— Qu'est-ce qui a attiré une aussi jolie femme que vous à Indigo ?

— Je suis venue rendre visite à ma meilleure amie, madame.

Madame.

Walker ne douta pas que sa grand-mère, si à cheval sur la politesse et le respect, avait apprécié cette marque de courtoisie.

— Vous n'êtes donc pas ici pour participer à la compétition de la semaine prochaine ?

— Pas du tout, madame. Je suis juste venue voir Jane.

Walker retint un grognement en voyant l'expression qui venait d'apparaître sur le visage de sa grand-mère. De toute évidence, celle-ci avait une idée derrière la tête et s'apprêtait à fourrer son nez là où il n'avait rien à faire.

— Peut-être Mary, Julia et moi parviendrons-nous à vous faire changer d'avis.

Avant même qu'elle ait terminé sa phrase, de nombreux célibataires disséminés dans la salle exprimèrent leur approbation par des hurlements de loup. Et Walker trouva soudain les bouffonneries de sa grand-mère intolérables.

Un sourire confus flotta sur les lèvres de Sloan. Elle ne semblait pas éprouver de la gêne à proprement parler, mais un certain inconfort face à ce brusque élan d'enthousiasme chargé de testostérone.

Rien, en revanche, ne le prépara à ce qui suivit.

Sloan McKinley s'essuya les paumes sur son pull, afficha un grand sourire, puis, se tournant vers Sophie, déclara :

— Je ne me laisse pas convaincre facilement, mais que cela ne vous empêche pas d'essayer.

Ce qui lui valut un rire spontané de son interlocutrice comme de l'assistance.

— Je vois que vous allez donner du fil à retordre aux célibataires de notre charmant village, que vous entriez ou non dans la compétition, commenta Sophie.

— Merci à tous pour la chaleur de votre accueil, fit Sloan. Je suis descendue à l'hôtel *Indigo Blue*, comme Jane, et je serais ravie d'offrir un verre à tous ceux qui voudront bien nous y rejoindre.

Une nouvelle vague de sifflements et de cris accueillit cette invitation. Walker imagina sans mal le cercle qui ne manquerait pas de se former autour de Sloan McKinley.

Jetant un regard de biais à Mick, il croisa les bras.

— On dirait qu'on est bons pour un verre à l'*Indigo Blue*.

— Pas de problème, répondit Mick sans quitter Jane des yeux.

Sloan ignorait quelle mouche l'avait piquée d'inviter tout le village à boire un verre, mais elle n'avait jusqu'à présent jamais regretté une impulsion et n'allait pas commencer aujourd'hui.

Rien qu'en traversant la salle pour récupérer son manteau sur sa chaise, elle avait fait la connaissance d'une vingtaine de personnes supplémentaires. Sophie, qui avait visiblement considéré son invitation comme la meilleure des conclusions, avait annoncé la fin de la réunion d'un coup de marteau avant même qu'elle soit descendue de la scène.

— Qu'est-ce qui t'a pris ? chuchota Jane sans se départir de son sourire crispé.

— C'est sorti spontanément. Appelons cela une intuition.

— Mais tout le bourg, Sloan ?

— Tu avais envie de rencontrer du monde. C'est l'occasion ou jamais de raconter ta version de l'histoire. En plus, les gens sont beaucoup plus compréhensifs après un verre ou deux.

Jane avait beau essayer de la dissimuler, Sloan perçut sa contrariété. De même qu'elle entendit les commentaires de deux femmes quelques rangs devant elle.

— Comme si on pouvait nous acheter avec quelques verres.

— C'est ce que semble croire son amie, en tout cas.

— Elle n'a pas l'air de vouloir lâcher le morceau, reprit la première. Depuis le temps, elle aurait pourtant dû comprendre qu'on ne veut pas d'elle. La pauvre petite orpheline qui pense avoir des droits sur ce qui ne lui appartient pas. De toute évidence, son père n'en avait rien à faire d'elle. Sans cette histoire de testament, on n'aurait même jamais su qu'elle existait.

Sloan se raidit. Même si elles n'étaient pas très discrètes, les deux femmes ne criaient pas et n'avaient sans doute pas conscience d'être écoutées.

Mais elles l'étaient. Par elle, et à en juger par l'immobilité soudaine de Jane qui s'était baissée pour ramasser son sac, par son amie également.

Une vague de nausée l'envahit au souvenir de la conversation qu'elle avait surprise dans la cuisine de sa mère à Thanksgiving.

Ces voix mielleuses, dégoulinantes de fausse sympathie, ressemblaient tellement à celles de Betsy et de Mary-Jo. Quelque chose dans leur tonalité donnait l'impression que l'objet de leurs commentaires était une sorte de cloporte tout juste bon à être écrasé sous la semelle. Elle avait les joues en feu soudain.

Comme si elle se préparait à attaquer.

Kate Winston se dirigea vers les deux femmes en enfilant sa grosse doudoune. Les yeux fixés sur Jane, elle lança d'une voix sèche :

— Trina, Sherry, venez, sortons d'ici.

Bien décidée à ne pas les laisser s'en tirer si facilement, Sloan se tourna vers elle. Sidérée, sous le choc, elle avait été incapable de réagir aux piques des amies de sa mère, mais là, son amitié pour Jane fut la plus forte.

— Vous êtes sûres de vouloir partir ? Vous avez pourtant l'air d'avoir beaucoup à dire.

Jane se redressa, son sac à la main, et la prit par le bras. Ignorant la pression sur son poignet, Sloan plongea son regard dans celui de Kate, l'empêchant de se détourner.

— Elle n'est pas la bienvenue ici, affirma l'une des deux autres femmes.

Avant que Sloan ait pu répliquer, Kate saisit son amie par le bras dans un geste étonnamment similaire à celui de Jane.

— Nous partons, Trina.

— Mais tu étais juste…

— Prête à sortir. Viens. Tout de suite.

Toutes les femmes qui étaient autour de Kate Winston lui emboîtèrent le pas. La rousse dénommée Trina prit le temps d'adresser un regard noir à Jane avant de les imiter.

C'est donc là le genre d'affronts qu'endurait Jane depuis son arrivée à Indigo ?

— Merde, c'est quoi leur problème ? interrogea Sloan.

Les yeux mouillés de larmes, Jane haussa les épaules.

— Je l'ignore, et je n'ai même pas envie d'en parler.

— Mais enfin, Jane, c'est ridicule. Tu n'as quand même pas forcé ton père à l'écrire, ce testament. Tu ne le connaissais même pas.

— Elle, si.

La douleur dans sa voix n'échappa pas à Sloan.

— Comment ça ? demanda-t-elle.

— Elle connaissait mon père, parce qu'il était le sien. Depuis le jour de sa naissance.

— Mais…

Sloan s'interrompit comme un type à la carrure d'athlète et à la barbe de trois jours s'approchait.

— Tout va bien ? s'enquit-il avec un regard inquiet en direction de Jane.

— Merci, pas de problème, répondit celle-ci d'un ton posé.

— Vous êtes sûre ?

— Certaine.

Sur ce, Jane hissa son sac sur son épaule et se dirigea vers la porte d'un pas déterminé.

Ce genre de réaction était si surprenant de la part de son amie, que Sloan ne trouva rien d'autre à faire sur l'instant que de la suivre. Adressant un sourire d'excuse au grand type, elle s'éloigna entre les rangées de chaises.

Alors qu'elle se tournait pour lui adresser un dernier sourire contrit, son copain le rejoignit.

Elle retint son souffle en croisant le regard de ce dernier. Malgré le vent glacé qui s'insinuait par la porte ouverte, une troublante chaleur l'envahit. Elle le fixa encore un quart de seconde, puis rattrapa Jane… en priant pour que l'inconnu aux épaules de bûcheron ait prévu de passer la soirée à l'*Indigo Blue*.

4

Chassant de son esprit Kate et ses pestes d'amies, Sloan passa en mode séduction dès que Jane et elle arrivèrent à l'*Indigo Blue*. Elle était décidée à jouer le jeu et à offrir à chacun son plus beau sourire – celui qui ferait dire à tous que Sloan McKinley était bourrée de charme et de très bonne compagnie.

Et que Trevor Stuart Kincaid IV et tous les crétins de Scarsdale qui la trouvaient trop vieille ou estimaient qu'elle déparait au sein de leur petit monde si sélect aillent au diable !

— Tu crois vraiment que ça va marcher ?

Sloan tressaillit et se tourna vers Jane qui, depuis le bar, regardait les habitants d'Indigo entrer les uns après les autres dans le grand hall.

— Évidemment.

— Mais tu as invité tout le village. Ça va te coûter une fortune !

— Pas tout le village, rectifia Sloan. Juste ceux qui étaient à la mairie.

— Je suis sûre que certains ont téléphoné à leurs amis pour leur suggérer de les rejoindre.

Sloan haussa les épaules avec indifférence. À quoi servait de gagner de l'argent si elle ne savait pas s'en servir au moment opportun ?

— Nous nous mêlons à la population.
— C'est ce que disait la copine de Kate : tu les achètes !
— Jane, enfin, c'est absolument faux !
— Au contraire. Et je trouve que…

Jane se tut comme deux hommes à la carrure impressionnante franchissaient le seuil.

— Ce sont des amis à toi ? interrogea Sloan, incapable de dissimuler son intérêt.

Elle ne comprenait pas pourquoi Jane s'était montrée si froide et distante avec eux. Quoi qu'il en soit, elle se réjouissait qu'ils soient venus.

— Pas vraiment.
— Qui est-ce ?
— Deux des trois petits-fils.

Sloan se rappela ce qu'Avery leur avait raconté un peu plus tôt.

— Les *fameux* petits-fils ? dit-elle
— En chair et en os, intervint Avery qui s'était rapprochée d'elles de l'autre côté du bar.
— Ceux pour qui est organisée la compétition ?
— Ne vous méprenez pas, corrigea Avery. Le concours est avant tout organisé pour leurs grands-mères, qui ne rêvent que d'une chose : avoir enfin des petits-enfants. Mais oui, ils sont la raison pour laquelle il a lieu chaque année.
— En quoi consiste exactement ce concours ? s'enquit Sloan sans quitter les deux hommes des yeux.
— La compétition se divise en deux parties. Durant la journée, ce sont les épreuves féminines. Ball-trap, transport de seaux d'eau le long de la grand-rue. Il y a même une mini-course de traîneaux tirés par des chiens, histoire de voir si on est capable de survivre en Alaska.
— Tu as tiré beaucoup de pigeons en argile, Avery ? la taquina Sloan.
— Tu n'imagines pas. En tout cas, dans la soirée, on passe aux hommes, qui défilent sur la scène pour une vente aux enchères.

Jane écarquilla les yeux.

— Une vente aux enchères ? répéta-t-elle. Et qu'est-ce qu'on en fait après ?

— Du calme, Jane, ce n'est pas un bordel, rappela Sloan en riant.

— Loin de là, renchérit Avery qui s'esclaffa à son tour. Même si le prix arrêté lors des enchères doit être payé. La recette va à un fonds pour personnes en difficulté. Ça sert à payer des frais scolaires, une reconstruction après un incendie, et bien d'autres choses.

— C'est une bonne idée, commenta Sloan, qui admirait l'esprit d'initiative des grands-mères d'Indigo.

Au moins, leur désir de caser leurs petits-fils profitait à la communauté.

Avant qu'elle ait le temps de poser d'autres questions, Sophie Montgomery vint demander à Jane si elle pouvait lui consacrer quelques minutes. En voyant son amie s'éloigner avec le maire, Sloan ressentit une bouffée de fierté. Manifestement, son plan fonctionnait.

Rassurée sur l'évolution de la situation, elle reporta son attention sur les deux hommes, et demanda à Avery :

— Les grands-mères n'ont pas réussi à marier ces deux-là ?

— Le problème, c'est surtout qu'aucun d'eux ne désire une épouse, expliqua Avery en lui resservant un verre de vin.

— Qui est le troisième ?

— Il ne vit plus ici, répondit-elle d'une voix tendue.

— Où est-il ?

— Va savoir. Roman Forsyth, ça te dit quelque chose ?

Pour avoir suivi les New York Metros quelques années plus tôt dans le cadre d'une série d'articles sur le hockey sur glace, Sloan connaissait tous les noms des joueurs de l'équipe.

— Le Roman Forsyth des New York Metros ?

— Oui.

— Celui qui a été élu meilleur joueur de l'année il y a deux ans ?

— Lui-même, acquiesça Avery en se mettant à frotter activement une tache de vin sur le bar.

Sloan aurait aimé l'interroger plus avant, mais la tristesse qui assombrissait son regard l'en empêcha. Du reste, elle n'avait pas besoin de plus de précisions : la réaction d'Avery et sa curieuse remarque un peu plus tôt lui confirmèrent ce qu'elle pressentait.

Avery Marks avait le cœur brisé.

Walker hocha la tête comme si ce que lui racontait Jessica McFarland, son associée, l'intéressait.

— Ça empire de jour en jour, Walker. On ne peut donc rien faire ? Kate vit ici depuis longtemps. Elle a le droit d'habiter dans la maison de son père.

— Elle n'est pas à la rue, et elle peut rester là où elle est jusqu'à ce que toute cette histoire soit terminée. En attendant, la maison est sous scellés et personne ne peut s'y installer. Ce que tu sais aussi bien que moi, non ? ajouta-t-il en se tournant vers Jessica.

— Oui, mais ça semble tellement injuste.

— Nous ne sommes pas là pour décider de ce qui est juste ou pas, mais pour faire notre travail.

— Quand même, c'est un peu trop facile. Elle arrive ici comme une fleur et décide que les biens de Jonas lui appartiennent de plein droit.

— Elle est la fille de Jonas, rappela Walker.

Il avait toujours eu du mal à comprendre la réaction des habitants d'Indigo dans cette affaire. Car si Jonas n'avait pas caché son existence à tout le monde, sa fille ne se serait jamais retrouvée dans cette pénible situation. Or, au lieu de reconnaître la responsabilité de leur ancien concitoyen, la plupart des gens préféraient traiter Jane comme une intruse. Une attitude qu'il supportait de plus en plus mal.

— En outre, Jessica, si tu ne parviens pas à prendre un minimum de distance par rapport à ce dossier, il serait peut-être préférable que tu le confies à quelqu'un d'autre.

Jessica leva si brusquement son verre qu'une goutte de son cocktail passa par-dessus bord.

— Tu penses que je ne suis pas capable de m'en occuper ?

— Je pense surtout qu'il faudrait que tu arrêtes de te positionner comme l'amie de Kate Winston.

— C'est facile à dire pour toi.

— Ce n'était pas une suggestion, madame l'avocate.

Préférant éviter une dispute tant il avait de mal à comprendre comment une personne aussi compétente que Jessica pouvait se montrer aussi peu objective, Walker se dirigea vers le bar pour reprendre une bière.

— Avery, une autre pinte, s'il te plaît, commanda-t-il. Et pendant que tu y es, sers-en aussi une pour Mick.

Il balaya du regard le vaste hall rempli de monde. Presque malgré lui, son regard s'arrêta sur la femme au centre de cette petite soirée improvisée.

— On dirait que tu vas la dévorer, Walker, ironisa Avery.

Il pivota vers elle, s'efforçant de prendre l'air le plus naturel possible.

— Qui ça ?

— Allons, tu crois que je n'ai pas vu comment tu fixes Sloan depuis tout à l'heure ?

— Disons que je me réjouis du spectacle. Ce n'est pas tous les soirs que nous avons de nouvelles fêtardes à Indigo.

— Fêtardes ne me paraît pas être le mot, fit remarquer Avery. Jane Thompson s'est retrouvée avec tout le village contre elle, et son amie cherche juste à l'aider à briser la glace.

Avery lança un regard noir vers le fond du hall, où un groupe de femmes entourait Kate.

— Kate finira par se dégeler, assura Walker, qui avait suivi son regard.

— Ce n'est pas l'impression qu'elle donne, répliqua Avery en se penchant pour prendre une bouteille de vin sous le bar.

Elle se servit un verre.

— En fait, elle devient un peu plus vindicative chaque jour.

— Elle a tout de même accepté l'invitation, souligna Walker.

Avery désigna quelques verres au bout du bar et la note posée dans une coupelle juste à côté.

— Sauf qu'elle a demandé à payer son addition, et l'a laissée bien en évidence pour le faire savoir, précisa-t-elle.

Walker secoua la tête en soupirant ; tant de mesquinerie et d'entêtement était vraiment affligeant.

Voyant Kate et ses compagnes approcher, sans doute pour commander une nouvelle tournée – aux frais de Kate, bien sûr –, il s'éloigna du bar. Il avait autant envie de discuter avec elles que de se retrouver coincé sur la banquise face à un grizzly. Du coup, il se dirigea vers Jane Thompson et son amie.

Sloan.

Pourquoi cette fille l'obsédait-elle à ce point ? Jusqu'à son prénom, qui semblait fait pour être murmuré dans un baiser au cœur de la nuit. Un prénom qui allait comme un gant à la femme qui avait éveillé son intérêt, et l'attirait tel un aimant.

D'un pas déterminé, il se fraya un chemin parmi la foule.

— Vous êtes vraiment en train d'écrire un article là-dessus ?

Bien décidée à prendre le taureau par les cornes, Sloan s'était insérée dans la conversation entre Jane et le maire d'Indigo. Il ne lui avait pas fallu longtemps pour mentionner sa profession et faire évoluer la discussion dans une direction profitable.

— À vrai dire, je ne l'ai pas encore vendu, mais je suis certaine que c'est le genre de sujet qui intéressera l'un des magazines pour lesquels je travaille.

À en juger par l'expression ravie de Sophie Montgomery, Sloan avait quasiment gagné la partie. Il serait probablement beaucoup moins difficile de charmer le village d'Indigo que Jane ne l'avait craint.

— Que voulez-vous dire par « vendu », ma chère ?

— Je travaille en free lance, madame Montgomery. Bien que tous les journalistes soient obligés, d'une manière ou d'une autre, de vendre leurs écrits, le processus est un peu plus compliqué dans mon cas.

— Je suis certaine que vous y arriverez, assura Sophie en lui tapotant le bras. Les gens sont extrêmement intéressés par tout ce qui se passe ici. Savez-vous que je suis passée à cela…

Sophie rapprocha son pouce et son index.

— … de faire venir une équipe de la télé régionale pour filmer notre compétition annuelle. Elle suscite un réel intérêt, croyez-moi.

Sloan l'espérait bien. L'oreille tendue pour écouter les conversations alentour, elle commençait à avoir une petite idée du contenu de son futur papier. En seulement trois heures, elle avait déjà rencontré suffisamment de personnages pour écrire un article plein d'humour et de tendresse sur Indigo et ses habitants.

Même si elle ne s'en était pas rendu compte sur le coup, inviter tout le monde à boire un verre à ses frais avait été une super idée.

Et elle n'avait jamais cherché à acheter qui que ce soit, bon sang !

De toute évidence, elle avait besoin de rencontrer du monde si elle voulait proposer un sujet. Cette tournée générale représentait le moyen idéal pour entrer en contact avec un maximum de gens tout en créant un mouvement de sympathie autour de Jane.

Car, même si elle comprenait que les habitants d'Indigo se mobilisent pour protéger Kate, ceux-ci devaient prendre conscience que Jane était aussi l'une des leurs. Jonas Winston en avait décidé ainsi le jour où il s'était installé ici. D'accord, Kate avait eu la chance d'arriver la première, mais ce n'était pas une raison pour déclarer Jane hors jeu.

Avec un grand sourire, Sloan tourna son attention vers les deux femmes qui avaient rejoint Sophie afin de se mêler à la conversation.

La première lui tendit une main tavelée. Malgré son âge, sa poigne était ferme. Puissante. Visiblement, les femmes qui choisissaient de vivre en Alaska ne manquaient pas de caractère.

— Mary O'Shaughnessy, se présenta-t-elle. Ravie de vous rencontrer.

— Moi de même.

Sloan fut ensuite présentée au dernier membre du triumvirat, Julia Forsyth.

— J'ai croisé votre belle-fille en arrivant à l'hôtel. J'ai cru comprendre que votre petit-fils est un célèbre joueur de hockey.

— Ah oui ! Mon petit Roman.

— J'ai rédigé un article sur son équipe il y a deux ans. Il a fait une sacrée saison.

Sloan préféra ne pas préciser que, durant cette même saison, Roman Forsyth avait été considéré comme l'un des joueurs de hockey les plus sexy par toutes les femmes, de New York à Los Angeles.

— C'était vous ! s'exclama Julia, le regard brillant. Il me semblait bien que votre nom me disait quelque chose. Merci d'avoir révélé le comportement scandaleux de ces filles qui vont voir les matchs dans l'unique but de flirter avec un joueur. Seigneur, comment imaginer qu'il existe des jeunes femmes qui manquent à ce point de subtilité !

Sloan faillit s'étrangler avec sa gorgée de vin. Julia Forsyth pensait-elle sincèrement que ces « filles » étaient les seules à blâmer ? Ces grands-mères étaient-elles à ce point entichées de leurs petits-fils qu'elles les transformaient en véritables saints ?

— Si j'ai bien compris, déclara-t-elle pour changer de sujet, vous êtes toutes les trois à l'origine du concours qui se tient chaque année à Indigo ?

Ses interlocutrices hochèrent la tête d'un même mouvement, tout sourire.

— Quand l'avez-vous lancé pour la première fois ?

— Mon Dieu, nous avons marié nos fils lors d'une sorte de version préparatoire, il y a presque quarante ans, répondit Julia. Mais, sous sa forme actuelle, le concours date de quinze ans.

Sloan eut une moue appréciative.

— Belle longévité !

— En fait, il a pris de l'ampleur au fil du temps. Lorsque nos enfants étaient jeunes, nous nous étions contentés d'étoffer un peu une sorte de bal qui se tenait tous les hivers. Mais quand nous nous sommes aperçues que nos petits-fils n'avaient aucune intention de fonder une famille, nous avons décidé qu'il fallait passer à la vitesse supérieure.

— Nos petits-fils sont incroyablement têtus, renchérit Sophie.

Sloan suivit la direction de son regard moqueur, et découvrit, sans surprise, l'homme aux larges épaules entrevu à la mairie, qui la regardait justement. Elle le salua d'un bref hochement de tête.

— Je suppose qu'il s'agit du vôtre, dit-elle.

— Ma tête de mule de petit-fils, Walker, acquiesça la vieille dame.

Walker...

— Walker ? L'avocat de Jane ? demanda Jane.

— Lui-même.

Elle éprouva une vraie déception. Pour autant qu'elle avait pu en juger, cet homme était incompétent, et en grande partie responsable de la situation déplorable dans laquelle se trouvait son amie. Car si, durant toutes les années où il l'avait conseillé, il avait incité Jonas Winston à entrer en contact avec sa fille, les choses seraient différentes aujourd'hui. Quel genre d'homme de loi était-ce donc ?

— Ah.

Si elle perçut la froideur de sa réaction, Sophie n'en tint pas compte, et fit signe à son petit-fils de les rejoindre. Un sourire narquois aux lèvres, il s'approcha d'un pas assuré.

Sloan le salua poliment, mais sans la chaleur et l'enthousiasme qui auraient été les siens si elle n'avait su à qui elle avait affaire.

Ils avaient à peine terminé les présentations que Sophie s'éclipsa sous un prétexte bidon. Comme s'il n'avait rien remarqué, Walker lâcha :

— Jane ne m'avait pas dit qu'elle attendait la visite d'une amie. Indigo vous plaît ?

Sloan ne comprenait pas pourquoi elle était aussi déçue. Presque malgré elle, elle répliqua d'un ton vif :

— Peut-être que si vous accordiez plus de temps à votre cliente, vous auriez su que je venais.

D'aimable, l'expression de Walker se fit perplexe.

— J'ai passé beaucoup de temps avec ma cliente. C'est juste qu'elle ne m'a jamais parlé de vous.

— Est-ce que vous représentez également sa sœur ?

— Cela ne vous regarde pas, mais non. Cela constituerait un trop gros conflit d'intérêts.

— Dans ce cas, pourquoi avez-vous laissé la totalité du village prendre parti pour Kate ?

Walker tenta de concilier l'image de la virago qui se tenait devant lui avec celle de la jeune femme séduisante qu'il avait remarquée durant la réunion municipale. Sans succès.

— Il y a un problème ? s'enquit-il sans détour.

— J'ai le sentiment que vous roulez Jane dans la farine.

— Je suis certain que Jane et vous êtes très proches. Et si c'est ce qu'elle vous a laissé entendre, vous devriez lui conseiller d'en discuter avec moi.

— Je suis en train d'en discuter avec vous.

— Sauf que vous n'êtes pas Jane, et que vous vous mêlez de ce qui ne vous regarde pas.

Sloan fronça les sourcils. Walker crut discerner un curieux mélange de colère et de sympathie au fond de ses prunelles azur.

— Elle a besoin de quelqu'un qui la soutienne.

— Je trouve qu'elle se débrouille très bien toute seule, riposta-t-il. D'autre part, sachez que je respecte scrupuleusement la loi en ce qui concerne l'exécution du testament de son père. Si vous avez l'impression que je défends mal les intérêts de votre amie, j'en suis désolé.

— Alors comment expliquez-vous ça ? interrogea Sloan en désignant la salle autour d'eux. Tous ces gens l'évitent comme si elle avait la peste.

Walker se tourna dans la direction où il avait repéré Jane un peu plus tôt. Elle s'y trouvait toujours et, comme depuis le début de la soirée, discutait avec un groupe de personnes.

— Elle ne m'a pas l'air si rejetée que ça, maman ourse, railla-t-il. Votre petite stratégie marche à merveille.

— Quelle stratégie ?

— Celle consistant à acheter les habitants d'Indigo à coups de sourires et de tournées générales. Très bonne tactique, je le reconnais. Ce n'est pas tous les jours que les gens d'ici peuvent boire tout leur saoul à l'*Indigo Blue*. Même si…

Il s'interrompit le temps de désigner le bar du menton.
— ... vous devriez faire attention à Whisky. Il avale leur pur malt comme du petit-lait.

Walker ne put réprimer un sourire devant le regard ébahi de Sloan lorsqu'elle se tourna vers Whisky et son épouse, Sucre d'orge, qui s'esclaffaient bruyamment devant le comptoir.

— Pardon ?

— On ne le surnomme pas Whisky par hasard, précisa-t-il.

Il s'attendait qu'elle se précipite vers le couple pour essayer de limiter les dégâts, au lieu de quoi, elle reporta son attention sur lui et déclara :

— Contrairement à ce que vous croyez, et exprimez si élégamment, je n'achète personne. Du reste, même si c'était le cas, ça ne changerait rien au fait que tous ces gens ne lui auraient jamais adressé la parole sans cette proposition de tournée générale.

— Je vois, vous avez décidé d'endosser le rôle du redresseur de torts.

— Non.

— Alors, que faites-vous ici ?

— Je prête main-forte à une amie.

Il se pencha vers elle.

— Si je puis me permettre une remarque, princesse, riposta-t-il sans bien comprendre comment il s'était laissé entraîner dans cette stupide joute verbale, Jane est beaucoup plus solide que vous ne le pensez. Pourquoi ne vous contentez-vous pas simplement d'être son amie ?

Sloan aurait dû exulter – son idée était un succès –, or tout ce qu'elle éprouvait, c'était une profonde mélancolie. Oui, son plan fonctionnait. Depuis une heure qu'ils étaient dans le hall, Jane était au centre de l'attention ; tout le monde tentait de l'approcher pour se présenter et cherchait à discuter avec elle. Pourtant, au lieu de se réjouir pour elle, Sloan luttait contre l'horrible sentiment d'être une vile manipulatrice.

Ce qui était profondément injuste.

Car Jane était une fille formidable. Tout ce qu'elle avait fait, c'était lui donner une chance de raconter sa version de l'histoire à tous ces gens qui l'avaient jugée d'emblée sans même essayer de la connaître.

Alors pourquoi les piques de Walker l'avaient-elles à ce point déstabilisée ?

Pourquoi ne vous contentez-vous pas simplement d'être son amie ?

Mais c'était exactement ce qu'elle faisait ! Jane méritait beaucoup mieux que l'animosité ou l'indifférence des habitants d'Indigo.

Tout comme elle-même méritait mieux que le mépris faussement apitoyé dont elle faisait l'objet parmi les habitants de sa ville natale.

Cette association d'idées la fit grimacer. Se pouvait-il que son ardeur à défendre son amie ait un lien avec la colère et la frustration qu'elle ressentait face à sa propre situation ?

Elle secoua la tête. Non, elle refusait de s'engager dans cette direction.

Tout comme elle refusait de s'interroger sur la déception qui avait été la sienne en découvrant que l'homme aux larges épaules n'était autre que l'avocat nul et incompétent de Jane.

Et merde !

Agacée par sa propre réaction, elle fila vers une pile de doudounes et de manteaux dans un coin du hall, en extirpa le sien et s'éclipsa discrètement par une sortie de secours. Un peu d'air frais lui éclaircirait les idées et chasserait cette morosité qui s'était subitement abattue sur elle.

Juste quelques minutes, se promit-elle, histoire de se ressaisir avant de retourner jouer son rôle d'hôtesse à la carte American Express Platinium.

— C'est une soirée du feu de Dieu que vous nous avez improvisée là. À ce propos, vous serez sans doute soulagée d'apprendre que Whisky et Sucre d'orge ont finalement décidé de rentrer chez eux.

Sloan fit volte-face. Et tressaillit en découvrant Walker dans l'encadrement de la porte. Avant qu'elle ait le temps de retrouver sa voix, il s'approcha d'elle.

— Vous allez geler si vous restez là. Tenez.

Il lui tendit un grand manteau masculin.

— Merci, j'en ai déjà un, dit-elle d'un ton guindé.

— Ce n'est pas suffisant. Mettez celui-ci.

Cette fois, elle accepta, consciente qu'elle ne résisterait pas longtemps au froid glacial qui traversait ses vêtements.

— Merci.

— Vous allez devoir renouveler votre garde-robe, lui conseilla-t-il. Vous ne tiendrez pas longtemps ici avec ce manteau et ces bottes, ajouta-t-il en jetant un regard moqueur auxdites bottes.

— Merci pour la leçon de mode, railla-t-elle. En plus d'être avocat vous êtes couturier ?

Plutôt que de répondre à cette nouvelle attaque, Walker la gratifia d'un sourire désarmant.

— Que diriez-vous de recommencer de zéro ?

Elle fronça les sourcils.

— Recommencer quoi ?

En guise de réponse, il lui tendit la main.

— Walker Montgomery. Enchanté.

Comme elle continuait à le fixer sans bouger, il ajouta :

— Et vous êtes ?

— Sloan McKinley, marmonna-t-elle en s'emparant finalement de sa main.

Lorsque les doigts de Walker se refermèrent autour des siens, elle eut l'impression qu'une décharge électrique la traversait. L'effet fut si subit et si intense que si elle n'avait pas été debout dans la neige, congelée du haut du crâne à la pointe de ses orteils comprimés dans ses bottes à talons, elle aurait cru rêver.

Alors qu'une onde de chaleur montait le long de son bras pour se déployer dans sa poitrine, elle s'efforça de libérer sa main. Walker ne la lâcha pas, et elle sentit le flux brûlant courir de plus en plus vite dans ses veines.

Mon Dieu, cet homme était réellement dangereux !

— Ça vous arrive souvent de suivre les femmes dans le froid et de voler des manteaux pour elles ? s'enquit-elle d'un ton ironique dans l'espoir de maîtriser le trouble qui l'avait envahie.

— Seulement quand lesdites femmes ne viennent pas d'Alaska et ne semblent pas savoir comment s'habiller sous nos climats.

— Dans ce cas, vous risquez d'être très occupé sous peu. Tout le monde ne parle que du grand concours qui doit avoir lieu le week-end prochain.

Walker fit un pas vers elle. Bien qu'elle soit plutôt grande – et plus encore avec ses talons –, elle fut obligée de lever la tête pour le regarder. La sensation lui parut aussi déroutante qu'agréable. De près, il était encore plus impressionnant.

— Si vous m'en disiez un peu plus à ce sujet, suggéra-t-elle.

Cet homme avait une telle présence physique que Sloan hésita entre reculer pour reprendre son souffle ou se jeter carrément dans ses bras.

Mais d'où lui venait donc une pareille idée ?

Comme si ce genre de pensée incongrue ne suffisait pas, elle s'entendit émettre un petit rire nerveux quand elle reprit :

— La perspective de ce concours n'a pas l'air de vous réjouir.

— Vous vous réjouiriez à ma place ?

Sloan se tapota les lèvres de l'index, songeuse. Si innocent qu'ait été son geste, il eut un effet immédiat sur

Walker, dont le regard brun s'assombrit tandis qu'il fixait sa bouche, comme fasciné.

— Finalement, ce concours ne plaît pas plus aux hommes qu'aux femmes d'Indigo, résuma-t-elle. C'est beaucoup d'énergie dépensée pour rien, non ?

— Ce n'est sûrement pas l'avis de ma grand-mère. Ni d'un certain nombre d'hommes, d'ailleurs.

— Dont vous ?

— Non.

— Et les autres petits-fils ?

— Mick et Roman ?

Walker lâcha un rire sonore.

— Ils préféreraient encore aller chez le dentiste.

— Vous n'exagérez pas un peu ? D'autant que c'est pour une bonne cause.

Sloan avait écouté avec attention le petit speech de Sophie, à la mairie, dans lequel elle essayait de persuader l'assistance de l'intérêt pour l'ensemble de la communauté de ce concours de célibataires.

« Une œuvre de solidarité », avait-elle affirmé.

Tu parles !

Sloan s'efforça de rester concentrée sur la conversation en dépit de l'effet renversant que Walker produisait sur elle. Un bourg rempli de matrones qui ne pensaient qu'à marier leurs trois petits-fils – tous célibataires invétérés –, et prêtes à tout pour y arriver.

— À ce propos, ma grand-mère ne vous a pas encore convaincue de participer à l'événement ?

Horrifiée à cette éventualité, Sloan retira vivement sa main, toujours serrée dans celle de Walker.

— Non.

— Elle sait se montrer très persuasive, vous savez. Et puis, comment voulez-vous écrire un article si vous ne participez pas à la compétition ?

— J'interviewerai les candidates.

Walker haussa les épaules d'un air indifférent, mais une lueur de défi s'était allumée dans ses prunelles.

— Voilà qui ressemble à une dérobade.

— Absolument pas.

— Vous trouvez ? Vous venez ici et poussez tout le village à sympathiser avec votre amie. Puis vous décidez de gagner un peu d'argent en publiant un papier sur nous. Peut-être qu'il faudrait songer à donner un peu de chair à tout cela.

5

— Donner un peu de chair ?

Walker vit les joues rosies par le froid de Sloan s'empourprer davantage. Ce n'est qu'en l'entendant répéter sa remarque qu'il se rendit compte de l'ambiguïté de sa formulation. Son corps réagit instantanément en imaginant les diverses manières dont Sloan pourrait « donner un peu de chair » à son sujet.

— Vous investir personnellement, expliqua-t-il. Surtout si vous comptez faire un reportage complet et documenté.

— Je n'ai pas besoin de participer pour ça. J'aurai toutes les informations dont j'ai besoin en interrogeant les habitants, les candidates et les hommes célibataires.

— Vous êtes du genre à rester sur les gradins ?

— Regarder et écouter, c'est ça le travail du reporter.

Walker haussa les épaules. Cette conversation, et surtout le fait de lancer un défi à Sloan, l'amusait énormément.

— J'ai juste l'impression que votre papier serait nettement plus percutant si vous jouiez le jeu à fond. Maintenant, si c'est trop pour vous…

À ces mots, elle arrêta de se frotter les mains l'une contre l'autre pour les réchauffer et les plaça sur ses hanches.

— C'est une provocation, maître ?

Vraiment, il s'éclatait. Galvanisé par la fureur offusquée qui étincelait dans les prunelles bleues de Sloan, il répliqua, railleur :

— J'observe, c'est tout.

— Tu parles !

— Allons, vous étiez à la réunion, vous savez en quoi consistent les différentes épreuves. L'objectif est avant tout de s'amuser. Il n'y a rien de difficile en soi. En outre, c'est l'occasion de rassembler des fonds pour le bien de la commune.

— Si j'ai bien compris ce qui s'est dit, vous n'avez jamais été très actif dans cette compétition. Pour l'instant, j'ai surtout l'impression d'avoir affaire à un employé de l'office de tourisme.

— Normal, se défendit-il. Ce que ma grand-mère et ses amies ont mis en place est tout à fait extraordinaire.

À sa grande surprise, il se rendit compte qu'il le pensait vraiment. Oui, ce concours était étonnant.

Pourquoi ne s'en était-il pas rendu compte plus tôt ?

Surtout, pourquoi avait-il besoin de quelqu'un d'autre – même si ce quelqu'un était aussi séduisant que Sloan – pour en prendre conscience ?

— Et pour répondre à votre remarque sur ma participation, enchaîna-t-il, je vous rappelle que les hommes ne concourent pas. Même si c'est pour eux que tout cela est organisé.

— Mais il y a bien des enchères, non ? Contribuez-vous à cette partie-là ? Sur la scène, devant tout le monde ?

De toute évidence, Avery avait parlé, devina-t-il. Préférant ignorer le ton perfide de la question, il répondit posément :

— Je laisse ça aux plus jeunes.

Sloan s'autorisa un petit ricanement, qui forma un nuage de vapeur devant sa bouche.

— Bien sûr…

— Ce n'est pas parce que je me plie aux lubies de ma grand-mère que je dois en plus m'y associer activement.

— Jouez les durs autant que vous voulez, maître, je ne suis pas sûre que vous soyez aussi insensible à tout cela que vous essayez de le faire croire.

— Vraiment ? fit Walker en se rapprochant presque malgré lui. Et d'où vous vient cette impression ?

— Je pense qu'être l'objet de toute cette attention vous amuse. Ces dizaines de femmes qui se mettent en quatre pour vous plaire, à vous et à vos copains, le groupe de célibataires endurcis, les rois de la fête.

Walker franchit le peu de distance qui les séparait. Malgré l'épaisse couche de vêtements qui la couvrait et le manteau trop grand dans lequel elle s'était emmitouflée, il sentait son parfum envoûtant.

— Le meilleur moyen de le savoir, c'est de participer, la défia-t-il de nouveau.

— Vous n'apprécierez peut-être pas ce que j'écrirai sur vous.

— Je suis prêt à courir le risque.

— Je ne laisse jamais personne influer sur le contenu de mes articles.

— Je ne promets pas de ne pas chercher à vous influencer, chuchota Walker tout près de son oreille.

La voix de Sloan n'était plus qu'un murmure lorsqu'elle répliqua :

— Je ferais une piètre journaliste si je renonçais à mon objectivité.

Elle pencha légèrement la tête en arrière, comme pour lui offrir sa gorge. Walker glissa les mains de chaque côté de son cou. Il effleura ses lèvres des siennes, et perçut sous ses doigts l'accélération de son pouls, telle une réponse aux battements désordonnés de son propre cœur.

— Vous pouvez rester aussi objective que vous le désirez au cours de la compétition, mademoiselle McKinley. Tant que vous ne le restez pas face à cela.

Sur ces mots, il s'empara de sa bouche avec une délicatesse qui dissimulait mal la fièvre qui l'habitait.

C'était la première fois que Sloan était médusée par un baiser. Excitée, oui. Aux anges, même.

Mais médusée ?

Jamais.

Le choc et la bouffée d'adrénaline et de pur plaisir qu'il provoqua en elle s'amplifièrent encore quand il approfondit son baiser.

Le froid qui la transperçait jusqu'aux os depuis qu'elle avait mis le nez dehors fut balayé par le feu brûlant qui se répandit dans ses veines telle de la lave. Soudain, elle sut avec certitude comment faisaient les Alaskains pour survivre dans ce climat glacial.

Tout en mêlant sa langue à celle de Walker, elle insinua les mains sous son manteau et les referma autour de sa taille, consciente de la fermeté de ses muscles sous ses doigts. Un désir enivrant explosa en elle, aussi puissant que celui qui émanait du corps vigoureux pressé contre le sien. Malgré la petite voix qui lui intimait de se sortir de là avant qu'il soit trop tard, elle se sentait incapable de repousser Walker.

Pire, elle se plaqua davantage contre lui, et elle ignorait jusqu'où elle serait allée si un éclat de rire n'avait brusquement dissipé le brouillard de sensualité dans lequel elle était plongée.

Elle recula et baissa les yeux, embarrassée.

Était-elle vraiment désespérée au point de perdre l'esprit à cause d'un simple baiser ?

Elle se risqua à jeter un coup d'œil à Walker, et découvrit qu'il la contemplait, un sourire satisfait aux lèvres. Son regard semblait lui promettre que ce baiser ne serait pas le seul, volé ou non.

— Pensez-y, Sloan.

Oh, elle y penserait, il n'y avait aucun doute là-dessus !

— Je suis sérieux. Pensez à ce que peut vous apporter ce concours.

Ah oui, le concours ! C'était de cela dont il parlait.

— J'y réfléchirai, promis.

— Venez, je vous raccompagne à l'intérieur.

En resserrant les pans de son manteau, Sloan se rappela que ce dernier ne lui appartenait pas. Or, à en juger par le brouhaha venant du parking, plusieurs de ses invités commençaient à rentrer chez eux.

— Walker ? Qu'est-ce que tu fiches là ? s'étonna un homme en les découvrant devant la porte.

— Je veillais à ce que Sloan n'attrape pas froid, Grizzly.

— Tu m'étonnes !

Un éclat de rire accueillit la réplique de Grizzly, et Sloan comprit que sa petite escapade en compagnie de Walker n'était pas passée inaperçue.

— J'en ai profité pour lui montrer les étoiles. Le ciel d'Alaska est trop beau pour ne pas en profiter un peu, même en décembre.

— Tu n'as pas tort, concéda Grizzly, bon enfant.

— Attention sur le chemin du retour, lui conseilla Walker tout en poussant doucement Sloan vers l'hôtel.

— J'ai l'impression que tout le monde nous a vus, chuchota-t-elle, l'estomac noué, dès que la porte se fut refermée derrière eux.

— Tout le monde, sûrement pas. Mais Indigo est un village.

— Ce qui signifie que les nouvelles vont vite et que rien ne peut rester secret ?

Walker plissa les yeux.

— Parce que vous voulez que ça reste secret, Sloan ?

Sa voix était enrouée de désir – et de déception ?

Sloan haussa les épaules.

— Ce n'était qu'un baiser, répliqua-t-elle d'un ton dégagé.

La remarque n'avait pas franchi ses lèvres qu'elle la regrettait déjà.

— En effet, acquiesça Walker.

L'entraînant vers le coin du hall où étaient empilés les manteaux, il désigna un colosse qui fouillait activement dans le tas sur le point de s'écrouler.

— Je vous présente McIntyre dit La Glisse. J'imagine qu'il cherche son manteau.

C'était à croire que personne dans ce village n'avait de véritable prénom.

Avant qu'elle puisse lui poser la question, Walker s'était avancé pour aider sa grand-mère à enfiler sa parka.

S'extrayant en hâte du vêtement deux fois trop grand pour elle, Sloan sourit à McIntyre.

— La Glisse ?

Il hocha la tête, manifestement surpris qu'elle connaisse son surnom.

Elle lui tendit le manteau.

— Désolée, mais j'ai dû sortir un moment, et comme je n'étais pas vraiment équipée, j'ai attrapé le premier manteau qui me tombait sous la main.

— Pas de problème, mademoiselle, répondit La Glisse en rougissant jusqu'aux oreilles. Comme ça, vous me l'avez réchauffé.

Devant son sourire à la fois gêné et enjôleur, Sloan s'excusa rapidement et rejoignit Jane qui discutait avec Avery.

En les voyant seules au comptoir, elle comprit que, contrairement à ce qu'elle avait cru, les gens ne rentraient pas chez eux parce qu'ils étaient fatigués, mais parce que Avery avait fermé le bar.

— Eh bien, on dirait que tu as un ticket avec La Glisse, railla cette dernière en lui tendant l'addition.

— Pardon ?

Sloan réprima le juron qui monta dans sa gorge en découvrant le montant de ladite addition.

— D'habitude, La Glisse est trop timide pour adresser la parole à une inconnue, mais j'ai vu qu'il te parlait.

Comme si elle avait lu dans son esprit, Avery reprit :

— Bien que la direction de l'*Indigo Blue* soit ravie de ton soutien, j'ai pensé quand tu apprécierais que j'aie déclaré la soirée terminée quand le total a atteint mille dollars. Autrement, quelques-uns seraient sûrement restés toute la nuit.

— La note est de mille cinq cents dollars, observa Sloane.

Avery la gratifia d'un grand sourire.

— J'ai dit que j'y avais pensé quand l'addition a atteint mille dollars. Du coup, j'ai annoncé que c'était la dernière commande, et tout le monde a rappliqué. J'ai également servi pas mal de verres gratos, je tenais à te le préciser. Vu le montant final, Susan ne mégotera pas pour deux ou trois bouteilles.

— Merci de l'attention, répondit Sloan avec une grimace.

Elle prit le stylo qu'Avery avait laissé près de l'addition.

— Oh, et en ce qui concerne La Glisse, je lui ai juste emprunté son manteau ! ajouta-t-elle.

— Et en ce qui concerne Walker Montgomery ? demanda Jane, un peu éméchée.

— Jane !

Sloan s'arrêta au beau milieu de sa signature.

— Bonne question, intervint Avery en ramassant les verres vides.

Bien qu'elle ait la tête baissée, son sourire n'échappa pas à Sloan.

— Un peu ! insista Jane en attrapant une bouteille d'eau derrière le bar. J'ai vu ta tête au moment où vous êtes rentrés ensemble tout à l'heure. Visiblement, ce type te fait de l'effet. Il a été jusqu'où ?

— Jane !

Avery leva la main, et Jane lui tapa dans la paume en s'écriant :

— Gagné !

— Attendez ! Vous n'avez quand même pas parié ?

— Bien sûr que non, répondit Avery. Je ne parie jamais quand je suis sûre de perdre. En tout cas, bravo. Ce mec est canon. Et il est évident que tu lui plais.

— Qu'est-ce que vous vous êtes raconté toutes les deux ? feignit de s'offusquer Sloan.

Mais la joie de ses amies était trop communicative pour qu'elle se sente réellement contrariée. S'adressant à Avery, elle fit remarquer :

— Dire qu'il y a quelques heures, tu me fusillais du regard et que maintenant je te fais des confidences. Comment expliques-tu ce revirement ?

— Je suis irrésistible, voilà tout.

Sloan s'esclaffa et grimpa sur un tabouret devant le bar.

— N'empêche, c'est vrai que c'est étonnant, renchérit Jane. J'ai l'impression de te connaître depuis toujours, Avery.

— Je sais, moi aussi. C'est super, pas vrai ? Et puisque nous en sommes aux confidences, je veux tous les détails.

Sloan vérifia d'un regard qu'elles étaient bien seules avant de dire à mi-voix :

— Il m'a embrassée. Enfin, il m'a d'abord provoquée, puis il m'a embrassée.

— Waouh ! Ça se fête ! décréta Jane en levant la bouteille d'eau vide qu'elle tenait à la main. Et avec autre chose que de l'H2O.

— Je pensais exactement la même chose, avoua Avery.

Elle disparut sous le comptoir, le temps de sortir une bouteille de vin millésimée.

— Un mouton-rothschild ! s'exclama Sloan, interloquée.

— Eh bien, on ne se refuse rien, commenta Jane en examinant l'étiquette. Je n'en ai jamais goûté.

— Moi non plus, avoua Sloan tandis qu'Avery débouchait la bouteille.

— Dans ce cas, préparez-vous à éprouver un choc !

Avec un sourire réjoui, Avery versa une petite quantité de vin dans deux verres, puis les leur tendit.

Sloan fit tourner le liquide à la robe grenat au fond de son verre, ravie de cette agréable diversion avant l'interrogatoire auquel ne manqueraient pas de la soumettre ses deux compagnes. À la première gorgée, elle ferma les yeux, transportée.

— Fabuleux !

L'air satisfait, Avery remplit leurs verres.

— À une bonne surprise, qui, j'espère, sera croustillante ! fit-elle en levant le sien.

Elles trinquèrent. Sloan but une deuxième gorgée qu'elle savoura longuement, avant de soupirer de plaisir.

— C'est vraiment un délice !

— Tout à fait d'accord, renchérit Avery.

Alors qu'elle sirotait son vin, une question vint soudain à l'esprit de Sloan.

— Dis-moi, Avery, une bouteille comme celle-ci doit valoir une petite fortune. De même que les sculptures en verre de Chihuly qui décorent le hall.

Avery avala une autre gorgée et contempla en silence le contenu de son verre, sa gaieté envolée d'un coup.

— Ça prouve que, même si nous vivons à l'écart de tout, nous ne sommes pas complètement ploucs, répondit-elle finalement.

— Je n'ai rien sous-entendu de tel. C'est juste que ça me semble énorme. Même à New York, je n'ai jamais passé de soirée entre copines où on s'ouvrait une bouteille à mille dollars. C'est un cadeau ?

— Tout ça est un cadeau, répondit Avery en désignant le hall d'un grand geste du bras. Le prix de la culpabilité du fils de Susan.

Le cœur de Sloan se serra. Il y avait tant de tristesse dans la voix de sa nouvelle amie.

— Roman ? hasarda-t-elle.

— Oui.

— Et malgré tout, tu restes. Au milieu de toutes ces choses ?

— Oui.

— Pourtant, il t'a brisé le cœur ?

— C'est vrai. Malgré cela, je ne peux pas partir.

— Bien sûr que tu peux ! protesta Jane. Rien ne t'oblige à rester ici.

Les yeux d'Avery brillaient quand elle les releva.

— Pour être franche, je n'ai pas le courage de partir. Peut-être un jour, mais pas maintenant. En attendant, je vais profiter de mon mouton-rothschild, des sculptures de Chihuly, et de mes nouvelles amies. D'ailleurs, j'attends toujours que l'une d'elles m'en dise un peu plus sur ce fameux baiser avec Walker Montgomery.

Comprenant que le sujet Roman était clos, Sloan et Jane levèrent toutes deux leurs verres en direction d'Avery.

— Alors, insista celle-ci en retrouvant son sourire, tu comptes faire durer le suspense encore longtemps ?

Sloan fit la moue.

— Tu ne veux quand même pas tous les détails ?

— Bien sûr que si.

Avec un long soupir de diva, Sloan lâcha :

— Je crois qu'aucun homme ne m'a jamais embrassée ainsi.

— Tu veux dire, aussi bien ? risqua Jane.

— Aussi passionnément ? renchérit Avery. Impérieusement ?

— Impérieusement ? répéta Sloan en s'esclaffant. Où as-tu déniché un mot pareil ? Dans tes lectures ?

— Si tu savais ! N'oublie pas que je vis en Alaska, et que ça fait des mois que je me gèle les fesses seule dans mon lit la nuit. Alors, à ton avis, qu'est-ce que je lis ?

Sloan leva la main pour l'arrêter.

— Je préfère ne pas le savoir. Sinon, pour répondre à ta question, je pense que tu as bien résumé les choses tout à l'heure : Walker Montgomery est canon. Sur tous les plans.

— À Walker Mongtomery, Le mec le plus canon de tout l'Alaska ! conclut Jane en levant son verre.

Pour peut-être la dix millième fois depuis leur première année de lycée, Jessica McFarland se demanda pourquoi elle continuait à fréquenter Trina Detweiler.

— Elle a acheté tout le monde, carrément ! s'exclama celle-ci d'un ton scandalisé en descendant la grand-rue en tête de leur petit groupe.

Sherry lui emboîtait le pas ; Kate se tenait juste derrière elles, même si, à la voir, on comprenait que son esprit, lui, était très loin.

— Je n'ai pas l'impression qu'on m'a achetée, marmonna-t-elle. Juste saoulée.

Elle jeta un coup d'œil aux autres personnes qui rentraient chez elles. Avery avait veillé à ce que ceux qui étaient en voiture ne boivent pas trop. Pour les autres, en revanche, l'alcool avait coulé à flots.

— C'est M. Rivington qui pisse le long de la station-service ? demanda Sherry.

— C'est dégoûtant. On devrait lui interdire de sortir son vieux machin en public, commenta Trina, toujours prête à se moquer de son prochain.

— Il est âgé, Trina. Il n'a peut-être pas le choix.

Jessica ne savait pas trop pourquoi elle avait pris la défense du vieux Rivington, mais ça avait été plus fort qu'elle. L'attitude de Trina la hérissait.

— C'est répugnant !

Incapable d'en rester là, elle répliqua :

— Parce que, toi, c'était la grande classe le jour où tu as vomi sur les rosiers de Mme Riley après l'enterrement de vie de jeune fille de Louise Kent ?

— Je préfère ne pas répondre, lança Trina en haussant les épaules. Par ailleurs, j'aimerais que tu nous dises de quel côté tu es et pourquoi tu as accepté qu'elle te paie des coups ?

— Ce n'est pas moi qui ai accepté, Trina, mais tout le village. Il faudrait être stupide pour ne pas profiter d'une pareille occasion.

Même si elle gagnait bien sa vie – et son salaire, elle en était consciente, était beaucoup plus élevé que celui de nombre de ses concitoyens –, elle appréciait les cadeaux. Comme tout le monde.

— Du reste, enchaîna-t-elle, si ça te dérangeait tant que ça, pourquoi es-tu venue ? Juste pour le plaisir de montrer que tu payais tes verres ?

— Exactement. Et je pensais qu'en tant que juriste, tu ferais la différence.

S'arrêtant brusquement sur le trottoir, Trina pivota vers elle et reprit :

— Alors, on peut savoir de quel côté tu es ?

— Cela n'a rien à voir, Trina.

— Au contraire. Kate traverse une mauvaise passe, et toi, tu bois des coups avec son ennemie. Si ce n'est pas prendre parti !

— Je te rappelle que je représente légalement sa sœur. Je me dois d'agir en fonction de cela.

— Ça ne t'oblige quand même pas à te saouler en sa compagnie.

Jessica poussa un soupir. Comment en était-elle arrivée à cette situation ridicule ?

— Écoute, je fais juste mon boulot.

Avant que Trina ait le temps de riposter, Kate s'interposa entre elles.

— Trina, arrête, s'il te plaît.

— Super, si toi aussi, tu t'y mets. Qu'est-ce qui ne va pas, Kate ? Depuis le début de la soirée, je te trouve bizarre.

— Tout va bien, répondit Kate d'un ton qui contredisait ses paroles. Je suis juste fatiguée et je n'ai plus envie de parler de tout ça. Bonne nuit.

— Comme tu veux. Tu viens, Sherry ? Maguire est encore ouvert, allons prendre un verre.

À l'adresse de Jessica et de Kate, Trina ajouta :

— Si jamais vous changez d'avis et retrouvez votre sens de l'humour, rejoignez-nous.

Jessica regarda ses deux amies s'éloigner, dubitative, puis se tourna vers Kate :

— Qu'est-ce qui lui prend ?

En guise de réponse, Kate se contenta de hausser les épaules.

— Elle est injuste.

— Tout est injuste, soupira Kate en donnant un coup de pied dans un morceau de neige glacée. En particulier mon père, qui me laisse me débrouiller seule avec une sœur dont il n'a même jamais pris la peine de me parler.

— Kate, il ne t'a pas laissée, il est mort.

— N'empêche, c'est lui qui a fait n'importe quoi, et c'est à moi de régler le problème. En plus, elle a appelé du renfort.

— Jane n'est pas méchante, Kate. Pour être franche, elle est même plutôt sympathique. Tu t'en apercevrais peut-être si tu acceptais de discuter avec elle.

Kate secoua la tête, les yeux soudain remplis de larmes.

— Jessica, je ne l'aime pas, et rien de ce que tu pourras me dire n'y changera quoi que ce soit. Je peux comprendre que la situation actuelle ne soit pas plus agréable pour elle que pour moi. Mais j'ai passé vingt-six ans sans avoir de sœur et il est trop tard pour que ça change. D'ailleurs, même si j'acceptais d'en avoir une, il serait hors de question qu'elle habite dans *mon* village.

— Dans ce cas, pourquoi n'essaies-tu pas de résoudre au plus vite cette histoire ? À mon avis, elle est aussi pressée de rentrer chez elle que toi de la voir partir.

— Tu voudrais que je lui cède la moitié de l'héritage de mon père ? Alors qu'il ne l'a même jamais vue ? C'était *mon* père, pas le sien. Lui laisser la maison reviendrait à admettre qu'il l'était aussi.

En tant que juriste, Jessica avait l'habitude des affaires difficiles, mais l'obstination de Kate à refuser une part de l'héritage de son père à sa sœur lui semblait vraiment injuste.

— Ce n'est pas à toi d'en décider.

— À qui, alors ?

Kate se remit en marche. Jessica se rendit compte qu'elle n'avait aucune envie de la suivre. Kate Winston avait quatre ans de moins qu'elle, et bien qu'elles se connaissent depuis l'enfance, elles ne s'étaient vraiment rapprochées qu'au cours des dernières années. Peut-être était-ce pour cette raison qu'elle n'arrivait pas à prendre totalement son parti, songea Jessica en la regardant s'éloigner.

— Et merde, soupira-t-elle.

Un toussotement discret dans son dos lui fit faire volte-face. Son pouls s'accéléra lorsqu'elle découvrit le nouveau venu.

— Oh, bonsoir, Jack !

Jack Rafferty, veuf éploré et apparemment à jamais inconsolable, la regardait, un léger sourire aux lèvres.

— Un problème ?

Elle eut un rire sans joie.

— Vu la situation, je dirais plutôt un gros, répondit-elle.

Elle l'examina à la lueur des réverbères. Il portait un bonnet de laine et de multiples couches de vêtements pas vraiment sexy, ce qui n'empêcha absolument pas son cœur de s'emballer.

— Je suppose que tu as assisté à ce qui s'est passé à l'hôtel, et ne fait que compliquer davantage la situation.

— Comme la moitié du village, j'y ai assisté oui. Jusqu'ici les gens avaient pris le parti de Kate, même s'ils jugeaient son attitude un peu injuste. Mais après ce soir... Disons que Jane a fait forte impression. Et dans le bon sens.

— C'est sûr qu'il sera plus difficile de continuer à l'ignorer, reconnut-elle.

— Tous savaient déjà qu'ils avaient tort de la rejeter ainsi. Ce soir, elle a ajouté la petite touche de culpabilité qui leur manquait pour cesser.

Jessica fixa le bout de ses bottes, puis, se ressaisissant, releva la tête. Bon sang, pourquoi Jack la troublait-il toujours autant ?

— Je l'espère, commenta-elle. Jane mérite mieux que ça.

— Je doute que Kate soit d'accord, fit valoir Jack en jetant un coup d'œil dans la direction que cette dernière avait prise. En plus, elle ne m'a pas l'air près de changer d'avis.

— Le chagrin a parfois un drôle d'effet sur les gens.

À peine ces mots étaient-ils sortis de sa bouche que Jessica aurait voulu les ravaler. Car Jack Rafferty connaissait mieux que quiconque les effets du chagrin.

Il ne répondit pas, se contenta de hocher la tête en la fixant de son regard indéchiffrable.

Jessica le salua, puis s'éloigna lentement. Continuait-il à la regarder ? Elle avait beau mourir d'envie de le savoir, elle ne se retourna pas de crainte qu'il ne se soit déjà remis en marche.

6

— Ce n'est pas assez chaud, Sloan. La seule solution pour ne pas mourir de froid ici, c'est de superposer des couches de vêtements.

Le rayon manteau du magasin ressemblait à la penderie du Père Noël. Sloan regarda Avery décrocher une longue doudoune qui ressemblait à un sac de couchage et la lui tendre.

— Je vais paraître énorme là-dedans, se plaignit-elle. Enfin, au moins, elle est noire.

— Oh, arrête ! lança Jane de derrière une pile de sweat-shirts en polaire. Il fait froid et tout le monde s'habille comme ça. C'est mieux que de perdre ses orteils et ses doigts parce qu'ils ont gelé.

Sloan continua de faire la moue, même si elle savait que Jane avait raison.

— D'accord, soupira-t-elle finalement en s'emparant la doudoune.

Elle l'enfilait quand Sandy Dunbar, la propriétaire de la boutique, s'approcha d'elles.

— Je peux vous aider ? s'enquit-elle.

— Salut, Sandy, lança Avery avec familiarité. On essaie de trouver des vêtements convenables à Sloan pour son séjour à Indigo.

Les yeux soudain plus brillants, Sandy saisit une écharpe colorée sur une table à proximité.

— Je vous ai vue hier soir. Le manteau en laine que vous portiez n'est pas du tout adapté aux températures de l'Alaska.

— Je suis rapidement arrivée à la même conclusion, reconnut Sloan avec un sourire faussement contrit.

Puis, avec un naturel issu d'une longue expérience du shopping, elle ajouta à l'adresse de Jane :

— Cette polaire est ravissante. Tu devrais l'acheter. Elle fait ressortir la couleur de tes yeux.

Elle vit Avery froncer les sourcils derrière Sandy, avant de renchérir avec entrain en comprenant son manège :

— Sloan a raison, Jane. Tu devrais aussi prendre le pull bleu lavande juste à côté.

Même si la soirée de la veille avait permis à Greir de se faire des alliés à l'intérieur de la communauté d'Indigo, rien ne valait un petit coup de pouce au commerce local. Avec le soutien actif d'Avery et de leurs deux cartes de crédit, Jane et Sloan étaient sûres de gagner une personne de plus à leur cause.

— J'adore cette teinte, affirma Jane en les rejoignant avec le sweat et le pull.

— C'est moi qui ai tricoté ce pull, précisa Sandy, non sans fierté.

Le sourire d'Avery s'agrandit, et Sloan devina que cette dernière le savait déjà.

— Il est magnifique, Sandy.

D'accord, il y avait un peu de manipulation dans leur manière d'agir, devait reconnaître Sloan. N'empêche, le pull était vraiment superbe et d'une qualité indéniable.

— Prends les deux, Jane.

Son amie eut une seconde d'hésitation, puis avec un clin d'œil, elle déclara :

— Dans ce cas, j'ai besoin d'une écharpe assortie.

— Pas de problème, assura Sandy en lui faisant signe de la suivre. J'en ai une qui est exactement de la nuance de vos yeux.

Sloan parcourut la carte de l'*Indigo Café* et commanda une crêpe œufs bacon avec un café. Généralement, elle se contentait au petit déjeuner de blancs d'œufs battus en omelette qu'elle faisait revenir avec des oignons et un peu de fromage râpé à 0 %. Mais le vent glacial du petit matin aidant, elle avait une faim de loup.

Il était encore très tôt, et elle avait été surprise de découvrir que les magasins d'Indigo étaient déjà ouverts. Mais Sandy lui avait expliqué que durant l'hiver, les commerçants essayaient de profiter au maximum de la lumière du jour et fermaient au milieu de l'après-midi.

Sloan attendit sa commande dans le coffee-shop bondé, satisfaite d'avoir franchi une nouvelle étape de l'opération Jane. À présent, il était temps d'estimer les retombées de celle de la veille au soir.

Quelques échanges avec la population locale lui permettraient d'apprécier l'ampleur de sa réussite. D'autant que l'ancien objet de leur animosité était rentré à l'hôtel pour tenter de soulager sa gueule de bois.

Après un sourire de remerciement à la serveuse, Sloan sirota son café tout en observant la salle autour d'elle. Cet endroit était manifestement le lieu où il fallait être à 8 heures du matin. Toutes les tables étaient occupées et les conversations allaient bon train.

En vue de son futur papier, elle écrivit *Tranches de vie* et *Instantanés d'un village paisible* sur son carnet. Qui sait ? Cela pourrait peut-être servir de titre à une série d'articles. Une sorte de prologue décrivant l'existence tranquille des habitants d'Indigo avant le grand événement annuel.

En espérant que ce concours des célibataires attirait réellement les foules.

Plus elle pensait à son sujet, plus il lui paraissait intéressant. L'idéal, bien sûr, serait que cela se termine par un ou deux mariages. Elle pourrait alors revenir au printemps et poursuivre son reportage.

— Mademoiselle ? Ça vous ennuie si je m'assois ?

Elle fut tirée de ses réflexions par la douce voix et le sourire encore plus doux de l'homme qui avait interpellé Walker alors qu'elle rentrait avec celui-ci dans le hall, la veille.

— Je vous en prie.

Le nouveau venu casa son grand corps sur la banquette en face d'elle et lui tendit la main.

— Je m'appelle Grizzly.

— Sloan.

— Je sais, fit-il avec un petit rire amusé.

Elle marqua un temps d'arrêt, puis se raisonna. Prétendre à l'anonymat dans une métropole de huit millions d'habitants était normal, mais à Indigo, gros bourg d'Alaska peuplé en tout et pour tout de sept cent douze âmes, serait irréaliste.

Ignorant sa réaction de citadine, elle se pencha vers son interlocuteur.

— Grizzly, commença-t-elle sur un ton de conspiratrice, je sais que nous venons juste de nous rencontrer, mais j'aimerais vous poser une question.

— Oui ?

— Est-ce que tout le monde ici a un surnom ?

— Pourquoi ?

Sloan faillit éclater de rire devant l'air perdu de Grizzly, mais craignant de le blesser, elle se retint.

— C'est que, depuis que je suis arrivée, tous les gens que je rencontre semblent avoir des prénoms un peu trop originaux pour figurer sur leur extrait de naissance. Vous. La Glisse. Whisky et Sucre d'orge...

Le petit groupe de femmes installées derrière eux devait avoir entendu leur conversation, car l'une d'elles, une brune qui se trouvait à l'*Indigo Blue* la veille, se tourna vers eux pour expliquer :

— C'est comme ça ici. On aime bien les surnoms.

— Tout le monde en a un ?

— Ce sont surtout les hommes, intervint la voisine de la brune. Mais il y a aussi quelques femmes, comme Sucre d'orge.

— D'où lui vient-il ? voulut savoir Sloan.

— Elle refuse de le dire, mais je crois que c'est intime.

Sloan faillit recracher sa gorgée de café.

— Intime ?

— Un petit nom donné sur l'oreiller, précisa Grizzly en rougissant jusqu'aux oreilles avant de disparaître derrière sa tasse de café au lait.

— Ne me dites pas qu'une grande fille de la ville ne comprend pas ça, fit une voix toute proche.

Une bouffée de désir submergea Sloan lorsqu'elle reconnut le timbre profond de Walker Montgomery.

— Vous savez comment ça se passe, poursuivit-il en s'asseyant à côté d'elle, si près que leurs cuisses se frôlaient. Moments intimes et petits mots doux.

Sloan fit remarquer :

— Si ce surnom est si intime, comment se fait-il que tout le village le connaisse ?

— Whisky est un brave type, mais il a une fâcheuse tendance à se vanter, répondit Walker avec un haussement d'épaules.

— Ah.

Cette intrusion involontaire dans la vie sexuelle du couple charmant qu'elle avait croisé la veille mettait Sloan mal à l'aise, aussi fut-elle soulagée lorsque la serveuse apporta sa commande.

Grizzly jeta un coup d'œil à son assiette, puis regarda Sloan, et annonça :

— Bon, je vous laisse manger tranquille.

— Vous pouvez m'accompagner, répondit-elle.

Un regard à Walker, et il se leva.

— Merci, mais j'ai déjà mangé. Je voulais juste me présenter.

— J'ai été ravie de faire votre connaissance, Grizzly.

— Moi aussi, dit-il tandis que la main qu'elle lui tendait disparaissait dans la sienne. Salut, Walker.

— Salut, Grizzly.

Bien qu'il se soit exprimé d'un ton posé, elle perçut dans la voix de Walker une note implacable, aussi dure que l'acier.

Elle considéra les deux hommes, amusée par le match silencieux qui se jouait entre eux. L'espace d'un instant, elle fut tentée d'intervenir, mais une petite voix lui rappela qu'elle n'était pas à New York et ne connaissait pas les règles en vigueur.

Tandis que Walker passait sa commande et que Grizzly décrochait son manteau, elle songea à Trent avec son vocabulaire choisi, son sourire enjôleur et sa coupe de cheveux à deux cents dollars.

L'incarnation du mâle américain fortuné. Si elle ne l'avait pas aussi bien connu, elle l'aurait sans doute trouvé séduisant. Le genre de type plein d'esprit, toujours prêt à sortir une bonne repartie.

Son regard quitta le dos carré de Grizzly qui poussait la porte du café pour se poser sur Walker. Oui, les hommes d'ici possédaient un charme très différent.

Rude.

Buriné.

Authentique.

Fascinée, elle regarda Walker verser quasiment un cinquième du sucrier dans son café.

Avant qu'elle ait pu faire une remarque, la serveuse était de retour avec une autre assiette de crêpes au bacon qu'elle posa devant lui en le gratifiant d'un petit clin d'œil complice.

Tout le monde dans ce village était-il toujours au courant de tout ? s'interrogea Sloan, agacée.

— Ainsi, nos surnoms vous surprennent ? fit Walker en inondant ses pancakes de sirop d'érable.

Incapable de résister à la tentation, elle attendit qu'il repose le flacon et l'imita.

— Pas les surnoms en eux-mêmes, mais le fait que tant de gens en aient.

— Quand j'étais à la fac, beaucoup de mes copains en avaient aussi.

— Sans doute, mais à ce point, reconnaissez que ce n'est pas courant.

Comme Walker haussait les épaules, elle enchaîna :

— Où avez-vous fait vos études ?

— Au lycée de Dartmouth, puis à la fac de droit de New York.

— À New York ?

Elle goûta à sa crêpe, et réprima un gémissement de bonheur en sentant la saveur délicieusement sucrée sur ses papilles.

Sans la quitter du regard, Walker but une gorgée de café.

— Ce n'est pas parce que je vis ici que je n'ai jamais eu envie de savoir comment c'était ailleurs, fit-il remarquer.

— Je n'ai rien dit de tel, se défendit Sloan. J'aurais posé la même question si vous aviez été californien.

— Ça m'étonnerait.

Elle fronça les sourcils, surprise.

— Ce qui signifie ?

— Que vous êtes arrivée ici avec un tas de préjugés. Reconnaissez-le.

— Absolument pas !

Mais en dépit de ses dénégations, Sloan devait avouer qu'il avait raison. Même si elle ne faisait pas partie de ces gens qui estimaient qu'en dehors de Manhattan il n'y avait pas de vraie vie, elle ne s'était tout de même pas attendue à boire du mouton-rothschild, à admirer des œuvres de Chihuly et à flirter avec un diplômé de l'université de New York en Alaska.

Ce qui ne faisait pas d'elle une snob pour autant !
— Bien sûr que si, s'entêta Walker. Mais ce n'est pas grave. On a l'habitude.
— Si vous n'étiez pas aussi coincé, vous vous seriez rendu compte que j'essayais juste de faire la conversation.
Walker faillit s'étrangler avec sa bouchée.
— Coincé ? répéta-t-il avec un petit rire incrédule.
— Parfaitement. Vous êtes vous-même bourré d'a priori. Concernant mes attentes, le fait que je suis une citadine et un tas d'autres choses.
Walker se pencha vers elle, lui bouchant presque la vue. Elle ne put s'empêcher de s'attarder sur ses larges épaules. Il était si imposant, si indéniablement viril. Sentant ses pensées s'engager sur une pente dangereuse, elle s'obligea à se ressaisir.
— Vous avez l'intention de me faire oublier mes a priori ? s'enquit Walker.
Elle releva les yeux vers son visage.
— Pourquoi pas ?
— Vous participerez à la compétition, dans ce cas ?
S'adossant à la banquette en vinyle, Sloan laissa échapper un petit gémissement. C'était un coup bas !
— Encore ! s'exclama-t-elle, agacée. C'est une obsession.
— Ce serait pourtant une expérience intéressante.
— Ou une humiliation cuisante.
Mais enfin, pourquoi réagissait-elle ainsi ? Elle avait envie de disparaître sous la table.
— De quoi avez-vous peur ?
— Je n'ai pas peur !
— Ce n'est pas l'impression que vous donnez.
— Si quelque chose me fait peur, concéda-t-elle, c'est d'être ridicule.
Il se tourna vers son assiette pour couper sa crêpe, mais Sloan perçut la note amusée dans sa voix quand il lâcha :

— Le but, c'est de se faire plaisir.

— Ah oui ? Et qui se fait plaisir en l'occurrence ? Parce que, personnellement, je ne frétille pas d'impatience à l'idée de porter d'énormes seaux d'eau le long d'une route verglacée.

— On ne vous demande pas de le faire sur des kilomètres.

— On ?

— Les habitants d'Indigo, si vous préférez.

— Je vois. À propos, « on » m'a dit qu'il y avait également une mise aux enchères des célibataires d'Indigo. Vous en ferez partie ?

— Je serai présent pour aider ma grand-mère, mais je ne participerai pas aux enchères.

— Eh non ?

— Non, répéta-t-il, inflexible.

— Et quels célibataires seront de la fête ?

Walker balaya la salle du regard.

— Grizzly, La Glisse, Tommy Sanger, Chuck Bartlett. Quasiment tous ceux qui sont ici ce matin, conclut-il.

Résistant à l'envie de se retourner, Sloan garda les yeux rivés sur lui.

— Vous n'avez quand même pas peur de la concurrence ?

— Cela n'a rien à voir. C'est une question de principes.

— Un avocat avec des principes ?

— Et des principes tout à fait valables, marmonna-t-il avant de porter sa tasse de café à ses lèvres.

Sloan plissa les yeux.

— Seriez-vous gêné, maître ?

— Je trouve cette histoire d'enchères indigne, c'est tout.

Elle en resta un instant bouche bée.

— Attendez, s'écria-t-elle finalement, vous trouvez ces enchères indignes, mais que des femmes s'affrontent devant vous au cours d'épreuves ridicules ne vous choque pas ?

— D'une part, ces épreuves ne sont pas ridicules mais drôles, rectifia-t-il. D'autre part, ces femmes ne concourent pas sous le regard de leur grand-mère qui cherche à les caser à tout prix.

Sloan s'autorisa un ricanement amer.

— J'échange votre grand-mère contre ma mère quand vous voulez, proposa-t-elle avant de boire une goutte de café.

Elle ne prit vraiment conscience de la portée de ses paroles qu'en voyant l'expression de Walker.

— Vous êtes sérieuse ?

— Oh que oui ! soupira-t-elle, avant de reprendre d'un ton snob : « Vous rendez-vous compte du scandale, très cher ? À son âge, la fille de Winifred McKinley est toujours célibataire. Quelle honte pour la famille ! »

— Et que dirait Winifred McKinley si elle apprenait que sa fille participe à un événement aussi vulgaire qu'un concours de célibataires ?

Sloan enfourna une autre bouchée de crêpe. Au point où elle en était, elle n'allait pas chipoter et en laisser dans son assiette. Quitte à faire un écart, autant le savourer jusqu'au bout.

— Elle serait mortifiée, répondit-elle finalement.

— N'est-ce pas une raison suffisante pour s'inscrire ?

Ces paroles demeurèrent suspendues entre eux, et Sloan se sentit à la fois effrayée et tentée. Elle n'avait jamais agi en fonction des idées ou des valeurs de sa mère, pourtant, en cet instant, la perspective d'outrepasser à ce point les limites de ce que cette dernière considérait comme la bienséance lui apparut extrêmement séduisante.

Inspirée.

Un peu comme de se goinfrer de crêpes, en mieux.

Encore plus savoureux.

Plus décadent.

Tandis qu'elle considérait Walker Montgomery, une autre pensée lui traversa l'esprit : ici, contrairement aux représentants de la petite élite au sein de laquelle elle avait grandi à Scarsdale, personne ne la connaissait.

Les gens se moquaient de son passé comme de son avenir. Ils semblaient juste l'apprécier telle qu'elle était au présent.

À sa grande surprise, elle se rendit compte que cela changeait tout.

— Vous savez quoi, maître ? Si vous y allez, j'y vais.

Mick l'accuserait de trahison et sa grand-mère penserait avoir enfin gagné la bataille, Walker en était sûr. Pourtant, il hésita à relever le défi.

Peut-être était-ce dû à sa nuit blanche – à laquelle la blonde face à lui n'était pas étrangère.

Ou à sa réaction quand il avait découvert Grizzly en train de lui faire les yeux doux.

En tout cas, quelque chose au fond de lui – quelque chose de primaire – était prêt à tout pour éloigner d'elle tous les autres hommes d'Indigo qui la dévoraient des yeux comme si elle était le dernier 4 × 4 sorti sur le marché.

Un 4 × 4 doté d'un sourire ravageur, de prunelles myosotis et de seins généreux.

« Et ça, mon ami, c'est le signe que tu es en train de perdre les pédales. »

Que déjà il ose comparer Sloan à un 4 × 4 était inquiétant, mais qu'il envisage de céder à sa grand-mère…

« Et merde ! »

— D'accord.

Sloan écarquilla les yeux.

— Allez hop ! comme ça ? Vous participez ?

— Soit je participe, soit je ne participe pas, il n'y a pas vraiment d'alternative.

— Pour quelqu'un qui critique cette tradition depuis des années, il n'a pas été difficile de vous convaincre, je trouve.

— Peut-être que jusqu'à présent la compétition ne m'avait pas paru suffisamment ardue.

Elle fronça les sourcils.

— Je croyais que les hommes ne concouraient pas avec les femmes, mais entre eux.

— En effet, acquiesça-t-il en s'adossant à la banquette avec un sourire satisfait. Vous concourez toutes pour moi.

Il avait beau avoir un ego bien développé, il n'était tout de même pas imbu de lui-même au point de parler sérieusement. Aussi fut-il surpris de l'entendre éclater de rire – un rire rauque si sexy que son corps se mit aussitôt en alerte rouge.

— Eh bien, il y a au moins un stéréotype sur lequel je ne me trompais pas, commenta-t-elle.

— Lequel ?

— « Je suis un homme viril capable de survivre dans n'importe quelles conditions et que rien ne touche. Un homme fort et sauvage. Celui dont rêvent toutes les femmes même si je me lave un jour sur trois et me coupe les ongles quand j'y pense. »

— Eh ! J'ai pris une douche ce matin. Et eux aussi, ajouta-t-il en indiquant les autres hommes dans la salle.

Dieu merci, ils avaient tous l'air à peu près propre.

Enfin, pour la plupart.

— Un ego développé et une vie en solitaire forment une combinaison dangereuse.

— Je ne vis pas en solitaire, se récria-t-il.

Et c'était vrai. Il pouvait se trouver une compagne quand il le voulait. D'ailleurs, il ne s'en privait pas lorsque le besoin s'en faisait sentir. Il vivait comme il l'entendait, et il était très heureux ainsi.

Sloan lui adressa un sourire narquois.

— Dans ce cas, c'est juste le résultat d'un ego surdimensionné.

— Cette fois, vous avez raison, plaisanta-t-il à son tour en lui rendant son sourire.

La serveuse leur apporta l'addition. Il s'en empara spontanément, ce qui lui valut un nouveau froncement de sourcils.

— Je suis ici pour un reportage, déclara Sloan. Je peux payer.

— Vous êtes ici pour petit-déjeuner. Avec moi. Donc, c'est moi qui règle l'addition.

— Walker, protesta-t-elle en tendant la main, je ne veux pas en faire toute une histoire, mais franchement, venir ici fait partie de mon boulot de reporter.

Il avait déjà sorti des billets de sa poche, et les tendit à la serveuse avant que Sloan ait pu intervenir.

— Dans ce cas, continuez votre reportage en ma compagnie, proposa-t-il. Je vais vous faire visiter les environs. J'ai besoin d'éliminer mon petit déjeuner.

Sans attendre sa réponse, il se leva et mit son manteau. Puis il l'aida à enfiler le sien.

— Je vois que vous avez déniché une tenue adaptée au climat, fit-il remarquer.

— Ce matin même. Pour le plus grand bonheur de Sandy.

— Je n'en doute pas. Elle a dû vous refiler la moitié de la boutique, non ?

— Disons que j'étais une victime consentante.

Tandis que Sloan soulevait sa longue chevelure blonde pour la faire passer par-dessus le col de son manteau, Walker se rendit compte, stupéfait, que cette expression s'appliquait parfaitement à lui. La bouche sèche, il chercha comment poursuivre la conversation sans que Sloan s'aperçoive de son trouble.

Il n'avait toujours pas trouvé quand ils émergèrent dans la grand-rue.

7

Après une heure passée à arpenter Indigo, Sloan songea que la « visite des environs » ressemblait surtout à un circuit des lieux auxquels Walker Montgomery vouait une affection particulière.

À partir de la grand-rue, il lui avait fait découvrir différents sites, parmi lesquels celui où l'orignal le plus ardent du coin aimait appeler les femelles quand il était en chasse et l'endroit où Mick et Roman s'étaient saoulés (et avaient vomi) pour la première fois de leur vie.

Il adorait sa région, cela s'entendait dans la note de fierté qui perçait dans sa voix chaque fois qu'il évoquait un souvenir ou racontait une anecdote.

Il adorait y vivre.

Ils s'arrêtèrent devant une grande sculpture en granit. Bien que l'artiste ait surtout cherché à donner une impression de mouvement, on décelait dans les lignes courbes les corps d'un homme et d'une femme enlacés.

— Cette sculpture rend hommage à quelqu'un en particulier ? voulut-elle savoir.

Elle s'attendait que ce soit un mémorial quelconque et, une fois de plus, la réponse de Walker la surprit :

— À l'amour.

— Vraiment ?

— Ce sont les grands-mères qui l'ont commandée.

— Une statue de cette taille ? ! Mais pourquoi ?
— Le mari de Julia est mort quand elle avait trente-six ans, expliqua Walker.

Sloan quitta la sculpture des yeux pour se tourner vers lui.

— Perdre son mari ou sa femme doit être dur à n'importe quel âge, mais quelqu'un d'aussi jeune… Ça a dû être un choc terrible.

Walker acquiesça d'un signe de tête. Une tendresse inattendue adoucit son regard quand il précisa :

— Ça a été un choc terrible pour toutes les trois.

Sloan fit le tour de la statue ; des formes arrondies et de la surface lisse de la pierre émanait une sensualité émouvante. Encore un a priori qui volait en éclats, songea-t-elle. De loin, elle avait imaginé qu'il s'agissait de quelque monument aux morts, et la réalité se révélait l'exact opposé.

Elle se demanda si elle n'était pas aussi insensible que le granit. Comment diable avait-elle pu penser, ne serait-ce qu'une seconde, que cette œuvre voluptueuse ait pu être un mémorial ?

— Ça vous plaît ? demanda Walker.

Son souffle formait un petit nuage blanc dans l'air glacé.

— C'est magnifique. Et surprenant. Comme presque tout ici.

— Vous n'êtes là que depuis peu.

— Et rien ne ressemble à ce que j'imaginais.

— À quoi vous attendiez-vous ?

Sloan eut beau faire, elle ne trouva aucune trace d'ironie dans sa question. Il dut deviner qu'elle en cherchait, car il précisa :

— Je ne vous demande pas cela à cause du balai que j'ai dans le cul.

Elle lui sourit, amusée.

— J'ai passé ma vie entourée de gens bourrés d'a priori, expliqua-t-elle. Je ne m'étais jamais rendu compte à quel point j'en avais moi aussi. Pour être honnête, ce n'est pas une prise de conscience très agréable.

Avec un soupir, elle s'accroupit pour déchiffrer l'inscription gravée sur la plaque de marbre au pied de la sculpture. De sa main gantée, elle enleva la neige qui recouvrait les mots.

À tous ceux que le destin a privés de leur amour, lut-elle, et les larmes lui montèrent aux yeux.

Le silence les enveloppa.

— Vous devriez vous relever, murmura finalement Walker. Votre pantalon va être trempé.

Il lui tendit la main, et à l'instant où elle s'en empara, Sloan ne put retenir les sanglots qui lui nouaient la gorge.

Dans un éclair de lucidité, elle les rapprocha de ceux qu'elle avait versés, de manière tout aussi incongrue et irrépressible, quelques jours plus tôt, après avoir quitté Trent. Ceux-ci en étaient juste l'opposé.

Calmes, profonds, et, contre toute attente, emplis d'espoir.

L'amour véritable existait.

Il vivait et respirait, flottait dans l'air, chantait et dansait pour ceux qui avaient la chance de le croiser.

— Merci de m'avoir amenée ici, souffla-t-elle.

Walker ôta l'un de ses gants pour lui caresser la joue. Elle frissonna sous ce contact tendre, aussi léger qu'une plume, mais qui la remua jusqu'au tréfonds.

Une vague de désir la submergea, qui lui donna envie de se serrer de toutes ses forces contre lui. Quelque chose la retint pourtant. De la peur ?

Après un dernier regard au monument, elle recula et pivota en direction du centre du village.

— Nous devrions rentrer.

Walker et elle cheminèrent côte à côte sans mot dire, et elle était presque étonnée que la chaleur qui irradiait de leurs corps ne fasse pas fondre la neige.

Incapable de déchiffrer les lettres qui dansaient sur la page devant lui, Walker tendit la main vers les lunettes cerclées de métal à côté de sa tasse de café. Avec la résignation de ceux qui savent que la bataille est perdue d'avance, il les chaussa et se concentra sur le compte-rendu d'audience.

— Encore au travail, maître ?

Levant la tête, Walker découvrit Mick O'Shaughnessy devant la porte, son blouson de cuir sur l'épaule et une tasse fumante dans la main.

— Qui t'a laissé entrer ?

— La toujours délicieuse Myrtle.

Sa bonne éducation, et le fait que la porte soit ouverte empêchèrent Walker d'éclater de rire à cette description de sa secrétaire, Myrtle Driver.

— Et elle t'a offert un café ? remarqua-t-il en jetant un coup d'œil désabusé à sa propre tasse.

Depuis dix ans qu'elle travaillait pour lui, Myrtle ne lui avait jamais servi ne serait-ce qu'un verre d'eau.

— Un super bon café, en plus. Que veux-tu que je te dise ? fit Mick, un sourire impudent aux lèvres.

— Rien. Ne me dis rien.

Walker traversa son cabinet jusqu'au petit évier sur lequel était posée une cafetière isotherme, jeta son reste de café froid et s'en servit un autre.

Après avoir versé une bonne quantité de sucre dans la tasse, il indiqua un siège à Mick et s'assit à son tour.

— Quoi de neuf ? s'enquit-il.

— J'ai terminé ma journée plus tôt, du coup, je me demandais si tu serais partant pour une bière.

— Je peux me laisser convaincre.

Walker songea au travail qu'il avait abattu depuis sa promenade avec Sloan, ce matin. Le compte-rendu d'audience sur son bureau pourrait attendre jusqu'au lendemain.

— En fait, c'est une très bonne idée, décréta-t-il. Même si tu risques de changer d'avis en apprenant que j'ai trahi la cause.

Mick avala une gorgée de café ; son regard se fit perplexe par-dessus sa tasse.

— Parce que tu vas participer aux enchères ?

— Merde. Impossible de garder un secret dans ce bled. Comment le sais-tu ?

Mick eut un sourire amusé.

— Tout le monde ne parle que de ça à l'aérodrome.

— Tu plaisantes ?

— Pas du tout. J'avais à peine posé mon maudit coucou sur le tarmac que Maggie m'annonçait la nouvelle dans le casque. C'est Renée qui la lui a apprise. Apparemment, elle l'aurait entendue en prenant son petit déjeuner au café ce matin.

Évidemment. Même lui n'était pas stupide au point de penser qu'aucune oreille indiscrète n'avait écouté sa conversation avec Sloan.

— Au moins, elle a attendu que tu atterrisses.

— Certes, acquiesça Mick en grimaçant. Finalement, elle est plutôt intelligente et pragmatique quand elle arrête de m'emmerder avec ce foutu concours. Le pire, c'est que maintenant, même Darlene s'y met. Elle n'a pas arrêté de me harceler à ce sujet pendant qu'elle s'occupait de la paperasse.

— Parce qu'elle a encore le temps de travailler ? railla Walker.

— Je me le demande. Il paraît que les grands-mères l'auraient chargée de mettre au point un système de notation pour les candidates.

— C'est de pire en pire chaque année !

— Surtout pour toi, se moqua Mick.

Walker le considéra un instant, hésita, puis :

— Tu es sûr de ne pas vouloir participer ?

— Désolé, mais je dois ranger ma chambre ce jour-là.

— Parce que maintenant que Sloan y va, Jane risque d'y aller aussi.

Mick accueillit ses paroles d'un haussement d'épaules, mais son ton était un peu trop détaché lorsqu'il répliqua :

— Ce n'est pas une raison pour donner à ma grand-mère la satisfaction de me voir m'exhiber dans cette mascarade.

— Comme tu voudras.

— Alors, on se la boit cette bière ? fit Mick en se levant.

Walker s'apprêtait à le suivre quand on frappa un petit coup à la porte. Jessica passa la tête dans l'entre-bâillement.

— Walker, tu as une minute ?

— Oui. Que se passe-t-il ?

— On vient de recevoir de nouveaux courriers d'ex-collègues de Jonas. Tous affirment qu'il leur a dit avoir une fille.

Walker s'empara des lettres qu'elle lui tendait, et jeta un coup d'œil à Mick.

— Je vous laisse, fit celui-ci en enfilant son blouson. Tu me rejoins à l'*Indigo Blue* ? ajouta-t-il avec un sourire complice.

Walker se contenta d'acquiescer d'un signe de tête. Si Mick avait envie de passer la soirée en compagnie des candidates nouvellement arrivées – ce dont il ne doutait pas –, grand bien lui fasse. Il n'était pas là pour le juger.

Après avoir parcouru les lettres, il regarda Jessica.

— Ils ne précisent pas de laquelle il s'agit.

— Non, mais vu la date où ils travaillaient ensemble, ce ne peut être que Jane. Kate n'était pas encore née.

Après un silence, Jessica reprit :

— Alors, que comptes-tu en faire ?

— C'est une preuve supplémentaire de l'intérêt qu'il lui portait. Un argument de plus en faveur d'un partage équitable de l'héritage. Et, par conséquent, de la maison.

— Je suis sûre que l'avocat de Kate verra les choses différemment. D'autant que Kate a emménagé ici pour s'occuper de son père après sa maladie.

Bien que Jessica continuât à argumenter en faveur de son amie, elle semblait beaucoup moins vindicative que la veille, nota Walker.

Il se passa la main dans les cheveux.

— Laissons-le faire. Toute cette histoire est déjà allée beaucoup trop loin, de toute manière. Kate n'aurait pas dû contester le testament. Résultat, au lieu de faire leur deuil et d'aller de l'avant, elles sont toutes deux obsédées par leur conflit.

— Elles sont sous le choc, Walker. Ça les empêche de voir les choses clairement.

— Nous sommes là pour les y aider.

— Bien sûr.

Walker dévisagea sa collaboratrice, et remarqua pour la première fois les cernes sombres sous ses yeux.

— Ça va, Jessica ?

— Oui.

— Tu es sûre ?

— C'est juste que…

Elle s'interrompit.

— Oui ?

— Je ne sais pas. Je trouve l'attitude de Kate mesquine, et en même temps, je la comprends. Et ce n'est pas mon boulot de juger de ce qui est mesquin ou pas, je sais.

— Mais voir une amie souffrir est pénible.

— Voir n'importe qui souffrir est pénible, corrigea Jessica.

Walker continua de la scruter, perplexe. Se pouvait-il que la situation de Kate la touche à ce point, ou sa tristesse avait-elle une raison plus profonde ?

— Mon petit doigt me souffle que tu ne parles plus de Jane et de Kate, là, déclara-t-il.

— Que veux-tu dire ?

— Tu le sais très bien. Si je me fie à ton regard lointain, tu penses à quelqu'un de précis.

— Bon sang, Walker, j'ai le droit de penser à qui je veux !

— Je n'ai jamais dit le contraire.

— Où veux-tu en venir, exactement ?

— J'ai juste envie de comprendre pourquoi tu ne te décides pas à inviter Jack Rafferty à dîner chez toi. Et si la soirée se poursuit, tant mieux pour tout le monde.

Elle haussa les épaules

— Il n'est pas intéressé.

— À mon avis, tu pourrais avoir une surprise.

Jessica le fixa droit dans les yeux ; la tristesse dans son regard céda la place à la colère.

— Je ne crois pas aux surprises.

Walker se revit la veille au soir devant l'*Indigo Blue*, Sloan McKinley dans ses bras. Le souvenir de ses lèvres sur les siennes lui revint brutalement en mémoire, brûlant, intense.

— Eh bien, tu as tort, rétorqua-t-il. Car c'est justement quand tu es persuadé que rien de bon ne t'arrivera jamais que le destin s'ingénie à te contredire.

— Tu vas vraiment le faire ? s'écria Jane, stupéfaite, en se servant un verre de vin. Je n'arrive pas à le croire.

— Tu devrais, répondit Sloan en lui tendant son propre verre.

— C'est la grande nouvelle de la journée, intervint Avery. Tu es devenue une célébrité, Sloan McKinley. À Indigo, on ne parle plus que de toi.

— Ce qui change de l'époque où l'on ne parlait que de *moi*, observa Jane non sans humour.

Levant son verre pour porter un toast, elle ajouta :

— Au nouveau centre d'intérêt d'Indigo !

Sloan fit tinter son verre contre celui de ses amies, songeant à la conversation téléphonique qu'elle avait eue un peu plus tôt avec la directrice de la publication du magazine touristique. Comme elle s'y attendait, celle-ci s'était montrée plus qu'intéressée par le sujet. Ce qu'elle n'avait pas prévu, en revanche, c'était que dans son enthousiasme, elle serait d'emblée d'accord pour toute une série. Quand elle avait raccroché, une bonne heure plus tard, elle avait un contrat pour six reportages sur des destinations inattendues pour femmes seules.

— Alors, c'est quoi la bonne nouvelle ? lui demanda Avery en faisant passer les bretzels.

— Comment sais-tu qu'il y en a une ?

— C'est tout juste si tu ne dansais pas en entrant. Comme je doute que ce soit la perspective de porter des seaux d'eau dans Main Street qui te mette dans cet état…

Incapable de garder le secret plus longtemps, Sloan lâcha :

— Je viens de vendre une série de reportages.

Jane posa son verre et se leva pour l'embrasser.

— Sloan, c'est génial ! Bravo !

Sloan n'eut que le temps de poser son verre à son tour avant de se retrouver dans les bras de son amie.

— Je suis tellement fière de toi, reprit Jane en se rasseyant. Raconte, on veut tous les détails.

Sloan s'exécuta, s'étonnant elle-même à mesure qu'elle parlait de la facilité avec laquelle tout s'était déroulé.

— Quelles autres destinations as-tu prévues ? s'enquit Avery.

— Nous sommes convenues qu'au moins l'un des articles devrait être sur New York. Elle est également d'accord pour que j'utilise le voyage que Jane et moi avons effectué à Bora-Bora l'année dernière. Il ne me reste plus qu'à trouver les trois autres destinations.

— L'Australie, proposa Jane. Ou alors la Nouvelle-Zélande.

— La France ! suggéra Avery.

— Non, l'Espagne ! Toutes les femmes doivent avoir un spanish lover au moins le temps d'un week-end.

Armand. Oui, c'est ça ! s'exclama Jane en claquant des doigts. Armand.

Sloan lâcha un rire.

— Je suis allée en Espagne, mais je n'ai jamais rencontré un seul Armand. D'ailleurs, je n'ai rencontré personne.

Jane lui pressa doucement le bras.

— Je te rappelle que, physiquement, à cette époque tu traversais une phase difficile. Et puis, dix-sept ans c'est un peu tôt pour se mettre en quête d'un latin lover.

— Une phase difficile ? répéta Avery, l'air surpris. J'ai du mal à y croire.

— C'est pourtant vrai. J'étais le vilain petit canard. De la tête aux pieds.

Sloan s'étonna elle-même de la facilité avec laquelle elle avait fait cet aveu. Toute cette période semblait si lointaine à présent, alors qu'à New York, elle avait l'impression que cela datait de la veille.

— À quoi tu penses ? s'enquit Jane.

— Pourquoi cette question ?

— Parce que je connais cette expression sur ton visage.

Sloan sourit, attendrie. Jane était si attentive, si pleine d'affection.

— En fait, je me disais que c'est fou comme je me sens différente ici.

— Différente en quel sens ? interrogea Avery en prenant un autre bretzel.

— Difficile à expliquer. C'est comme si j'étais plus ancrée. Plus réelle... Non, non, ce n'est pas ça, se reprit-elle. Ce n'est pas vraiment une question de réalité, mais plutôt une manière de regarder les choses.

— Par exemple ?

— Eh bien, tous ces a priori que j'ai toujours eus, et dont je n'étais parfois même pas consciente, sont en train de voler en éclats. Et c'est une bonne chose.

— Ce doit quand même être un peu déstabilisant, observa Avery.

— Comme je le disais à Walker : je suis partie avec un tas d'idées toutes faites et d'attentes. J'ignorais que je les avais…

Elle s'interrompit devant les regards ébahis de ses deux amies.

— Qu'est-ce qu'il y a ?

— Tu as bien dit : « à *Walker* » ? fit Jane.

— Oui. Il a eu la gentillesse de me faire visiter le coin.

— Mon avocat te drague, et tu mets plus d'une heure à m'en parler. C'était quand ?

— Ce matin.

— Sloan ! s'exclama Jane, scandalisée. Tu ne m'en as rien dit de toute la journée !

— J'ai été très occupée, se défendit Sloan.

— On n'est jamais trop occupé pour raconter à une amie ce qui se passe avec un mec.

— Très bien. Je vais l'écrire dans mon manuel de la parfaite amie pour m'en souvenir la prochaine fois.

— Parce qu'il doit y avoir une prochaine fois ? lança Avery d'un ton provocateur.

— Non, répondit vivement Sloan.

Avant de se rendre compte que ce n'était pas tout à fait vrai.

— Enfin si, d'une certaine manière, rectifia-t-elle. Il va participer aux enchères.

Ce fut au tour d'Avery d'être stupéfaite.

— Tu lui as promis une pipe, c'est ça.

— Bien sûr que non !

En dépit de sa réaction faussement outrée, Sloan sentit une douce chaleur se répandre dans son ventre. Décidément, ce type lui faisait vraiment un sacré effet. Elle n'avait pas ressenti cela depuis très longtemps.

Si tant est qu'elle l'ait ressenti un jour…

Plus d'une fois, au cours de la journée, elle s'était surprise à s'imaginer dans une situation très… intime avec lui.

— Walker Montgormery s'est toujours opposé avec force à ces enchères, ainsi que ses deux grands copains. Enfin, je devrais dire *son* grand copain, parce que le troisième a carrément pris la fuite. Il ne revient à Indigo qu'une ou deux fois par an, et prend bien soin d'éviter la période du concours.

— Ils n'y ont jamais participé ?

Avery se tourna vers Jane.

— Jamais. L'un et l'autre ont fini par accepter d'être présents aux autres épreuves en tant que spectateurs, mais ils boycottent toujours les enchères.

— Si le but de leurs grands-mères est vraiment de les marier, pourquoi continuent-elles, dans ce cas ? s'étonna Jane.

— Bonne question. Je pense que, désormais, les enchères font partie de la tradition. Avec ou sans la participation de leurs petits-fils, les organisatrices ont décidé de les maintenir. Il semblerait qu'elles aient eu raison puisque, apparemment, les choses sont en train de changer, ajouta Avery avec un regard entendu.

Jane hocha la tête d'un air satisfait.

— Je sentais qu'elle lui plaisait.

— N'importe quoi !

Sloan protestait pour la forme, car elle savait que Jane avait raison. Walker ne l'aurait pas embrassée avec cette ardeur s'il n'avait pas été vraiment attiré. Et, tout bien réfléchi, il n'aurait pas non plus congédié Grizzly comme il l'avait fait ce matin.

— Si tu avais vu ta tête quand tu es revenue dans le hall hier soir ! fit Avery, enfonçant le clou. À ce propos, j'ai gardé l'enregistrement sur la caméra de surveillance.

Sloan lui adressa un regard incrédule. Sans lui laisser le temps de répliquer, Jane se leva d'un bond en déclarant :

— Je veux voir ça. Où as-tu... ?

Elle s'interrompit net en se retrouvant quasiment le nez contre le torse puissant de Mick O'Shaughnessy.

— Waouh ! Tu sens la même chose que moi ? chuchota Avery à l'oreille de Sloan. On dirait que la pièce vient de prendre feu.

Sloan observa la scène avec curiosité. La robuste silhouette de Mick contrastait avec celle, petite et frêle, de Jane. Vêtu d'un jean, d'un blouson et de bottes de cuir noirs, le pilote – elle avait appris sa profession la veille au soir – arborait une barbe de trois jours. D'un geste vif, il retint Jane, qui avait perdu l'équilibre en reculant, et garda les mains sur ses épaules un peu plus longtemps que nécessaire.

On entendit presque l'air grésiller entre eux lorsqu'il la lâcha. Jane coinça nerveusement une mèche derrière l'oreille – un geste que Sloan connaissait bien.

— Un sacré incendie, répondit-elle à Avery à voix basse.

La situation l'intéressait d'autant plus qu'elle savait ce que Jane avait traversé ces derniers mois, et le mal qu'elle avait à s'en remettre. En outre, Mick O'Shaugnessy n'était pas du tout son genre. Encore que...

Avery se leva avec un soupir.

— Ça m'ennuie de t'abandonner, malheureusement, j'ai du boulot au bar. Je compte sur toi pour me raconter les détails les plus croustillants.

Avant que Sloan ait pu lui répondre, elle se dirigea vers le bar.

— Une bière, O'Shaugnessy ? demanda-t-elle en passant.

Comme il acquiesçait, elle désigna le siège qu'elle venait de quitter du menton.

— Prends ma place, si tu veux. J'ai l'impression qu'on va encore avoir du monde ce soir.

En la regardant passer derrière le bar où s'impatientaient déjà plusieurs clients, Sloan se dit que Roman Forsyth devait être un bel imbécile pour avoir lâché une fille pareille.

8

Un tourbillon d'air glacial pénétra à l'intérieur de l'*Indigo Blue* en même temps que Walker. Bien qu'il ne soit que 18 heures, la nuit était tombée depuis longtemps et des milliers d'étoiles étincelaient dans le ciel.

Il salua plusieurs connaissances et discuta un moment avec Rose et Mark Paxton qui souhaitaient rédiger un testament avant la naissance de leur premier enfant.

Puis il chercha Mick du regard, conscient du mélange d'anticipation et d'anxiété qui lui nouait l'estomac. Bon sang, pourquoi était-il dans cet état ? Il ne s'agissait que d'un baiser et d'une petite balade. Rien de plus.

Rien, en tout cas, qui prête à conséquence.

Alors pourquoi la vision de Sloan devant la sculpture, les yeux brillants de larmes, ne cessait-elle de lui revenir en mémoire ?

Et merde !

Avec ses décorations de Noël, le hall ne lui avait jamais paru aussi joyeux et coloré.

Pourtant, le décor s'évanouit d'un coup quand il *la* repéra.

Sloan.

La tête légèrement renversée, elle riait. Avec Mick, constata-t-il, contrarié. Avant de se rendre compte que son ami ne quittait pas Jane des yeux, comme hypnotisé.

De toute évidence, il ne s'était pas trompé : son ami était bel et bien sous le charme de la jeune femme.

Et gravement même.

Se tournant vers le bar, il croisa le regard d'Avery qui leva la bouteille de bière qu'elle tenait à la main, façon de lui demander s'il en voulait une. Il acquiesça d'un hochement de tête, et se dirigea vers elle.

— On dirait qu'il va encore y avoir foule ce soir, observa-t-il.

— Oui, et on peut remercier Sloan. Grâce à elle, la saison du concours démarre plus tôt.

Walker la dévisagea. Y avait-il un message subliminal derrière ses paroles ? En tout cas, il ne trouva rien dans son expression qui le laisse supposer.

— Tu as l'air moins agacée que d'habitude par la perspective de l'arrivée des célibataires, fit-il remarquer.

Avery haussa les épaules et avala une gorgée d'eau minérale.

— J'aime bien Jane et Sloan.

— C'est une première. Je me souviens très bien de t'avoir entendue dire que toutes les filles qui venaient concourir n'étaient que des « intruses qui pétaient plus haut que leur derrière ».

— Celles-ci sont des amies, pas des intruses. Elles ne se prennent pas pour la huitième merveille du monde sous prétexte qu'elles habitent New York.

Sans trop savoir vraiment pourquoi, il changea brusquement de sujet et lâcha :

— À propos d'ami, Roman arrive le week-end prochain.

— Ah bon ?

— C'est son seul week-end prolongé de la saison. Il a décidé d'en profiter.

— Tant mieux pour lui.

— Susan ne te l'a pas dit ?

— Non.

Plusieurs mains levées à l'autre bout du bar attirèrent l'attention d'Avery, qui s'excusa avant de s'éloigner.

Finalement, Walker était content de l'avoir prévenue que Roman venait. Car celui-ci avait beau être l'un de ses meilleurs amis, il trouvait qu'il se comportait comme un imbécile avec Avery. Et, bien sûr, sa mère, qui ne pensait qu'à le caser, ne s'en rendait pas compte ; elle prenait la jeune femme par surprise chaque fois qu'il passait à Indigo.

Satisfait de sa B.A. de la journée, il s'approcha de la table de Sloan.

— J'imagine qu'il vous a déjà raconté ses multiples exploits, déclara-t-il en s'installant sur le siège libre à côté d'elle.

— Ah, te voilà ! fit Mick en s'enfonçant dans son fauteuil.

— Il vous a parlé de l'ours, sur la base d'atterrissage de Denali, qui avait décidé de se gratter contre la queue de son avion ? Et de ce saumon qu'il a pêché, si gros qu'il ne tenait pas à l'arrière de son coucou ? Je suppose qu'il a également mentionné l'orignal qui a foncé sur l'une de ses hélices alors qu'il atterrissait, au printemps dernier ?

Mick attrapa sa bouteille et avala une lampée de bière avant de préciser :

— Trois histoires entièrement vraies.

— Tout comme cette affaire que j'ai défendue à Anchorage, commença Walker.

— Et voilà, c'est son tour, maugréa Mick.

Sloan éclata de rire.

— Ça fait combien de temps que vous avez mis au point ce petit numéro ? s'enquit-elle.

— En gros, depuis la puberté.

— La forme est la même, mais le contenu s'est un peu modifié au cours des années, précisa Mick.

— J'imagine.

Walker regarda Jane et Sloan tour à tour.

— Et vous deux, depuis combien de temps vous connaissez-vous ?

— Depuis le premier jour de fac.

— Nous partagions la même chambre universitaire, ajouta Jane.

— Étonnant. En général, les gens ne supportent pas leur première coturne.

— Ça a été l'inverse pour nous, affirma Jane. Nous avons accroché d'emblée.

Walker les considéra l'une après l'autre, amusé par leur dissemblance : la petite Jane, avec ses cheveux châtain foncé et ses yeux gris, et Sloan, la grande blonde aux yeux bleus.

Apparemment mal à l'aise, Sloan changea de position et passa à un autre sujet.

— Et vous, Walker, vous êtes-vous déjà retrouvé nez à nez avec un élan ?

— On pourrait peut-être se tutoyer, suggéra-t-il.

— Pas de problème, répondit-elle en le gratifiant d'un sourire mi-gêné, mi-satisfait. Alors, t'es-tu déjà retrouvé face à un élan ?

— C'est une histoire assez déplorable, prévint-il.

— Raison de plus pour nous la raconter.

Il fit la grimace.

— C'est un truc de gamin. À l'âge où l'on se croit invincible. Tu es sûre de vouloir entendre ça ?

— Plus que jamais, assura Sloan en se penchant vers lui.

Il n'eut pas le temps de commencer que des voix féminines résonnèrent dans son dos.

En face de lui, Mick maugréa vaguement en regardant leurs grands-mères approcher.

— Bonsoir à tous !

Walker reconnut la sienne. Elle avait parlé la première. Comme d'habitude.

Il se leva pour l'embrasser et lui céda sa place.

Jane et Sloan s'apprêtaient à faire de même quand Mick sauta sur ses pieds, déposa deux bises sur les joues de Mary, puis marmonna quelques mots où il était question de chaises à rapporter, avant de s'éloigner.

La conversation reprit, incluant les trois nouvelles venues. Walker ne put s'empêcher de repenser à son échange avec Avery à propos des intruses.

Il avait beau se plaindre de l'obstination de sa grand-mère à vouloir le marier, jamais, lorsqu'elle se mêlait de ses conversations avec des représentantes de la gent féminine, il ne l'avait considérée comme une intruse.

Jusqu'à ce soir.

Sloan perçut immédiatement le changement d'attitude de Walker. En se moquant de la façon dont sa grand-mère intervenait dans sa vie, elle n'avait pas imaginé que cette attitude le contrariait à ce point. Elle vit son regard s'assombrir, puis, l'air ouvertement agacé, il se leva au bout de quelques instants sous prétexte d'aller chercher à boire.

À peine se fut-il éloigné qu'un silence pesant tomba sur le petit groupe.

Jane jeta un coup d'œil affolé à Sloan, l'air de demander : « On fait quoi maintenant ? », puis, dans un éclair de génie, elle lança :

— Sloan a une nouvelle à vous annoncer qui, j'en suis sûre, va vous plaire.

Sophie se tourna vers Sloan au moment où Walker revenait avec leurs verres.

— De quoi s'agit-il, ma chère ?

— Je fais un reportage sur votre village et, en particulier, sur votre concours de célibataires. Un magazine de tourisme est intéressé.

— Sur notre village ! s'exclama Mary. De quel magazine s'agit-il ?

Sloan lui répondit et expliqua ce qu'elle avait en tête, ravie de les voir oublier un instant leurs objectifs matrimoniaux pour s'enthousiasmer sur les retombées possibles de ce reportage sur Indigo.

— Vous serez gentille avec nous, n'est-ce pas ?

Julia avait posé la question d'un ton ferme qui contrastait avec la chaleur de son sourire.

— Bien sûr, madame Forsyth. Le but est d'encourager les touristes à venir, pas l'inverse.

Sa réponse rassura visiblement Julia, qui but une gorgée de son cocktail de fruits, puis s'adossa à son siège. Tandis que la conversation se poursuivait, Sloan l'observa discrètement, se souvenant de ce que Walker lui avait appris le matin même. Des trois femmes, Julia était la première à avoir perdu son mari.

À trente-six ans.

À peine trois ans de plus qu'elle, calcula Sloan. Sauf qu'elle-même n'avait même jamais vécu en couple.

Et avait l'impression d'avoir la vie devant elle.

Tout le monde ressentait-il la même chose ?

Julia n'avait pas vraiment l'air triste, constata-t-elle. Plutôt tranquille. Comme si elle traversait l'existence au lieu de la vivre.

L'arrivée de Susan la tira de ses pensées. S'asseyant sur le bras du fauteuil de sa belle-mère, celle-ci l'embrassa pour la saluer, puis déclara :

— Je vois que les trouble-fête sont arrivées.

Le regard de Julia s'anima.

— Je croyais que tu ne devais pas travailler ce soir ?

— Je ne pouvais pas laisser Avery seule avec tout ce monde. Sans compter que Roman doit venir le week-end prochain et que j'aimerais passer un peu de temps avec lui.

Sloan jeta un coup d'œil à Avery derrière le bar. Cette dernière ne lui en avait pas parlé. Était-il possible qu'elle ne soit pas au courant ?

Il ne fallut pas longtemps pour que le concours des célibataires revienne dans la conversation.

— Mick, Walker et quelques autres vont préparer le circuit de la course de seaux demain, déclara Mary. Vous pouvez venir jeter un coup d'œil, si vous voulez.

— Ce n'est pas de la triche ? plaisanta Sloan. Si je connais le trajet, ce sera peut-être plus facile de porter mon seau.

— *Tes* seaux, corrigea Walker avec flegme.

Sloan grimaça, se demandant une fois de plus comment elle avait pu accepter de participer à un truc pareil. Elle était journaliste ! Elle aurait l'air de quoi si quelqu'un la reconnaissait sur les photos ?

Car, bien sûr, il aurait des photos. Qui ne manqueraient pas de circuler sur le Net.

Seigneur, dans quoi s'était-elle embarquée ?

Son regard croisa celui de Julia, et elle eut sa réponse.

Voulait-elle traverser l'existence ou la vivre pleinement ?

Jessica examina un longuement le standard téléphonique. Quelques années plus tôt, Walker avait insisté pour changer les téléphones du cabinet, et il avait fallu six mois à Myrtle pour utiliser correctement ce fichu engin.

Mais aujourd'hui, elle maîtrisait à la perfection ses différentes fonctions : boîte vocale, audioconférence, et même cet horrible bipeur auquel elle avait recours avec une régularité effrayante.

Ce qui était d'autant plus inutile que le cabinet se composait en tout et pour tout de trois grandes pièces.

N'empêche, c'était vraiment un chouette appareil. Six lignes, avec des touches pour chacune. Et un autre ensemble de touches permettant de faire à peu près tout, depuis les transferts d'appel jusqu'au lancement de missiles téléguidés.

Bon. Si elle arrêtait de gagner du temps…

Avec un profond soupir, Jessica attrapa le combiné et composa le numéro de mémoire.

— Allô ?

— Jack ?

— Oui.

— C'est Jessica McFarland.

Un petit rire lui répondit à l'autre bout de la ligne.

— Je ne connais qu'une seule Jessica, tu sais.

— Ah. Parfait.

Un ange passa. Elle eut l'impression que tout ce qu'elle éprouvait pour Jack – tendresse, désir, amour – s'était rassemblé pour former une boule dure dans sa poitrine.

— Où es-tu ? fit-il. Je ne reconnais pas ton numéro.

— J'appelle du cabinet.

— Il est tard.

Il n'aurait pas été aussi tard si elle n'avait pas passé les deux dernières heures à hésiter devant ce fichu standard téléphonique.

— On a pas mal de travail, et j'essaie de m'avancer au maximum avant les vacances.

— Tu as raison. C'est bientôt la haute saison pour Mick et moi.

— Vous avez beaucoup de vols de prévus ?

— Oui. En grande partie des déplacements professionnels, ce qui est très bien.

— J'imagine.

Ils meublaient la conversation, et le savaient l'un et l'autre. Maintenant qu'ils avaient épuisé le sujet « boulot », il ne leur restait plus que la météo.

— Ils annoncent des orages en début de semaine prochaine. J'espère que ça ne posera pas de problème pour les visiteurs.

Et voilà, ils y étaient !

Soudain, elle décida de zapper le temps qu'il faisait, préférant encore une possible humiliation à une discussion sur les anticyclones et les fronts nuageux.

— Euh, Jack, je me demandais... Si tu as le temps, bien sûr, tu pourrais venir dîner un soir.

Dîner et peut-être plus, comme l'avait suggéré Walker. Peut-être même rester pour toujours...

— Merci, Jessica, c'est très gentil, mais... Enfin...

Devinant ce qui allait suivre, elle sentit sa gorge se nouer.

— Écoute, si ce n'est pas possible, pas de problème.

— Vraiment, tu ne m'en veux pas ?

— Bien sûr que non.

— Ce n'est pas le bon moment, tu comprends ?

— Oui, ne t'en fais pas. Tu sais que tu seras toujours le bienvenu. C'est cela être ami, pas vrai ?

— En effet.

— Bon, eh bien, tu as l'air d'avoir une semaine chargée, et j'ai encore une bonne heure de boulot avant de pouvoir partir. Je te laisse. À bientôt.

— Bonne soirée.

Non, elle ne pleurerait pas.

Hors de question.

À son grand soulagement, Jessica parvint à retenir ses larmes. Mais elle dut se dominer pour ne pas jeter le combiné à travers la pièce.

Pour le deuxième soir consécutif, le hall de l'*Indigo Blue* était plein à craquer. Une fois encore, Sloan se mêla aux habitants du village, saluant ceux avec qui elle avait échangé quelques mots la veille, et en rencontrant d'autres.

Tout le monde était très chaleureux et ouvert.

Et extrêmement curieux.

Elle ignorait si c'était dû au fait qu'elle n'avait pas grandi au milieu de ces gens, mais, à sa grande surprise, l'intérêt qu'ils lui manifestaient lui paraissait charmant. Alors que, chez elle, la même attitude l'aurait oppressée.

Tout comme elle oppressait Walker, qui n'avait quasiment pas desserré les dents depuis l'arrivée de sa grand-mère.

Une petite tape sur son épaule la fit pivoter. Elle se retrouva face à un homme très élégant au teint bronzé et aux cheveux grisonnants.

— Bonsoir. Je voulais me présenter. Ken Cloud.

— Docteur Cloud ? fit Sloan, se souvenant de différentes anecdotes qu'elle avait entendues la veille.

— C'est ça.

— Ravie de vous rencontrer.

— Tout le plaisir est pour moi. Comment ça se passe ? Avec l'inquisition, je veux dire.

Un sourire amusé aux lèvres, il tourna les yeux vers la table à laquelle étaient installées Mary, Julia et Sophie.

— Plutôt bien, répondit Sloan. Je suis un peu étonnée par tout ce remue-ménage, mais je ne m'en plains pas. Tous ces gens sont tellement gentils.

— Les grands-mères vous aiment bien, votre amie Jane et vous.

— Elles ont l'air d'aimer tout le monde.

— Ne vous fiez pas à leur air, prévint Ken, dont le regard s'était arrêté sur Julia. Sous la douceur apparente se cache une volonté d'acier.

— Vous semblez parler en connaissance de cause.

— C'est possible, convint-il avec un hochement de tête.

— Docteur Cloud, j'espère que vous me pardonnerez d'être aussi directe, mais j'aimerais vous poser quelques questions.

À ces mots, il plongea son regard sombre dans le sien – le regard intense d'un homme sage et averti, qui suivait sa propre voie sans se soucier de l'opinion des autres.

— On dirait qu'il se passe beaucoup de choses sous la surface, continua-t-elle. Et je n'arrive pas à déterminer si c'est à cause du concours, ou si ce concours réveille des désirs et des attentes en sommeil le reste du temps.

— Tout le monde aspire à quelque chose, Sloan.
— Vous croyez ?
Il la dévisagea un instant, puis :
— Ce n'est pas votre cas ?
— Je ne sais pas.
En réalité, cette idée la dérangeait. Attendre quelque chose qui ne venait pas ne risquait-il pas de provoquer un sentiment d'insatisfaction permanent au point de vous gâcher la vie ?
Elle se sentait heureuse. Même si elle devait reconnaître que certains de ses désirs n'étaient pas satisfaits – faire l'amour régulièrement, par exemple.
Mais de là à être en attente.
— C'est la raison d'être de ce concours, expliqua son interlocuteur. Les femmes qui viennent ici espèrent trouver l'amour, tout comme les hommes qui participent aux enchères. Et les grands-mères rêvent d'avoir des petits-enfants. Quant aux autres habitants, ajouta-t-il avec un sourire, ils attendent de renvoyer tous ces gens chez eux. Là, encore, tout le monde aspire à quelque chose.
— Et que se passe-t-il pour ceux qui obtiennent ce qu'ils veulent ?
Il haussa les épaules.
— Ils désirent autre chose.
— Sommes-nous vraiment aussi bêtes que ça ?
— J'ai passé ma vie à étudier les gens. On n'est pas médecin pour rien, n'est-ce pas ? J'ai vu ce qu'il y a de plus beau et de plus laid chez l'être humain. Croyez-moi, Sloan, tout le monde veut quelque chose.
Elle sourit intérieurement. Oui, peut-être qu'elle aussi voulait quelque chose. Une chose qu'elle n'avait pas trouvée dans ce monde étriqué où elle avait grandi.
Sauf qu'à présent, elle était ici, et que les règles avaient changé. Cette merveilleuse sensation de liberté éprouvée un peu plus tôt la saisit de nouveau.

Ici, elle pouvait être qui elle souhaitait. Faire n'importe quoi. Ou juste être elle-même.

Le meilleur d'elle-même.

Désignant les trois grands-mères d'un signe de tête, elle proposa au Dr Cloud :

— Si nous allions discuter avec elles ? J'aimerais me faire une idée de ce qui va se passer dans les jours à venir. Me préparer à affronter toutes ces envies.

9

Avery posa les verres sans ménagement dans le lave-vaisselle. Tant pis si elle en cassait. Ou tant mieux, ça lui calmerait peut-être les nerfs.

Dans une semaine, Roman, ce connard qui lui avait brisé le cœur et continuait à le faire avec une régularité exaspérante, serait là.

Chaque cadeau qui arrivait à l'hôtel était un affront de plus, une claque en pleine figure. Même dans les rares occasions où elle sortait avec un autre, le nom de Roman finissait toujours par arriver dans la conversation.

Roman Forsyth. Dieu du hockey sur glace et véritable légende locale.

Il lui suffisait de dire qu'elle travaillait à l'*Indigo Blue* pour que les questions fusent.

« Oui, il a un nombre étonnant de victoires à son actif. »

« Non, je ne pense pas que l'équipe de New York va le vendre cette année. »

Bon sang, même en plein orgasme avec un autre, elle ne parvenait pas à le chasser de son esprit.

Ou de son cœur.

C'était juste insupportable.

Sloan continuait à passer de groupe en groupe quand elle remarqua la lumière sous la porte de la cuisine. La soirée tirait à sa fin, et elle avait envie d'être un peu seule.

Sa conversation avec le Dr Cloud s'était révélée très intéressante, mais c'est surtout l'échange avec les grands-mères qui avait suivi qui l'avaient le plus marquée. Car si tout le village semblait en mal d'amour en cette période particulière, l'intérêt que le Dr Cloud portait à Julia, lui, n'était pas lié à l'atmosphère du moment, elle en aurait mis sa main à couper.

C'était charmant. Et plutôt inattendu.

Un fracas de l'autre côté de la porte battante la poussa à entrer dans la cuisine. Où elle se retrouva au beau milieu d'une crise de larmes.

— Avery ! s'écria-t-elle en se précipitant vers son amie.

Elle l'arrêta juste avant qu'elle pose le pied dans les débris de verre. Puis, la tirant en arrière, elle la conduisit jusqu'à une petite table dans une alcôve.

— Assieds-toi là, je m'en occupe. Indique-moi juste où sont rangés le balai et la pelle.

— D… dans… le… le placard, hoqueta Avery.

— Tu peux me dire ce qui ne va pas ?

— Comme si tu ne t'en doutais pas.

Sloan, qui sortait le balai du placard, la regarda pardessus son épaule.

— Je ne suis pas très douée pour les devinettes, avoua-t-elle.

— Roman arrive bientôt. La semaine prochaine. Oh, merde !

Secouée par une nouvelle crise de larmes, Avery dut attendre que ses sanglots se soient calmés avant de reprendre :

— Il vient ici. Et je vais devoir sourire et faire comme si je n'en avais rien à faire.

Sloan aurait voulu prendre Avery dans ses bras, mais elle savait que, quel que soit son désir de lui venir en aide, elle ne pouvait rien pour elle.

— Ça t'ennuie qu'il revienne ?
— Non.
Reniflement.
— Oui.
Nouveau reniflement.
— Oui, ça me met hors de moi ! Le pire, c'est que tout le monde va recommencer à marcher sur des œufs avec moi dès qu'il sera là. Ça fait treize ans que ça dure. Remarque, j'aurais dû m'y habituer depuis le temps.
Sans cesser de balayer, Sloan demanda :
— Si c'est tellement insupportable, pourquoi restes-tu ici ?
— Qu'est-ce que tu veux dire ? répliqua Avery, agacée.
Tant mieux si elle était en colère, songea Sloan. C'était la preuve qu'elle avait encore de la ressource.
— Tu aurais pu partir ailleurs. Faire quelque chose au lieu d'attendre dans l'arrière-salle. J'imagine qu'il descend ici quand il vient.
— Oui.
— Alors pourquoi restes-tu ?
— Parce que je n'ai pas d'autre endroit où aller.
Sloan se baissa pour faire glisser les éclats de verre dans la pelle.
— Ce n'est pas une raison. Le monde est grand. L'Alaska est grand. Tu n'aurais sûrement aucun mal à trouver du travail à Anchorage ou à Juneau si tu voulais.
— Je ne peux pas partir avant l'année prochaine.
Le verre atterrit bruyamment au fond de la poubelle.
— Pourquoi ?
— À cause de ma mère.
Ah ! Enfin, une information.
Après avoir rangé la pelle et le balai, Sloan se lava les mains, puis s'assit en face d'Avery.
— Ça t'ennuierait de m'en dire plus ?
— Tu veux que je te raconte l'histoire sordide de ma vie ? ricana Avery. Comment ma mère alcoolique a foutu sa vie en l'air, et la mienne par la même occasion ?

Comment j'ai dû m'occuper d'elle ces dernières années ? Et le soulagement que j'ai éprouvé quand elle est enfin morte, au printemps ? Qu'est-ce que tout ça fait de moi, Sloan ? Une fille pleine d'amertume ? Une ingrate ? Ou, pire, quelqu'un qui est incapable d'aimer et de prendre soin de ses propres parents ?

— Si j'ai bien compris, tu as veillé sur ta mère pendant de nombreuses années, fit valoir Sloan.

Avery hocha la tête en soupirant.

— Oui. Et c'est pour ça que je suis toujours coincée ici.

— Rien ne t'oblige à y rester, Avery.

Comme elle se remettait à pleurer, Sloan lui tapota gentiment la main.

— Il m'a fallu trente-trois ans pour admettre que j'étais responsable de ma vie, confia-t-elle. Mais, finalement, j'y suis parvenue. Rester ou partir, on a toujours le choix.

— On dirait un slogan sur un T-shirt, ironisa Avery avec un pauvre sourire.

— Tu as raison, on devrait l'imprimer. On gagnerait des millions.

— Sans compter les tasses et les Post-it.

Avery prit une inspiration profonde et expira lentement avant de demander :

— Il y a encore beaucoup de monde ?

— Beaucoup moins qu'hier à la même heure. Susan est au bar.

Elles demeurèrent silencieuses un moment, le temps qu'Avery retrouve son calme.

— Quel effet ça fait ? risqua finalement Sloan.

— Quoi ?

— D'être amoureuse à ce point ?

À cette question, les traits d'Avery s'adoucirent d'un coup.

— C'était merveilleux, répondit-elle.

Sloan la laissa un instant savourer ses souvenirs, avant de lâcher :

— C'est tout ?

Cette fois, Avery éclata de rire.
— Oui, c'est tout, espèce de fouineuse !
— Merci pour l'info, déclara Sloan en souriant.
Elle lui tapota une dernière fois la main, se leva et se dirigea vers la porte battante. L'ayant poussée, elle annonça :
— Apparemment, la soirée n'est toujours pas finie. Si j'étais toi, je prendrais encore quelques minutes.
— D'accord.
— Avery ?
— Oui ?
— Le monde est vaste et merveilleux.

À son corps défendant, Walker devait admettre qu'il était raide dingue de Sloan McKinley. Qu'il ne pensait qu'à la toucher. La goûter. La découvrir.
S'il y avait bien une chose dont il était fier, c'était d'avoir toujours mené sa vie comme il l'entendait. C'était lui qui avait pris la décision de rentrer à Indigo après ses études, et il n'avait jamais regretté son choix.
Or, aujourd'hui comme hier, il tenait à rester maître de son existence, ce qui impliquait de ne se lier à personne.
Alors pourquoi le destin lui avait-il envoyé la perfection incarnée dans ce coin reculé d'Alaska ?
Non, décidément, toute cette histoire n'avait aucun sens. Elle ne pouvait mener nulle part. Mieux valait tout arrêter avant qu'il se retrouve emprisonné dans une relation dont il ne voulait pas.
Ni totalement sans cœur ni cruel, il avait toujours veillé à coucher avec des femmes qui partageaient son état d'esprit, et à qui il ne risquait pas de briser le cœur. Des femmes qui souhaitaient passer un bon moment, point.
Sauf que, de toute évidence, Sloan McKinley n'était pas ce genre de fille.

Alors, que diable faisait-il encore là, à part jouer les grooms pour Susan qui s'était empressée le lui refiler les bagages de deux nouvelles arrivantes dès qu'elle l'avait aperçu ? Arrivantes qui l'avaient d'ailleurs examiné sous toutes les coutures, avant de lui glisser un pourboire et un petit mot avec leur numéro de téléphone. Il avait bien essayé de leur rendre l'un et l'autre, mais si elles avaient accepté de reprendre le premier, elles n'avaient rien voulu savoir pour le second.

Froissant le morceau de papier, il le jeta dans la poubelle la plus proche, puis redescendit d'un pas décidé.

Il fallait qu'il sorte d'ici.

— Walker, murmura une voix alors qu'il passait devant la cuisine.

L'instant d'après, Sloan se matérialisait devant lui.

— Que fais-tu là ? s'étonna-t-elle.

— Je pourrais te retourner la question.

— J'aidais Avery à nettoyer, répondit-elle après une hésitation.

— Et moi, j'aidais Susan. Elle m'a demandé de porter les valises de deux clientes dans leur chambre.

— Quel service !

— Encore insuffisant pour ces dames, apparemment.

Devant le regard interrogateur de Sloan, il expliqua :

— Mes services auraient été beaucoup plus loin s'il n'avait tenu qu'à elles.

— Oh !

— Ouais, oh.

Sans réfléchir, mû par une pulsion irrépressible, il la prit par les épaules et la plaqua contre lui. Enroulant les longues mèches blondes autour de son poing, il recula vers la salle de conférences juste derrière lui.

— Walker…

Le murmure de Sloan se transforma en gémissement quand il s'empara de ses lèvres. Elle répondit à son baiser avec fougue, son corps souple collé contre le sien.

Il eut la présence d'esprit de claquer la porte derrière eux quand ils eurent franchi le seuil en trébuchant presque. Lorsqu'il sentit le dossier rembourré d'un fauteuil dans son dos, il tendit le bras en arrière sans lâcher Sloan. De sa main libre, il fit pivoter le siège et s'y laissa tomber, et l'attira sur ses genoux.

Comme dans un fantasme devenu réalité, Sloan le chevauchait. Il referma les mains sur ses fesses pour la presser contre lui sans cesser de dévorer sa bouche.

Il mourait d'envie de toucher sa peau nue, et glissa les mains sous son pull de cachemire. Seigneur, elle était d'une douceur enivrante ! Ses doigts affolés dansaient sur son corps délié, ses hanches minces, le léger renflement de son ventre, le creux de son nombril…

Il tressaillit lorsqu'elle noua les bras autour de son cou, et s'arrêta de respirer en la sentant onduler suavement sur lui.

Sloan n'avait pas eu le temps de comprendre ce qui lui arrivait. Un instant, elle sortait de la cuisine, préoccupée par le problème d'Avery, et le suivant, elle se retrouvait à califourchon sur Walker Montgomery devant la table de la salle de conférences.

Seigneur, était-elle réellement à califourchon sur Walker Montgomery devant la table de la salle de conférences ?

Dieu merci, il avait eu le réflexe de fermer la porte, parce qu'elle-même n'y avait absolument pas songé. La seule pensée qui avait réussi à percer le brouillard de désir qui lui obscurcissait l'esprit, c'était qu'il avait eu une bonne idée en théorie, mais probablement pas en pratique.

Puis lorsqu'il avait glissé les doigts sous son pull, elle avait eu au contraire la conviction qu'il s'agissait d'une merveilleuse idée.

Fantastique.

Inspirée.

Des frissons de désir la parcoururent quand il s'aventura un peu plus bas et tira sur la fermeture Éclair de son pantalon. Elle se souleva un peu pour lui faciliter le passage, mais déjà ses mains remontaient vers ses seins dont il se mit à titiller les pointes. Elle se cambra, électrisée, se frottant sans vergogne sur son sexe durci que seuls quelques millimètres de tissu séparaient du sien.

Un long soupir monta dans sa gorge, et vint mourir sur les lèvres de Walker.

Sous l'assaut du plaisir, elle renversa la tête en arrière, comme pour mieux apprécier les sensations qui explosaient au creux de son ventre.

Incapable de réprimer ses gémissements, elle n'essaya pas de résister et s'abandonna totalement à l'ivresse qui l'envahissait. Laissant échapper un grondement rauque, Walker glissa les doigts sous l'élastique de son slip, puis entre les replis de son sexe. Et lorsqu'il plongea l'index en elle, Sloan perdit pied.

Avec une précision digne d'un homme de loi, il commença à aller et venir en elle. Elle cria son nom lorsqu'il introduisit un deuxième doigt. Les vagues de volupté se succédaient, affolantes, tandis que Walker, tel un virtuose du plaisir, la propulsait sur la crête de la jouissance et l'y maintenait encore et encore.

Sa voix lui parut venir de très loin quand il murmura :

— Sloan, regarde-moi.

Elle ouvrit les yeux. Walker la fixait d'un regard intense.

— Jouis pour moi.

— Walker…

Le plaisir explosa en elle avec une force incroyable, la laissant étourdie et haletante. La tête enfouie au creux du cou de Walker, elle attendit que son corps cesse de trembler et que son souffle s'apaise, puis elle s'écarta et sourit.

— C'est ce qu'on appelle un service complet ?

Il la gratifia d'un sourire empreint d'une mâle satisfaction

— On peut dire ça, oui.

— Eh bien, tu n'as encore rien vu, assura-t-elle.

Elle commençait à tirer sur sa chemise pour la sortir de son pantalon quand le bruit caractéristique d'une porte qu'on ouvre les fit se figer l'un et l'autre.

— Qui vient d'entrer ? chuchota-t-il.

— Avery.

— Merde, siffla-t-il.

— Qui que vous soyez, je vous donne trente secondes pour sortir d'ici.

— Avery, c'est moi.

— Sloan ? Oh, ça va, alors. J'ai eu peur que certains de mes concitoyens aient confondu la salle de conférences avec un baisodrome.

La porte s'ouvrit davantage comme Avery entrait. Elle appuya sur l'interrupteur.

— Euh… en fait… bredouilla Sloan en regardant par-dessus l'épaule de Walker.

— Ô mon Dieu ! Je suis désolée…

Avant qu'ils aient pu dire ou faire quoi que ce soit, Avery avait tourné les talons et claqué la porte derrière elle.

— Plutôt embarrassant, marmonna Sloan.

— C'est le moins qu'on puisse dire, répondit Walker.

Il l'aida à descendre de ses genoux, puis se leva, conscient de l'érection douloureuse qui risquait de ne pas le quitter de la nuit.

Sloan lui jeta un coup d'œil tout en remontant la fermeture de son pantalon.

— Ça va ? demanda-t-elle.

— Oui. Pas de problème.

— Bien.

Tandis qu'elle se recoiffait avec les doigts, il rajusta ses vêtements.

— Tu es sûr que ça va ?

— Certain, Sloan. Nous devrions retourner dans le hall.

Avec un haussement d'épaules, elle sortit de la pièce devant lui. Il ne put s'empêcher de suivre du regard le balancement sensuel de ses hanches, qui intensifia encore le tiraillement douloureux dans son entrejambe. Il serra les poings.

Bon sang, où avait-il la tête ?

La salle de conférences !

Avec sa grand-mère dans le hall juste à côté !

L'un des nombreux avantages d'être libre et sans attache était de pouvoir garder tout ce qui avait trait à sa vie sexuelle pour lui. À condition, bien sûr, de ne pas faire l'amour au su et au vu de tout le village !

Sans surprise, Sloan s'arrêta devant les ascenseurs.

— Je crois que je vais aller me coucher, annonça-t-elle.

— Tu as sans doute raison, approuva-t-il.

Elle le considéra longuement, laissant ses yeux glisser sur son corps – ce traître qui réagit immédiatement, et faillit une fois encore lui faire abandonner toute prudence.

— Tu veux monter ?

— Il vaudrait mieux pas.

— Bien. Je comprends. Rien de tel qu'une interruption pour tout gâcher.

— C'est probablement mieux ainsi.

— Pardon ? fit-elle d'une voix étranglée.

Aïe ! Il se doutait qu'il n'avait pas choisi les bons mots, et la réaction de Sloan le lui confirmait.

— Tu sais bien. Rien n'arrive jamais par hasard. C'est une situation un peu particulière ici à cette période, et tu n'es que de passage. Tu mérites mieux que ça.

— J'en suis convaincue.

— Très bien. C'est parfait, alors.

La sonnette annonçant l'arrivée de l'ascenseur mit fin à leur gêne grandissante.

Elle pénétra dans la cabine, le dos droit. En colère, de toute évidence, et blessée dans sa fierté.

— Bonne nuit, Walker.

— Bonne nuit, Sloan.

Comme les portes se refermaient sur elle, il se répéta qu'il avait agi pour le mieux. Il était hors de question qu'il mette son existence sens dessus dessous pour une femme.

Pourtant, tandis qu'il rejoignait le hall, il ne put s'empêcher de se rappeler ce qu'il avait ressenti lorsqu'il avait tenu Sloan dans ses bras.

Cela lui avait semblé aller de soi.

10

Même si elles frappèrent à sa porte plus rapidement qu'elle ne l'avait escompté, Sloan fut soulagée de voir ses amies apparaître. D'autant qu'elles apportaient des cookies aux pépites de chocolat encore tièdes.

— C'est de la triche, marmonna-t-elle en en prenant un.

— Triche ou pas, on s'en moque. Ce qu'on veut, ce sont les détails, répliqua Jane en s'asseyant d'office sur le lit. Vas-y, accouche.

— Laisse-moi d'abord le temps de savourer mon cookie.

Sloan mordit dans le biscuit tout en se dirigeant vers le lit ; la sensation du chocolat tiède sur sa langue apaisa un instant la tension qui ne l'avait pas lâchée.

Hélas, même une fournée entière de cookies n'aurait pas suffi à lui faire oublier la désinvolture avec laquelle Walker l'avait congédiée devant l'ascenseur.

Jane fronça les sourcils, l'air soudain inquiet.

— Que se passe-t-il, Sloan ? Tu ne ressembles pas à quelqu'un qui vient de s'envoyer en l'air. Du reste, comment se fait-il que tu nous aies expédié ce texto pour nous demander de venir ? Avery m'a dit que tu étais en… conférence.

— La conférence est terminée.

— Il était nul ? s'étonna son amie. Pourtant, on ne croirait pas à le voir. C'est décevant. Je…

— Jane ! coupa Sloan. Ce n'est pas ça. On ne s'est pas envoyés en l'air.

Avery, qui s'était assise au bord du lit, le plat de cookies sur les genoux, leva la main.

— Avant que tu nous en dises plus, je voudrais m'excuser. Ça m'est arrivé plus d'une fois de devoir calmer les choses dans cette salle de conférences, mais je n'ai pas pensé une seconde que c'était toi. Si je l'avais su, je vous aurais laissés tranquilles.

— Ne t'inquiète pas. C'était sûrement mieux ainsi.

— Pourquoi ?

— Parce que après m'avoir procuré le plus bel orgasme de ma vie, il m'a gentiment fait comprendre qu'on s'en tiendrait là.

Jane et Avery se penchèrent vers elle, les yeux comme des soucoupes. Jane fut la première à prendre la parole :

— D'accord. Désolée, mais j'ai besoin que tu reprennes tout depuis le début. Que s'est-il passé exactement ?

— Pour être honnête, je ne sais pas très bien. J'étais dans le couloir après avoir discuté avec Avery et, l'instant d'après, je me suis retrouvée dans cette salle de conférences en train de l'embrasser. Puis…

Sloan se tut, assaillie par des souvenirs d'une force et d'une précision inouïes. Même si cela faisait du bien de partager ce qui lui était arrivé avec ses amies, certains détails devaient demeurer privés.

Surtout vu la façon dont tout s'était terminé.

— Disons que les choses se sont emballées…

Elle prit un deuxième cookie.

— … et même si on n'est pas allés jusqu'au bout, j'ai eu largement ma part. Avant la douche froide.

— Au moins, tu as eu un orgasme, commenta Jane, positive. Et un bon, apparemment.

— Ça, c'est sûr, reconnut Sloan.

Si bon que son corps continuait encore à vibrer d'énergie post-orgasmique.

— C'est ma faute, Sloan. Je suis désolée.

— Arrête, Avery ! Vu la manière dont il a réagi quand je l'ai invité dans ma chambre, je m'en suis plutôt bien sortie grâce à toi.

— En tout cas, tu t'en es sortie, commenta Jane avec cet humour pince-sans-rire qui, d'habitude, lui remontait le moral.

— Certes, fit-elle d'une voix étranglée, ravalant les larmes qui menaçaient.

Avery dut le sentir, car elle lui tendit aussitôt le plat de cookies.

— Je sais qu'on peut tout se permettre entre amies, dit-elle, mais je préférerais que tu ne pleures pas. Parce que si tu commences, je vais t'imiter, et je refuse de verser une larme de plus sur Roman Forsyth.

— Il y a du nouveau ? s'enquit Sloan, saisissant cette occasion de changer de sujet.

Se concentrer sur les problèmes de quelqu'un d'autre lui permettrait d'oublier un peu les siens.

— Rien depuis ce que je t'ai annoncé tout à l'heure.

D'une voix monocorde et dénuée d'émotion, Avery mit rapidement Jane au courant.

— De tous les week-ends, pourquoi a-t-il choisi celui-là ? conclut-elle. Avec le concours, l'hôtel sera plein à craquer, et Susan ne me laissera jamais prendre une journée.

— Elle comprend sûrement, déclara Sloan. De toute façon, j'imagine qu'elle emploie d'autres personnes quand tu n'es pas là. Elle ne peut pas faire appel à elles pour l'aider, non ?

— C'est déjà fait. On a besoin de tout le monde en cette période. Et, non, elle ne comprend pas. Elle croit que c'est moi qui ai quitté Roman. Du coup, elle fait tout pour qu'on se rencontre le moins possible.

— Avery, mais c'est horrible ! s'exclama Jane. Tu ne peux pas lui expliquer ce qui s'est réellement passé ?

— J'ai essayé, mais ça ne sert à rien. Susan perd toute objectivité dès qu'il s'agit de son fils. Elle dit qu'elle sait ce qui est bon pour lui.

— Ce qui n'est manifestement pas le cas, railla Sloan. Pourquoi les gens – même bien intentionnés – se mêlaient-ils toujours de ce qui ne les regardait pas ? s'interrogea-t-elle.

— Ça vous arrive de coucher ensemble juste comme ça quand il revient ? s'enquit Jane en s'emparant d'un autre cookie.

L'expression malheureuse d'Avery était en soi une réponse.

— Non. Jamais.

Jane grimaça.

— Ce qui signifie que la dernière fois que vous avez fait l'amour remonte à quand ?

— J'avais dix-neuf ans.

— Waouh ! Ça fait un sacré bout de temps !

Cette remarque fit naître un petit sourire sur les lèvres d'Avery.

— Merci, Jane, mais oui, ça fait un bout de temps. Plus de treize ans, exactement.

— Conclusion : le moment est vraiment venu de recommencer. En adultes.

Sloan se demandait où Jane voulait en venir quand le portable d'Avery annonça l'arrivée d'un texto. Elle le parcourut rapidement et bondit sur ses pieds.

— Merde, merde, merde ! Je reviens tout de suite.

Au moment où Avery sortait de la chambre, Jane lança dans son dos :

— Sauvée par le gong !

— Jane, à quoi tu joues ? s'enquit Sloan. On est censées lui prêter une oreille attentive, je te signale.

— J'essaie de l'aider. Personnellement, je baise nettement mieux maintenant qu'à dix-neuf ans.

— Et alors ?

— Et alors, Avery doit arrêter de se voir et de voir Roman comme s'ils étaient encore ados. Ce sont tous deux des adultes, avec tout ce que ça implique sur le plan sexuel.

— T'es vraiment fêlée.

— Sûrement, acquiesça Jane en souriant. Mais je te parie que ma remarque va faire son chemin dans la tête d'Avery.

— Plus près les uns des autres, Walker. C'est une course d'obstacles sur glace, n'oublie pas. Je n'ai pas envie que l'une d'elles tombe et se casse un membre.

— D'accord, grand-mère.

Pour la quatrième fois, Walker repositionna les cônes orange entre lesquels Sophie circulait pour tester le circuit qu'ils installaient sur la zone réservée aux futures épreuves.

— Ça n'a pas l'air d'être comme l'année dernière.

Serrant les dents, Walker sourit à son aïeule.

— Tu voulais que ce soit différent à cause de cette fille d'Arizona tombée dans le troisième tour, lui rappela-t-il.

— Ah oui, tu as raison ! reconnut Sophie en lui tapotant le bras, puis, comme on l'appelait, elle ajouta : Bon, tu sais comment faire. Je te laisse.

Walker la regarda s'éloigner, puis considéra le plan qu'on lui avait remis le matin même.

— Elle te rend dingue ?

— C'est la tradition annuelle, soupira-t-il en tournant les yeux vers Jack Rafferty, qui avait les bras chargés d'outils.

— Et toi, tu es censé faire quoi ?

— Monter les gradins. J'en ai au moins pour la matinée à me geler les fesses.

Jack jeta un coup d'œil à Sophie, qui discutait tranquillement, une vingtaine de mètres plus loin.

— Regarde-la, elle n'a même pas l'air d'avoir froid, reprit-il. Comment se débrouille-t-elle pour rester aussi en forme ?

— Elle a passé un pacte avec le diable. Je ne vois que ça comme explication, répondit Walker.

Ce qui lui valut un éclat de rire.

— J'espère que tu ne m'accuseras pas de manquer de respect à ta famille si je te dis que je pense comme toi.

— Sûrement pas, assura Walker en repliant son plan pour le ranger dans sa poche. Tiens, laisse-moi t'aider. Donner quelques coups de marteau fera circuler le sang dans mes membres engourdis.

— Je t'en prie.

Ils se dirigèrent vers l'extrémité du circuit, où plusieurs poteaux et structures métalliques étaient déjà installés.

— On commence là ? proposa Jack en désignant deux poteaux un peu à l'écart.

Ils travaillèrent en silence un moment, ne parlant que lorsque c'était nécessaire. Peu à peu, les gradins commencèrent à prendre forme.

— Ta grand-mère est une rusée, lâcha soudain Jack. Elle m'a demandé d'aider aux préparatifs du concours pour la première fois l'année dernière. Elle pensait que m'activer pour la communauté détournerait mes pensées de la mort de Molly.

Walker s'arrêta un instant de serrer un écrou pour regarder son compagnon.

— Ça a marché ?

— Rien ne pouvait vraiment marcher, mais ça m'a fait sortir de chez moi. C'est fou ce qui peut se passer en une année. Ou ne pas se passer, ajouta Jack d'une voix posée.

Walker repensa à sa conversation de la veille avec Jessica. Il s'efforça de garder un ton détaché, même s'il était conscient de violer la règle qu'il s'était imposée de ne jamais se mêler des affaires des autres.

— Tu as continué à sortir depuis ?

— Non.

Walker attaqua l'écrou suivant.

— Pourquoi ?

— Je sors déjà beaucoup avec le boulot. Mick et moi avons tellement de clients que nous pensons à nous agrandir. Et le reste du temps... Eh bien, il n'y a pas beaucoup de raisons de sortir.

— Tu en es sûr, Rafferty ?

— Ouais.

Un fracas résonna dans l'air glacé comme Jack abattait son marteau sur le poteau métallique. Comprenant qu'il s'agissait là d'un geste délibéré, Walker décida de s'en tenir là et de se remettre au boulot. Il l'aurait fait s'il n'avait vu Jack se figer brusquement.

De l'autre côté du terrain, Jessica sortait du cabinet, des paquets dans les mains. Sans doute avait-elle proposé à Myrtle de s'occuper du courrier pour lui éviter de sortir dans le froid. Jack ne la quitta pas des yeux jusqu'à ce qu'elle tourne dans Indigo Avenue et disparaisse à la vue.

Walker se remit au boulot, et déclara sans même regarder son compagnon :

— J'ai l'impression que tu pourrais trouver une très bonne raison de sortir de chez toi si tu en avais envie.

Un instant, il craignit d'être allé trop loin, car Jack demeura muet. Puis, alors qu'il se reprochait d'avoir fourré son nez dans ce qui ne le concernait pas, ce dernier lâcha :

— Ce n'est pas le bon moment.

L'argument était inattaquable.

— Si tu le dis, Jack. Il n'y a que toi qui puisses le savoir.

Sur ce, Walker s'absorba dans sa tâche, s'efforçant d'ignorer le nœud dans son estomac qui lui disait qu'il avait commis une erreur avec Sloan la veille au soir.

Ce n'était pas le bon moment.

Un point, c'est tout.

Si Sloan avait cherché un remède pour soigner sa fierté blessée après l'épisode de la veille avec Walker Montgomery, elle n'aurait pu trouver mieux que ce petit déjeuner à l'*Indigo Café*. À peine Jane et elle s'étaient-elles assises que tous les regards masculins s'étaient tournés vers elles, pour ne quasiment plus s'en détourner.

— Un vrai rêve, commenta Jane à mi-voix. Même si je n'aurais jamais pensé qu'un tel rêve me ferait un effet aussi bizarre.

Sloan examina le menu, de nouveau irrésistiblement attirée par les crêpes. Du sucre, du gras et des calories : exactement ce qu'il lui fallait, décréta-t-elle finalement. Sans compter que, maintenant qu'elle avait décidé d'entrer dans la compétition, elle allait devoir prendre des forces.

— Qu'est-ce que je vous sers ? En plus d'une poignée de célibataires en rut ? demanda la serveuse avec un clin d'œil en leur versant un café.

— Des crêpes au bacon accompagnées de haricots, répondit Jane comme si elle avait lu dans l'esprit de son amie.

— La même chose.

— Bon choix. Les hommes d'ici préfèrent les femmes bien en chair. Et vous avez toutes deux besoin de vous remplumer un peu

— D'après toi, c'était un compliment ou pas ? interrogea Sloan dès qu'elle se fut éloignée.

Tout en ajoutant du lait dans son café, Jane répondit :

— Ça ne sonnait pas comme une insulte. Et je trouve ça plutôt agréable.

— Agréable ?

— Oui. Ça change de New York, où il faut toujours penser à son image. Ça fait du bien de découvrir qu'il existe une autre version de la femme parfaite.

Sloan contempla le liquide sombre dans sa tasse, songeuse.

— Tu trouves qu'on est vraiment obsédées par notre physique ?

— Pas trop, toi et moi. En tout cas pas entre nous. Mais autrement, oui, surtout au boulot. Franchement, tu choisirais de t'habiller en Armani si tu ne voulais pas impressionner les directeurs de publication avec qui tu bosses ?

Sloan songea à sa dernière folie : un superbe tailleur anthracite.

— Peut-être.

— D'accord, mauvais exemple, surtout face à une accro du shopping. Mais plus largement. Quand es-tu sortie pour la dernière fois non maquillée ? Ou même en jogging ou avec un vieux jean pour aller te chercher un plat à emporter chez le Chinois du coin ?

— Quel mal y a-t-il à vouloir être présentable ?

— Aucun, bien sûr, assura Jane avec un petit geste de la main. Ce que je veux dire, c'est que la plupart du temps, on le fait juste parce que c'est ce qu'on attend de nous. On ne laisse plus de place à la spontanéité.

Sloan ne put s'empêcher de penser à la spontanéité avec laquelle elle avait suivi Walker dans la salle de conférences la veille. À ce désir qui avait jailli naturellement entre eux, et auquel ils s'étaient abandonnés sans se poser de questions.

Ce qui rendait le rejet de Walker encore plus cuisant.

Voyant le regard interrogateur de Jane, elle se recentra sur la conversation.

— Tu m'as l'air d'être devenue fan de l'Alaska, tout à coup, observa-t-elle.

— Ce n'est pas si mal ici, répondit Jane en haussant les épaules. Grâce à toi, du reste.

Sloan posa sa main sur la sienne.

— Grâce à toi, corrigea-t-elle. À ce que tu es. Je me suis contentée de fournir l'alcool qui a permis de faire tomber, l'espace d'une soirée, les réserves naturelles de chacun afin qu'ils puissent voir qui tu es vraiment.

— Et je t'en remercie. Et puisqu'on parle de mes relations avec les gens du coin, je dois quand même te préciser que rien n'a changé du côté de Kate. Walker m'a téléphoné hier pour m'informer qu'elle ne renonçait pas à la maison.

— Tu tiens vraiment à cette maison ?

— Je ne sais pas. Pour être franche, il y a une partie de moi qui serait tentée de tout laisser tomber et de passer à autre chose.

— Alors pourquoi persistes-tu ?

— S'il a souhaité me léguer cette bicoque, il y a forcément une raison, expliqua Jane en tripotant la dosette de lait vide. Bien sûr, je pourrais la laisser à Kate. Après tout, il y a un mois, je ne savais même pas que cette baraque existait. Mais je n'arrive pas à m'ôter de la tête la pensée qu'il voulait que je voie comment c'était de vivre ici. Sauf que pour tout le monde, je ne suis qu'une étrangère intéressée par le fric.

— Quelle importance, ce qu'ils pensent tous ? fit valoir Sloan.

Jane balaya la salle du regard avant de répondre :

— C'est là qu'il a choisi de s'installer, qu'il a vécu la plus grande partie de sa vie. J'aimerais que tous ceux qui l'ont connu aient une bonne opinion de moi.

Avant que Sloan ait pu ouvrir la bouche, elle poursuivit :

— Après tout ce que j'ai traversé cette année, je n'arrive pas à savoir si le destin a décidé d'en rajouter une couche ou si, au contraire, il me donne une seconde chance avec cette histoire. Mais quelle que soit la réponse, je ne suis pas encore prête à renoncer.

— Dans ce cas, accroche-toi, l'encouragea Sloan.

La serveuse posa leurs assiettes devant elles. Tout en humant le délicieux fumet du bacon, Sloan se demanda par quel miracle sa meilleure amie et elle – deux New-Yorkaises pur jus – se retrouvaient en train de prendre leur petit déjeuner au fin fond de l'Alaska.

Elle fut brusquement tirée de ses réflexions par l'arrivée de deux hommes taillés comme des bûcherons.

— Ça vous ennuie si nous nous joignons à vous ? s'enquit l'un d'eux.

— Je vous en prie, répondit Jane.

Comme ils se présentaient, Sloan ne put réprimer un sourire.

— Tom et George, tout simplement ? Vous n'avez pas de surnom ?

— Non.

— Ça doit faire de vous des originaux ici.

— C'est vrai, acquiesça Tom, le plus silencieux des deux.

Non seulement, Sloan prit grand plaisir à la conversation avec Tom et George, mais en outre, elle s'aperçut qu'ils pourraient apporter une note pittoresque très intéressante à ses articles.

— Ça vous ennuierait que je vous interviewe ?

— Nous ? Pour le magazine dans lequel vous écrivez ? demanda George avec un grand sourire. Pas de problème.

Cette conversation, dont Sloan pensait qu'elle était privée, fut rapidement interrompue par des cris venant des tables voisines :

— On peut venir, nous aussi ?

— Eh ! Moi aussi je veux qu'on m'interviewe !

— Et nous ?

Jane s'esclaffa.

— On ne peut décidément jamais être tranquille dans ce village.

— Si vous voulez être tranquille, il ne faut pas sortir, fit valoir Tom avec raison.

Sloan sortit son carnet de son sac, amusée par cette remarque. Tout à coup, la mélancolie qui ne l'avait pas quittée depuis le réveil s'évanouit comme par magie.

— Vous êtes certains d'avoir envie de répondre à mes questions ? lança-t-elle à la cantonade.

Un chorus de « oui » enthousiastes lui répondit.

— Parfait. Jane, tu seras mon témoin, déclara-t-elle en tirant de son sac un autre carnet qu'elle fit glisser vers son amie. S'il te plaît, note le nom de tous ceux qui parlent.

Puis, se tournant vers son auditoire, elle enchaîna avec la question qui lui brûlait les lèvres depuis son arrivée :

— Qu'est-ce qui ne va pas chez les femmes d'Indigo ?

Comme tous la dévisageaient d'un air perplexe, elle précisa :

— Pour que vous en fassiez venir d'autres de l'extérieur.

Mêmes regards perplexes. Elle fronça les sourcils. Est-ce qu'elle n'était pas assez claire ?

Soudain, une main se leva dans le fond de la salle.

— Oui ?

Un homme se mit debout. Il n'était pas dénué de charme, mais il lui manquait cette présence virile caractéristique de la plupart de ses concitoyens.

— Elles ne sont pas assez nombreuses, expliqua-t-il. Il y a deux hommes pour une femme.

— Oh.

— Si vous ajoutez à ça, le fait que certains de ces hommes les attirent toutes, eh bien, vous comprenez pourquoi nous accueillons si chaleureusement les femmes célibataires venues d'ailleurs.

Sloan sentit malgré elle son cœur se serrer face à la sincérité totalement dénuée d'amertume de son interlocuteur.

Il énonçait un fait, rien de plus.

À cet instant, elle prit conscience que la solitude pouvait nous toucher n'importe où, que l'on vive dans une métropole de huit millions d'habitants ou un village de sept cent douze âmes.

11

Ayant achevé de monter les gradins avec Jack, Walker se rendit à l'*Indigo Café*. C'est là qu'il retrouva Sloan, entourée d'une bonne partie de la population masculine du village.

— Belle fille, murmura Jack en se penchant vers lui. On dirait que tout le monde l'a adoptée.

La pointe d'ironie dans sa voix n'échappa pas à Walker. Plus contrarié qu'il ne l'aurait souhaité, il préféra ne pas répondre de peur de se montrer un peu trop cassant.

— Très attirante, insista Jack.

— Je dirais plutôt qu'elle attire les ennuis, grommela Walker.

Avec un sourire amusé, Jack le gratifia d'une tape dans le dos, avant d'emboîter le pas à la serveuse qui les mena à une table.

Les bruits et les rires emplissaient la salle. De toute évidence, Sloan n'était pas pour rien dans toute cette agitation.

« Attirante » était le mot juste, songea Walker en regardant les hommes agglutinés autour d'elles.

— Alors, que se passe-t-il après les enchères et le dîner dansant ? l'entendit-il demander à son auditoire.

— Si vous posez la question, c'est que vous manquez d'imagination ! railla George Tapper.

De gros rires accueillirent cette remarque et Sloan s'empourpra. Pourtant, en dépit de son embarras, elle ne perdit pas contenance.

— Je ne parle pas de ce qui se passe aussitôt après, mais plus tard, quand les filles rentrent chez elles, précisa-t-elle.

— Certaines ne rentrent jamais chez elles ! brailla Boone Fellows depuis le fond de la salle.

Sloan se tourna vers lui, les yeux brillants.

— Vraiment ?

George acquiesça d'un air entendu.

— Beaucoup se sont installées ici. Comme Margaret et Tanya il y a quelques années.

— N'oublie pas Marcy, ajouta un de ses compagnons.

— Et Darla et Melissa, il y a sept ou huit ans, renchérit la serveuse en remplissant les tasses de café vides. Et vous vous souvenez de Wade ? Il a déménagé en Arizona pour vivre avec cette fille de Phoenix.

— Ce qui nous fait pas mal d'histoires sérieuses, conclut Sloan en griffonnant quelques notes sur son carnet. Est-ce le genre de relation que vous attendez tous ?

À cette question, Walker sentit sa gorge se serrer.

Était-ce vraiment là ce que ses concitoyens cherchaient ? Une compagne pour la vie ?

Un véritable engagement ? Des promesses d'éternité ?

Quelles foutaises ! Ils ignoraient donc que tout ce fatras romantique était un leurre ? Son père lui en avait apporté la preuve, même s'il était le seul à le savoir.

En gardant cela secret, il avait lui-même forgé sa croix. Il s'était retrouvé piégé entre le souvenir de l'homme parfait que sa grand-mère gardait de son fils et la froide réalité.

Pour lui, ne pas s'engager, c'était ne pas prendre le risque de souffrir lorsque l'autre partait, ne pas supporter d'interminables années au côté d'un conjoint à qui l'on ne tient pas vraiment. Et surtout, éviter d'être déçu.

En entendant les « oui » et les « absolument » fuser à autour de lui, Walker comprit qu'il était probablement le seul à penser ainsi.

Bien sûr, il y avait Roman. Mais Roman ne comptait pas puisqu'il ne vivait plus ici. Quant à Mick, à en juger par l'intérêt soudain qu'il portait à Jane, il semblait prêt à abandonner son statut de célibataire endurci.

Jetant un regard à Jack, qui commandait son petit déjeuner, Walker éprouva une pointe de soulagement. Non, il n'était pas seul.

Ils étaient au moins deux !

— Il n'arrête pas de te regarder !

— Jane, avec tes airs de Madame je-sais-tout, tu te comportes de la même manière que Susan envers Avery. Arrête, maintenant !

— Mais tu lui plais, Sloan, j'en suis sûre.

Sloan s'empêcha de jeter un coup d'œil à l'autre extrémité de la salle. Les habitants d'Indigo lui avaient été d'une aide précieuse, mais ils travaillaient, et avaient fini par s'en aller. À présent, Jane et elle se retrouvaient seules, avec Walker et un homme qu'elle ne connaissait pas assis un peu plus loin.

— Si c'était le cas, à l'heure qu'il est, je serais pleinement comblée et satisfaite. Au lieu de quoi, je me sens hyper mal à l'aise parce que monsieur s'est carapaté.

— Peut-être qu'il avait une bonne excuse. Avery m'a dit qu'elle vous avait surpris en pleine action. Il était peut-être gêné.

— Tu voudrais me faire croire que quelques secondes de gêne empêcheraient un homme de conclure avec une femme consentante ?

Sloan s'interrompit le temps de se prendre la tête entre les mains.

— Une femme *extrêmement* consentante, ajouta-t-elle dans un gémissement.

— Il doit bien y avoir une raison.

— Oui, et elle se trouve devant toi.

— Arrête de dire n'importe quoi ! Si tu penses réellement ça, c'est que toutes les conneries de ta mère t'ont beaucoup plus affectée que je ne le croyais !

Sloan leva les yeux.

— Qu'est-ce que ma mère vient faire là-dedans ?

— À ton avis ? Tu t'es conduite bizarrement toute la semaine, Sloan. Je suis persuadée que c'est en rapport avec ce qui s'est passé à Thanksgiving. En fait, je pense même que ça remonte à bien plus loin.

Sous le regard pénétrant de son amie, Sloan sentit une vague de tristesse la submerger.

— C'est vrai, soupira-t-elle, ces vacances n'ont pas été faciles.

— C'est souvent le cas, malheureusement. Thanksgiving est censé être un moment joyeux, et c'est démoralisant quand on ne ressent pas la moindre joie.

Craignant d'être entendue, Sloan se pencha vers son amie pour murmurer :

— J'en ai marre d'être seule, marre que ça m'obsède, et marre de subir cette situation sans rien pouvoir y changer. D'ailleurs, ce sentiment ne date pas d'aujourd'hui, le séjour chez mes parents n'a fait que l'accentuer.

— Tu penses vraiment ne rien pouvoir y changer ?

Sloan considéra Jane, les yeux écarquillés. Elle n'aurait pas été plus stupéfaite si son amie lui avait demandé à quand remontait son dernier voyage sur la lune.

— Que veux-tu dire ?

— Tu as les moyens de prendre les choses en main.

— Parce que, selon toi, on peut contrôler ses sentiments ?

— Je ne te parle pas de sentiments, mais de mariage, Sloan. Si tu voulais vraiment te caser, tu le serais depuis longtemps.

— Avec qui ? Je ne suis amoureuse de personne.

Un sourire satisfait apparut sur les lèvres de Jane tandis qu'elle s'adossait à sa chaise.

— Dans ce cas, pourquoi t'en faire ? asséna-t-elle.

Sloan réfléchit à ces paroles. C'était vrai qu'elle avait envie de partager son existence avec un homme. Mais un homme fait pour elle, pas le premier venu qui répondrait aux critères étriqués de son autoritaire de mère.

— C'est bon, tu as gagné, admit-elle en souriant à son tour. La prochaine fois que le service de rencontres McKinley me branchera sur un mec, je t'embarque avec moi !

— Super ! Surtout que ta mère a le don de dénicher des spécimens rares.

Sloan s'esclaffa, puis s'aperçut qu'un reste de crêpes refroidissait dans son assiette.

— Maintenant, phase une de mon plan démoniaque, murmura Jane, avant d'ajouter suffisamment fort pour être entendue dans toute la salle : Parlons de tous ces célibataires. Certains sont terriblement craquants.

Sloan aurait voulu disparaître sous terre. Littéralement et définitivement.

— Si on y allait ? suggéra-t-elle, mal à l'aise.

— Pas tout de suite. J'ai faim.

— Encore ?

— Oui. D'autant que George m'a fait de la pub pour les omelettes.

— Eh bien, tu en prendras une demain, s'impatienta Sloan.

L'ignorant, Jane héla la serveuse, et commanda une omelette au gruyère, aux épinards et aux champignons.

Sloan s'empara de sa cinquième tasse de café avec un soupir exaspéré.

— Je me demande où tu mets tout ce que tu manges.

— C'est un don.
— C'est surtout agaçant.
— Je sais, tu me l'as déjà dit, rétorqua Jane.
— C'est déjà énervant que tu sois mince comme un fil, mais si en plus tu peux t'empiffrer comme un ogre sans qu'il y paraisse, ça devient carrément insupportable !
— Dis donc, la grande fille, belle et élégante, tu veux bien cesser de geindre ?
— On dirait que vous vous êtes fait de nouveaux amis.
Sloan sursauta en entendant la voix profonde de Walker juste au-dessus d'elle. Une tasse de café à la main, il demanda :
— Je peux m'asseoir ?
— Tu n'étais pas avec quelqu'un ?
— Jack est retourné travailler à l'aérodrome.
— C'est le collègue de Mick ? s'enquit Jane d'un ton détaché.
Mais Sloan ne fut pas dupe. Elle connaissait trop son amie pour ne pas percevoir l'intérêt derrière sa question faussement anodine.
— En effet.
Comme Sloan la fixait d'un air entendu, Jane haussa les épaules.
— Tout commence à se mettre en place, expliqua-t-elle. Je veux dire, les noms et les visages. J'arrive enfin à m'y reconnaître.
— À en juger par le nombre d'hommes qui vous entouraient tout à l'heure, je suppose que vous avez dépassé le stade des présentations.
— Ils répondaient à des questions pour mon article. Ils se sont révélés une aide précieuse, intervint Sloan d'un ton froid.
Plus froid qu'elle ne l'aurait souhaité. Craignant que Walker ne devine à quel point il l'avait blessée, elle reprit d'une voix plus douce :
— Grâce à eux, j'ai pas mal de matière. Et leur enthousiasme est communicatif.

— Ah oui, ton article ! répéta-t-il d'un ton plein de sous-entendus. Bien sûr…

— Pardon ? fit-elle.

Elle le vit se raidir.

— Allons, ne me fais pas croire que vous n'êtes pas en train d'essayer d'évaluer les prétendants ? Les autres filles ne sont pas encore arrivées et vous voulez avoir une longueur d'avance.

— J'étais concentrée sur mon papier, rien d'autre, rétorqua-t-elle. En outre, au cas où tu ne l'aurais pas remarqué, des candidates sont déjà arrivées.

— Quelques-unes, oui. Mais la plupart ne débarqueront pas avant le week-end prochain. J'ai d'ailleurs une théorie à ce sujet, ajouta-t-il en se penchant vers elle d'un air de conspirateur. Au cas où tu voudrais l'inclure dans ton papier.

— Ne nous fais pas languir plus longtemps, l'enjoignit Jane en remerciant d'un sourire la serveuse qui déposait son omelette devant elle.

— D'après moi, les filles évitent de poser des congés trop longs.

Sloan le dévisagea sans comprendre.

— Tu peux être plus clair ?

— Je pense que celles qui viennent ici pour la fête des célibataires n'osent pas avouer à leurs patrons qu'elles se rendent en Alaska dans l'espoir de rencontrer un homme. Elles prennent donc très peu de jours et n'arrivent à Indigo qu'au dernier moment. La plupart se hâtent d'ailleurs d'attraper le premier train le dimanche qui suit le concours.

— Et celles qui arrivent plus tôt ?

Walker haussa les épaules et but une gorgée de café.

— Elles sont très rares.

— Il ne t'est jamais venu à l'esprit qu'elles attendaient peut-être le dernier moment parce qu'il fait moins trente et qu'elles préféraient rester bien au chaud chez elles plutôt que de se geler pour rien avant la compétition.

— C'est juste une théorie, se défendit-il. Un angle d'approche possible pour ton article.

Sloan n'aurait pu expliquer pourquoi, mais cette théorie la contrariait. Objectivement, depuis des années qu'il assistait à la fête des célibataires, Walker devait en savoir plus qu'elle sur le sujet. Pourtant, sa vision des choses la troublait.

— Ça ne tient pas debout, décréta-t-elle. Pourquoi se donner tant de peine pour participer à ce concours, si c'est à ce point embarrassant ?

— Sloan a raison, renchérit Jane. Pourquoi parcourir autant de kilomètres si on se soucie du qu'en-dira-t-on ?

— Les gens ont peur de la solitude. Surtout les femmes. Alors, elles viennent ici, mais n'en parlent à personne.

Sentant l'exaspération l'envahir, Sloan jeta un coup d'œil furtif à Jane. Celle-ci lui adressa un petit clin d'œil, qui lui confirma ce qu'elle pensait déjà – elles allaient le laisser creuser sa propre tombe avant de lancer quelques pelletées de terre.

— Parce que, toi, ça ne te gêne pas d'être seul ? De n'avoir personne avec qui partager ta vie ? Avec qui fonder une famille ?

— Pas vraiment.

Était-ce là l'homme avec qui elle avait passé un moment fabuleux, la veille, dans la salle de conférences ? s'interrogea Sloan. Surtout, pourquoi ses propos cyniques déclenchaient-ils en elle une telle colère ?

— Demande autour de toi, reprit-il. Tu verras ce que je veux dire.

Sloan nota sur son carnet *peur de s'engager ?* et le souligna. C'était un point à creuser.

Puis elle jeta un coup d'œil à Walker. Ses traits s'étaient durcis et sa bouche avait pris un pli amer.

Voyait-elle sur son visage quelque chose qui ne s'y trouvait pas ?

Ou bien ce cynisme et ces théories peu originales dissimulaient-ils une vraie souffrance ?

À moins que ses propos ne l'aient piquée au vif parce qu'ils peignaient le portrait d'un homme qui ne cadrait pas avec ce qu'elle s'était imaginé.

Quoi qu'il en soit, elle n'avait plus envie de lui jeter des pelletées de terre.

— Je le ferai, assura-t-elle en reposant son stylo.

Décidant qu'il était temps de changer de sujet, elle enchaîna :

— À propos de Mick et de Jack, comment fait-on pour réserver un vol à destination d'Anchorage ? J'aimerais m'y rendre pour étoffer mon reportage.

— Ils en parlent dans les brochures à l'hôtel, intervint Jane. Tu devrais demander à Avery de t'arranger ça.

— Super.

Sloan rangea son carnet et son stylo dans son sac, tout en programmant dans sa tête la semaine à venir. Elle avait prévu de passer dix jours ici, mais pouvait facilement prolonger son séjour si nécessaire. Peut-être en profiterait-elle pour faire un détour par le mont Denali.

— Je t'emmène, lâcha soudain Walker.

Elle faillit en laisser tomber sa tasse de café. Quelques gouttes éclaboussèrent la nappe.

— Pardon ?

— Je t'emmène à Anchorage. Aujourd'hui, si tu veux. Si tu te dépêches, on devrait pouvoir partir avec Jack.

— Je ne vais pas à Anchorage aujourd'hui.

— Pourquoi pas ? intervint Jane en penchant la tête de côté tel un petit oiseau. C'est une excellente idée. Non seulement, ça te fournira de nouveaux éléments pour ton article, mais tu auras en plus de grandes chances d'effectuer le trajet de retour en compagnie de candidates qui te diront ce qu'elles attendent de ce concours.

— Merci, Jane, grinça Sloan en fusillant son amie du regard.

Elle allait le payer cher !

Walker se leva et déclara :

— Va chercher ce dont tu as besoin, je vais demander à Jack de patienter quelques minutes.

Sloan avisa sa doudoune posée sur la chaise près d'elle ; si elle y ajoutait ses bottes fourrées et les trois blocs-notes dans son sac, elle était parée.

— J'ai tout ce qu'il me faut, annonça-t-elle.

— Tu n'emportes rien d'autre ?

— Nous ne partons que pour la journée, non ?

Walker acquiesça.

— Dans ce cas, je suis prête.

— Encore un de mes préjugés qui vole en éclats, dit-il en souriant.

Sloan maudit Walker. Ils avaient à peine décollé qu'ils étaient tombés dans un trou d'air, et depuis, les perturbations se succédaient quasiment sans interruption. Un miracle que les crêpes qu'elle avait englouties moins d'une heure auparavant soient encore dans son estomac !

— Ça va, Sloan ?

La voix de Jack lui parvint dans les écouteurs.

Elle leva le pouce et lui adressa un sourire crispé en guise de réponse.

Pas étonnant que l'office de tourisme recommande le train ! Ils étaient partis depuis moins de dix minutes et elle se sentait aussi malade que si elle souffrait d'une mauvaise grippe ou d'une infâme gueule de bois. Ou des deux à la fois.

Une légère tape sur son bras lui fit tourner la tête. Walker lui tendait une cannette de soda. Sa voix grave résonna dans son casque et elle ressentit un pincement de désir au creux du ventre. Alors même qu'elle était malade comme un chien !

Les doigts tremblants, elle saisit la cannette et en but une gorgée.

Walker la fixait de son regard sombre empreint d'inquiétude.

— Bois encore un peu, l'encouragea-t-il.

Elle obéit. Le liquide pétillant coula le long de sa gorge, et elle sentit les bulles rejoindre le tumulte de son estomac.

— Maintenant, regarde par là, lui intima-t-il en désignant le hublot.

Sloan s'exécuta, et faillit lâcher sa cannette devant le spectacle grandiose qui s'offrait à elle. Irisés dans la lumière matinale, les hauts sommets glacés du mont Denali se dressaient, imposants et indifférents, juste devant eux. Elle se rappela son arrivée en train, quelques jours plus tôt, lorsqu'elle l'avait aperçu au loin.

Elle avait ressenti alors une parenté.

De l'impatience.

De l'espoir.

Où tout cela était-il passé ?

— C'est beau, n'est-ce pas ?

— Absolument magnifique.

— Ça ne vous dérange pas si je pique un peu ? demanda soudain la voix de Jack. J'aimerais vous montrer deux ou trois trucs avant d'arriver à Anchorage.

— Je pense que ça devrait aller, répondit-elle.

Elle avala une autre gorgée de soda, soulagée de constater que sa nausée se calmait. Son estomac ne protesta même pas lorsque l'avion descendit en piqué vers le versant sud de la montagne.

Jack leur indiqua un camp de base pour alpinistes et une aire d'atterrissage.

— Il y a des gens qui tentent l'ascension du Denali ? fit Sloan, sidérée.

Elle contempla les pics enneigés. Il fallait être fou pour s'attaquer à de pareils géants dans les conditions climatiques aussi extrêmes.

— Plusieurs milliers par an, répondit Jack. Mais en ce moment il fait trop froid. Pendant la belle saison, Mick et moi transportons trois ou quatre groupes de grimpeurs par jour.

— En été le tourisme est florissant, renchérit Walker. Beaucoup de visiteurs veulent voir le Denali de plus près.

— Je les comprends. Il est majestueux.

Sloan était sincère. Le mont Denali était une merveille de la nature, l'une de celles qui rappellent à l'homme qu'il y a plus dans l'univers qu'il ne pourra jamais voir, toucher, connaître ou espérer conquérir.

Dans de tels moments, Sloan se sentait à la fois minuscule et toute-puissante. Ces monolithes trônaient là depuis des millions d'années et y seraient encore dans des millions d'années, pourtant, l'espace d'un instant, elle eut l'impression de ne faire qu'un avec eux.

D'être une partie de quelque chose de beaucoup plus grand.

Prise d'un léger vertige, elle se détourna du hublot. Le regard pénétrant de Walker plongea dans le sien, et elle perçut une lueur de désir dans ses profondeurs sombres. Se fiant à son intuition féminine, elle ne baissa pas les yeux, et savoura l'instant.

Et une fois de plus, elle eut la sensation d'être une partie de quelque chose de beaucoup plus grand qu'elle-même.

12

Jack atterrit en douceur ; les roues de l'avion touchèrent le sol avec une légèreté qui contrastait avec le chaos du début de vol. Il avait beau savoir qu'il n'y avait rien à faire, il était embêté que Sloan ait été malade.

Mick et lui étaient souvent obligés de gérer les effets du mal de l'air sur leurs passagers qui, habitués à voler sur des Boeing 747, ne s'attendaient pas aux aléas liés aux petits coucous.

Malgré tout, il devait reconnaître que Sloan s'en était bien sortie. En revanche, il se faisait du souci pour Walker. L'attention que ce dernier avait portée à la jeune femme durant tout le trajet ne lui avait pas échappé.

Jack l'observa du coin de l'œil tandis qu'il aidait Sloan à s'extraire de la cabine et à descendre les marches de l'escalier mobile. Le pauvre vieux avait l'air sacrément mordu.

— Je vous retrouve ici à 18 heures, leur lança-t-il.

Walker leva le pouce en signe d'assentiment. Jack attrapa son journal de bord pour y consigner quelques notes, avant de reporter les yeux sur le couple qui se dirigeait vers le terminal.

Walker marchait à côté de Sloan ; il le vit serrer le poing à plusieurs reprises comme pour résister à l'envie de la prendre par la taille.

Ouais, Walker Montgomery était gravement accro.

Grand bien lui fasse !

Jack avait emmené son ami à Anchorage un nombre incalculable de fois. Et même s'il l'appréciait et l'admirait, il ne pouvait s'empêcher de trouver sa vie bien vide.

Libre, mais terriblement vide.

« Tu es mal placé pour le juger, Rafferty ! »

En même temps que ces mots, l'image de Jessica s'imposa à lui avec une rapidité déconcertante. Son pouls s'accéléra.

Bon sang, cette fichue histoire l'obsédait ! Il n'arrivait pas à oublier ce fabuleux week-end qui avait chamboulé le cours de son existence, cette rencontre fortuite au café et les quarante-huit heures qui en avaient découlé. Pour la première fois depuis que le diagnostic de Molly était tombé, deux ans plus tôt, il avait éprouvé autre chose que de l'abattement. Il s'était senti de nouveau vivant.

Hélas, ce moment de folie passé, la culpabilité avait tout emporté sur son passage ! Car il s'estimait deux fois coupable : vis-à-vis de Molly, qu'il avait trahi moins de trois mois après sa mort, mais aussi vis-à-vis de Jessica, avec qui il se comportait depuis comme si rien n'était arrivé.

Cette culpabilité à laquelle se mêlait le désir qu'il éprouvait toujours pour la jeune femme l'empêchait de trouver le sommeil.

Walker examina Sloan tandis qu'ils traversaient l'aéroport.

— Tu ne veux vraiment rien prendre contre les nausées ?

— Non, ce n'est pas la peine. Mon petit déjeuner était trop copieux, d'où la réaction de mon estomac. Ça va passer.

— Tu en es sûre ?

— Le soda m'a fait du bien, le rassura-t-elle avec un sourire penaud. En tout cas, je comprends pourquoi aucune brochure ne donne de détails sur ces vols. Vu le nombre de sacs en papier accrochés au dossier devant moi, je suppose que ce genre de problème est monnaie courante.

— Oui, mais ça doit rester confidentiel.

— Pourquoi ?

— Tu serais montée à bord si on t'avait prévenue ?

— Compris, acquiesça-t-elle. Bon, monsieur le guide, puis-je savoir où vous avez prévu de m'emmener ?

— Je pensais commencer par une petite visite au maire.

— Au maire ? s'alarma-t-elle en baissant les yeux sur ses vêtements. Mais ma tenue n'est pas du tout adaptée.

— Au contraire. Tu es parfaite. Et le maire est un vieil ami de la famille.

— Mon Dieu, ça signifie qu'il connaît ta grand-mère ! Et moi qui suis en jean et pull.

— Comme je le disais, tu es parfaite, répéta-t-il en posant la main au creux de ses reins pour l'entraîner vers le parking.

Tandis qu'ils marchaient côte à côte, il eut tout le loisir de l'étudier du coin de l'œil. C'était vraiment une belle femme, avec un port de reine et des jambes à n'en plus finir.

Pourtant, ce n'était pas sa beauté qui avait retenu son attention. Il y avait en elle quelque chose de particulier qu'il avait un mal fou à ignorer.

Sloan était de toute évidence brillante, intelligente et terriblement sexy. Mais par-dessus tout, elle l'intriguait.

Telle une énigme qu'il s'entêterait à résoudre ou un roman policier impossible à lâcher avant la dernière page, elle le captivait. Elle hantait ses pensées depuis qu'il l'avait vue, et il se posait toutes sortes de questions à son sujet.

Pourquoi était-elle célibataire, par exemple ? Une femme aussi talentueuse devait certainement avoir une horde d'admirateurs. Les hommes de Manhattan ne pouvaient quand même pas être insensibles à ses charmes. Bon sang, tout mâle normalement constitué succomberait en moins de deux !

Alors où était le problème ? Était-elle seule par choix ?

Walker risqua un autre regard dans sa direction, et ressentit la même impression que durant le vol, que lors de ce premier soir à l'*Indigo Blue*. Derrière ce beau visage et ce corps splendide, elle s'efforçait de cacher quelque chose aux yeux du monde.

De la tristesse ?

Non, ce n'était pas cela. Plutôt une sensation de solitude diffuse mais néanmoins palpable.

Comme lorsqu'elle avait contemplé le mont Denali par le hublot.

La plupart des gens étaient subjugués par la beauté de cette montagne, mais chez Sloan il avait perçu une émotion plus profonde. Il avait vu son expression se transformer tandis qu'elle parcourait le paysage des yeux. Comme si un lien secret les reliait l'un à l'autre.

— On va au parking ?

La voix de la jeune femme le tira brusquement de ses pensées.

— Oui. Je laisse une voiture ici.

— Ah bon ?

Il nota sa surprise, mais elle ne fit aucun commentaire tandis qu'ils se dirigeaient vers son 4 × 4. Il déverrouilla les portières ; les feux arrière clignotèrent.

— Nous y voilà.

— Pratique, dit-elle.

La pointe d'ironie dans le ton de Sloan ne lui échappa pas. Trop habitué aux insinuations et aux sous-entendus féminins pour ne pas comprendre celui-là, il expliqua :

— C'était trop contraignant de louer une voiture chaque fois que je venais, alors j'ai fini par trouver cette solution.

— Tu plaides beaucoup de dossiers à Anchorage ?

— Pas mal, oui.

Il ne leur fallut pas longtemps pour rejoindre le centre du village. À cette époque de l'année, la circulation était réduite ; ils arrivèrent à la mairie en moins de vingt minutes.

Ils remontaient en silence le long couloir qui traversait le bâtiment officiel quand Walker remarqua le regard dubitatif que Sloan lui lançait.

— Qu'y a-t-il ? demanda-t-il.

— Je ne sais pas. Toi. Tout ça, fit-elle en désignant les locaux d'un geste circulaire. Je m'étonne que tu te sentes aussi concerné par mon travail.

— Tu n'as pas envie de rencontrer quelques notables de la région pour étoffer ton article ?

— Bien sûr que si. Mais tu aurais aussi bien pu me communiquer son numéro de téléphone.

— Le contact aurait été beaucoup plus impersonnel.

— C'est vrai, concéda-t-elle avant de s'immobiliser. N'empêche, une telle implication de ta part me surprend.

— Tu m'as dit que tu voulais te rendre à Anchorage, Jack avait un vol de prévu aujourd'hui, et je connais la ville comme ma poche. Te servir de guide s'imposait.

Elle inclina la tête de côté.

— Vraiment ?

Où diable voulait-elle en venir ? Il essayait juste de se montrer amical. De l'aider à boucler son article.

« Et de l'éloigner d'Indigo et de tous ces hommes qui se pressaient autour d'elle », murmura une petite voix dans sa tête. Il s'empressa de la faire taire.

— Ce n'est pas grand-chose. Allez, viens, je vais faire les présentations.

Avec un soupir, Sloan le suivit. L'hôtesse derrière le comptoir reconnut Walker au premier coup d'œil.

— Walker Montgomery en chair et en os ! s'exclama-t-elle. Après ta dernière débâcle au poker, je ne pensais pas te revoir de sitôt.

Walker la gratifia de son plus beau sourire.

— Pourquoi ne suis-je pas surpris que ma cinglante défaite n'ait pas échappé à ton sonar, Sandra ?

— Tu sais bien je suis toujours au courant de tout !

Il se pencha vers Sandra et l'embrassa sur la joue.

— Bien sûr que je le sais.

— Alors, c'est la folie chez toi en ce moment ? Tu es venu te réfugier ici ?

— Non, j'accompagne juste une amie. Il est là ?

— Vous pouvez y aller, répondit Sandra avec un grand sourire.

Vu l'attention avec laquelle elle examina Sloan, Walker comprit que leur petite escapade à Anchorage ne passerait pas inaperçue.

Sloan avait la tête qui tournait en regagnant la voiture.

— Je n'imaginais pas qu'il y avait autant de choses à faire ici, avoua-t-elle. C'est un paradis pour les amoureux des grands espaces, sans parler des événements culturels. C'est incroyable !

— L'Alaska a davantage à offrir que la plupart des gens ne le pensent.

— Pas début décembre, toutefois.

Elle n'avait pu résister à la tentation de le taquiner un peu, mais enroba sa plaisanterie de son plus beau sourire.

— Beaucoup d'endroits sont fermés en hiver, se défendit-il.

— Pourquoi ne pas m'avoir parlé toi-même de toutes ces activités au lieu de venir ici. Ça t'aurait évité un déplacement.

— J'aime bien m'échapper d'Indigo le temps d'une journée.

— Ça demande quand même beaucoup d'efforts.

— Tu as déjà rencontré ma famille ?

Elle ne put réprimer un gloussement en pensant à Sophie.

— Ta grand-mère doit être une vraie pile électrique en ce moment.

— Tu n'as pas idée !

Walker la dépassa pour lui ouvrir la portière. Il lui prit la main afin de l'aider à grimper dans le 4 × 4.

Le contact de ses doigts réveilla aussitôt en elle le souvenir des caresses qu'il lui avait prodiguées la veille.

« Et merde ! »

Elle avait réussi à tenir deux heures sans se repasser la scène dans sa tête. Pourquoi fallait-il qu'elle ressurgisse maintenant sans crier gare, menaçant de gâcher ce bel après-midi ?

Elle s'empressa de lui lâcher la main, et tira sur sa ceinture de sécurité pour se harnacher.

— Tu as faim ? s'enquit Walker.

Sloan tourna la tête pour lui répondre, et resta un instant sans voix. Assise dans l'habitacle surélevé du 4 × 4, elle était à la même hauteur que Walker si bien que son regard plongeait directement dans le sien.

— Tu es certain que c'est une bonne idée de manger ?

— Pourquoi pas ?

— Tu as déjà oublié mes exploits de ce matin ?

— Tout ira bien, la rassura-t-il. On va faire en sorte que tu avales un repas consistant, et Jack a tout un stock de sodas. De toute façon, ce sera pire si tu as le ventre vide.

Ses arguments firent mouche.

— On ne risque pas de rater le vol ?

— Nous avons encore deux bonnes heures devant nous, c'est largement suffisant.

— Dans ce cas, allons-y, répondit-elle.

Cette voix haletante était-elle bien la sienne ? Comment ce type se débrouillait-il pour la troubler à ce point ?

Elle ne voulait pas de lui, se répéta-t-elle.

D'accord, elle avait *envie* de lui, mais elle ne voulait pas d'un homme qui l'avait humiliée.

— Tu es attachée ?

Il tendit le bras pour vérifier si sa ceinture était bien bouclée. Bien qu'il ne l'ait même pas frôlée, une onde de chaleur se déploya en elle, et qui n'avait rien à voir avec le fait qu'elle était emmitouflée dans une épaisse doudoune.

— Oui.

— Parfait.

Il recula et claqua la portière.

Sloan exhala lentement. La nuit dernière, alors qu'elle se tournait et se retournait dans son lit sans trouver le sommeil, elle avait décidé de ranger ses sentiments naissants dans une jolie boîte et de la fermer.

À double tour.

Elle était en vacances dans un endroit totalement inconnu et venait de passer une semaine en famille extrêmement stressante, d'où, sans doute, sa réaction excessive à ce qui s'était passé avec Walker. Mais il était temps de se raisonner. Ils étaient deux adultes consentants qui s'étaient adonnés à des activités d'adultes, un point c'est tout. Il n'y avait rien d'autre à ajouter.

C'était sensé. Logique. Et elle s'en sortait la tête haute.

À condition, bien sûr, de ne pas recommencer à fantasmer.

Hélas, si sa bonne résolution avait tenu durant tout le vol et leur visite chez le maire, il avait suffi que Walker pose la main sur cette maudite ceinture pour la faire voler en éclats.

En l'espace d'une seconde, la boîte de Pandore s'était ouverte, révélant un maelström d'émotions et de désirs difficilement contrôlables.

L'intérieur de *L'Anchorage* – l'un des restaurants favoris de Walker – était cosy et chaleureux malgré les moins vingt-six degrés qui régnaient dehors.

— Je ne m'habitue pas à la vitesse à laquelle la nuit tombe, avoua Sloan. Je me demande comment on peut supporter un tel manque de lumière.

— C'est vrai que les jours sont très courts en ce moment. Certaines journées paraissent interminables.

« Ce qui n'est pas le cas de celle-ci », ajouta Walker pour lui-même en regardant Sloan ôter son manteau. Son pull en cachemire gris soulignait la douceur de ses traits tout en mettant en valeur sa silhouette élancée. Il eut soudain envie de la prendre dans ses bras. Le col en V de son pull laissait à peine entrevoir la naissance de ses seins, ce qu'il trouva beaucoup plus érotique qu'un décolleté plongeant.

— En été le soleil brille pendant vingt-quatre heures d'affilée.

Le son de sa voix interrompit le cours de sa rêverie. Il se débarrassa à son tour de son manteau.

— Ce doit être un peu perturbant, non ? enchaîna-t-elle.

— Ayant toujours vécu ici, ça me paraît normal. On s'y habitue.

— Je suppose que c'est valable pour la plupart des choses, conclut Sloan en s'asseyant en face de lui.

Après avoir balayé la salle du regard, elle reprit :

— C'est un endroit charmant. Je comprends que tu aimes y venir.

— Partante pour un peu de vin ?

— Absolument. Ça ne fait pas longtemps qu'on se connaît, mais m'as-tu déjà vue refuser un verre de vin ?

— Non, en effet.

Il étudia la carte des vins et opta pour un bordeaux. Après avoir passé commande au sommelier, il ne put résister à la tentation de la taquiner un peu.

— Avery a déjà attaqué son stock de Rothschild ?

— Tu es au courant ?

— Pour ses bonnes bouteilles ? Bien sûr, ce n'est un secret pour personne. Même si elle les réserve pour les grandes occasions.

— C'est comme ça que Roman l'achète ? ne put-elle s'empêcher de demander d'un ton détaché.

Walker leva les yeux du menu, les sourcils froncés.

— Roman n'achète personne.

Elle eut un petit haussement d'épaules sceptique.

— Si tu le dis.

Walker aurait voulu défendre son ami avec plus d'énergie, mais il devait reconnaître que, ces dernières années, Roman avait poussé le bouchon un peu loin. Aussi se contenta-t-il de répondre :

— Je ne vois pas ce qui te fait penser le contraire.

— Vraiment ? fit Sloan en le dévisageant par-dessus son menu.

Elle reposa celui-ci sur la table avant de poursuivre :

— Une œuvre d'art monumentale trône dans le hall de l'hôtel, et la cave est remplie de bouteilles qui coûtent les yeux de la tête. Et je suis sûre que ce n'est que la partie émergée de l'iceberg.

— Tu ne connais même pas Roman, fit-il valoir.

Elle arqua un sourcil délicat, et répliqua :

— Entre nous, est-ce que je me trompe ?

— Non, admit-il à contrecœur.

— Alors, affaire classée, cher maître.

Elle attendit quelques secondes avant d'ajouter :

— Je sais que je mêle de ce qui ne me regarde pas, mais Avery mérite mieux.

— Avery mérite des tas de choses qu'elle n'a pas et a des tas de choses qu'elle ne mérite pas.

Comme il allait poursuivre, Sloan leva la main pour l'arrêter.

— Ce n'est pas à nous d'en juger.

L'arrivée de la serveuse empêcha Walker de répondre à ce commentaire. La plupart des femmes – la plupart des gens, d'ailleurs – auraient sauté sur l'occasion pour en apprendre plus, songea-t-il. Mais pas Sloan. Au contraire, elle avait clos le débat, l'empêchant de dire des choses qu'elle devait, suspectait-il, déjà savoir.

— C'est rare, tu sais.

— Quoi ? demanda-t-elle en faisant tourner le vin au fond de son verre.

— De rencontrer quelqu'un qui ne s'intéresse pas aux ragots. Surtout quand ceux-ci concernent l'ancienne petite amie d'une célébrité.

Elle but une gorgée de vin, fermant brièvement les paupières pour mieux le savourer. Une goutte perla au coin de sa bouche. Walker sentit ses doigts le démanger, mais avant qu'il tende la main pour la cueillir de l'index, elle l'avait déjà tamponné avec sa serviette.

Comme elle gardait les yeux fixés sur son verre, il devina qu'une idée lui trottait dans la tête, et qu'elle la jaugeait comme elle avait jaugé son vin.

— Je sais ce que c'est que d'être l'objet de ragots, déclara-t-elle finalement. Ce que l'on ressent lorsqu'on entend les autres parler de soi dans son dos. C'est insupportable. Je ne ferai endurer ça à personne.

— C'est une réaction intéressante. La plupart des gens trouveraient, au contraire, qu'ils ont d'autant plus le droit de faire de même.

— Je ne suis pas la plupart des gens, j'imagine.

Ça, il n'en doutait pas.

Et c'était justement ce qui le tuait dans cette histoire. Sloan ne ressemblait à aucune des femmes qu'il avait connues jusqu'à présent, d'où l'intérêt grandissant qu'il éprouvait à son égard.

Les femmes avec lesquelles il sortait habituellement exigeaient les meilleures tables et ne pensaient qu'à se montrer. Sloan, elle, s'efforçait de défendre son amie et avait percé Roman à jour.

Elle avait fait preuve de respect et de solidarité – deux nobles qualités dissimulées dans un corps sublime qu'il ne se lassait pas de contempler.

Mais il devait à tout prix résister. Sloan n'était pas le genre de femme à se contenter d'une aventure sans lendemain.

Si l'on ajoutait à cela qu'elle n'était que de passage en Alaska il se devait de garder ses distances, au moins par courtoisie.

L'irruption d'Avery dans la salle de conférences avait été une chance, même si son corps l'avait torturé toute la nuit.

Oui, c'était mieux ainsi.

Au grand étonnement de Sloan, le dîner se révélait une expérience beaucoup plus agréable qu'elle ne s'y était attendue. En fait, la journée entière s'était révélée très agréable, dut-elle admettre. Même s'il n'était pas drôle à proprement parler – sa sensibilité d'avocat refaisait régulièrement surface à travers des observations pince-sans-rire –, Walker était un compagnon non dépourvu d'humour, dont la conversation était intéressante tout en conservant une certaine légèreté.

Elle devait aussi lui accorder des points pour ce qu'il avait dit d'Avery. Il y avait chez lui une gentillesse et une capacité à reconnaître les défauts de son ami qu'elle ne pouvait qu'admirer.

On pouvait aimer quelqu'un et ne pas s'aveugler à son sujet pour autant. Et il avait eu la décence d'admettre que la façon de se comporter de Roman n'était pas irréprochable.

D'ailleurs, si elle voulait rendre justice à Roman, elle devait concéder qu'il n'était sûrement pas facile de rompre avec quelqu'un dans une bourgade de la taille d'Indigo. Les présents qu'il envoyait à Avery avaient dû lui coûter une petite fortune, et il avait sans doute choisi chacun d'eux avec un soin particulier. Elle aurait aimé lui accorder le bénéfice du doute et penser que ses gestes étaient sincères.

« En quoi cela te concerne-t-il ? » souffla une petite voix, qui la prit de court – de même que la question, du reste.

Tous ces gens s'en étaient fort bien sortis sans elle jusque-là, alors pourquoi s'intéressait-elle autant à leur sort ? D'autant que la mission qu'elle s'était donnée en venant – aider son amie à trouver sa place au sein de la communauté d'Indigo – n'allait pas tarder à s'achever, et qu'elle quitterait bientôt l'Alaska pour reprendre le cours de sa vie à Manhattan.

Une perspective qui, se rendit-elle compte, la déprimait.

Refusant de se laisser gagner par la morosité, elle s'obligea à revenir au présent et au steak délicieux qu'elle dégustait en bonne compagnie.

— Alors, comme ça, le maire et toi êtes partenaires de poker, dit-elle en portant un morceau de viande à sa bouche.

Walker marmonna un vague « oui » qui n'incitait pas à approfondir le sujet, avant de déclarer :

— Pour être franc, je suis intrigué par ces ragots à ton sujet. De quoi s'agissait-il exactement ? Auriez-vous un squelette caché dans votre placard, mademoiselle McKinley ?

Il avait posé la question d'un ton espiègle, lui laissant la possibilité de répondre à son tour sur le ton de la plaisanterie. Malgré tout, elle regretta de ne pas avoir tenu sa langue.

Ayant elle-même creusé sa tombe, il ne lui restait que deux possibilités : prendre une pelle et continuer, au risque de provoquer de nouvelles interrogations, ou donner une version légère des faits. Optant pour la dernière, elle expliqua :

— Ma mère s'est mis en tête de me caser.

— C'est tout ?

— Elle est pire qu'un paparazzi derrière Angelina Jolie. Ça frise l'obsession.

— Vu la manière dont se conduit ma grand-mère, je suis mal placé pour critiquer, mais quel rapport avec les ragots ?

— Je suis la honte de la famille.

— Pardon ?

Même si cela ne suffit pas à écarter la douleur, le voir écarquiller les yeux d'étonnement la soulagea un peu. Il fallait qu'elle avoue d'un coup, sans réfléchir, comme on arrache un sparadrap.

— Pendant des années, j'ai été le vilain petit canard. Avec le temps, je me suis arrangée, mais je n'ai toujours pas trouvé le prince charmant. Au grand dam de ma mère, qui déteste les contes de fées inachevés.

— Tu te moques de moi ? Je suis sûr que tu as toujours été très jolie. Et puis, tu es encore loin de la maison de retraite. Ta mère devrait se calmer un peu.

Les paroles de Walker lui firent l'effet d'un baume. Elle était déconcertée par la facilité avec laquelle elle avait réussi à évoquer ses tourments passés.

Sans prévenir, le doux visage de Sophie Montgomery se substitua à l'image de sa mère dans son esprit.

— Ta grand-mère aussi t'embête avec ces histoires de mariage, mais elle le fait avec une telle tendresse. Je ne sais pas comment elle se débrouille.

— Je ne suis pas certain que « tendresse » soit approprié pour désigner ses manipulations d'entremetteuse, mais je sais qu'au fond, concéda-t-il, elle ne souhaite que mon bonheur.

— Voilà, c'est ça ! s'exclama-t-elle en se penchant pardessus la table pour lui saisir la main. Tu as mis le doigt dessus.

— Sur quoi ?

— Si je pensais que ma mère me harcèle parce qu'elle veut mon bonheur, je pourrais m'en accommoder. Mais en fait, elle ne se préoccupe que de sauver les apparences.

Comment avait-elle pu ne pas s'en rendre compte plus tôt ?

— Merci, Walker, lâcha-t-elle en levant son verre pour porter un toast.

— À quoi trinque-t-on ?

— Aux casseroles que je traîne derrière moi depuis plus de quinze ans et qui viennent de se décrocher.

— À tes casseroles !

À l'instant où leurs verres s'entrechoquaient, ils furent interrompus par une voix haut perchée.

— Walker ! Tu ne m'as pas dit que tu devais venir en ville !

Sloan leva les yeux vers l'inconnue qui se tenait près de leur table. Sophistiquée jusqu'au bout de ses ongles carmin, elle portait un manteau de fourrure blanc neige. Ses yeux d'un bleu glacial et la main possessive qu'elle avait posée sur l'épaule de Walker ajoutaient à son allure de prédatrice.

Une prédatrice dont il serait la prochaine proie à en juger par le regard dont elle l'enveloppait.

13

En reconnaissant Victoria Watson, Walker ressentit un atroce malaise.

C'était le même genre de sensation que lorsqu'il perdait une affaire devant le tribunal après l'avoir défendue bec et ongles. Comme si tout ce qu'il avait patiemment construit s'écroulait d'un coup.

— Victoria, comment vas-tu ? s'enquit-il en se levant pour lui donner une rapide accolade.

Il se rassit aussitôt.

Devant son air pincé, il devina qu'elle était contrariée qu'il ne l'invite pas à se joindre à eux. Il se tourna vers Sloan pour faire les présentations.

— Sloan, Victoria. Sloan vient de New York.

Victoria eut un petit rire cassant. Elle transpirait l'arrogance par tous les pores.

— De New York ? répéta-t-elle. Voyez-vous ça ? Il s'agit d'une vieille copine d'université ? Vous semblez avoir le même âge.

C'était vraiment un coup bas, même pour Victoria. Et pas très original.

— Pas vraiment non. Je suis un vieil homme.

— Surtout si l'on en croit sa grand-mère, renchérit Sloan, amusée.

— En fait, Sloan est venue rendre visite à l'une de ses amies, qui se trouve être ma cliente, expliqua Walker.

— Comme c'est charmant !

En dépit de l'éclat guerrier qui brillait dans ses yeux, Victoria était pathétique. Cette façon qu'elle avait de s'imposer alors qu'elle n'était pas de toute évidence la bienvenue était du plus mauvais goût.

Qu'avait-il bien pu trouver à cette femme ? s'interrogea-t-il. Comment avait-il fait pour ne pas se rendre compte plus tôt de son caractère vindicatif et superficiel ?

— Vous comptez participer au concours de célibataires ? demanda-t-elle à Sloan. Celui que sa grand-mère concocte chaque année.

Elle avait beau afficher une expression innocente, il n'aurait échappé à personne que sa question était malveillante.

— Tout à fait, répondit Sloan.

— N'est-ce pas fantastique ? Les voyages sont si enrichissants. On sait jamais sur quoi on va tomber, gloussa Victoria. Peut-être sur un mari !

— En fait, répliqua Sloan d'une voix douce, la fête des célibataires d'Indigo est le sujet de mon prochain article.

Victoria cessa de balayer des peluches imaginaires sur la manche de son manteau.

— Votre prochain article ?

— Oui, je suis journaliste.

— Vraiment ? Dans quel domaine ?

— Les voyages, le tourisme. Mais aussi des sujets du quotidien ou sur la vie des stars. Mon interview de Johnny Depp a été publiée dans *Vanity Fair* le mois dernier.

— Je ne crois pas l'avoir lue.

Victoria se dégonflait comme un ballon, constata Walker avec satisfaction. Son air suffisant s'était brusquement évaporé à la mention des accointances hollywoodiennes de Sloan.

— J'en donnerai une copie à Walker, si vous voulez, proposa Sloan. Il vous la transmettra la prochaine fois que vous vous verrez. Vous semblez être de vieux amis.

Victoria étrécit les yeux, mais ne répondit pas. Cela dit, la dernière remarque de Sloan indiquait clairement que celle-ci avait deviné la nature de leur amitié.

Et en quoi cela le dérangeait-il ?

Il ne lui devait rien, après tout. Pourquoi devrait-il se sentir gêné d'être sorti avec Victoria ?

Leur échange fut interrompu par la serveuse qui apportait la carte des desserts.

— Vous voulez vous joindre à nous pour le dessert ? s'enquit Sloan.

Son ton mielleux et son grand sourire eurent raison de sa rivale, qui secoua la tête et répondit d'un air crispé :

— Merci, je suis attendue. J'ai été ravie de te revoir, Walker.

Sur ces mots, elle se détourna et s'éloigna sans demander son reste. Walker réprima un soupir de soulagement. À l'évidence, il n'était pas près de recroiser Victoria Watson.

Triturant sa serviette, mais sans se départir de son sourire, Sloan regarda cette pimbêche de Victoria sortir du restaurant au pas de charge.

Rien de tel qu'une ex-petite amie pour vous gâcher un dîner en amoureux, songea-t-elle. Même s'il ne s'agissait pas à proprement parler d'un dîner « en amoureux ». Pas du tout, même. Alors, pourquoi ressentait-elle ce même pincement au cœur que le soir où elle avait surpris la conversation des amies de sa mère à son sujet ?

Pourquoi toutes ces remarques sur son âge et son célibat la faisaient-elles autant souffrir ?

Elle aimait sa vie et tout ce qui composait son quotidien. Plus encore, elle était fière de ses choix et de la personne qu'elle était devenue.

Alors, d'où lui venait ce malaise ?

Sloan s'empara de son verre et se perdit dans la contemplation de son contenu.

À quoi bon se battre pour devenir une femme forte et indépendante si elle s'effondrait, larmoyante, à la première occasion ?

Était-elle à ce point influencée par la vision que sa mère avait de la fille qu'elle devrait être plutôt que par celle qu'elle était ?

Lui serait-il possible un jour de n'être que Sloan McKinley ?

Son regard se porta sur le carré sombre de la fenêtre. Il faisait complètement nuit à présent. Des petits flocons tournoyaient dans le faisceau de lumière des réverbères qui éclairaient le parking.

— C'est une belle femme, murmura-t-elle en reportant son attention sur Walker.

— C'est ce que je pensais à une époque.

— Pardon ?

— Tu m'as entendu. Je trouvais Victoria intéressante, autrefois. Assez fascinante, en fait. C'est curieux comme mes critères en la matière ont changé.

Comme elle demeurait silencieuse, il demanda :

— Pourquoi, d'après toi ?

— Franchement, je n'en ai aucune idée.

Walker se pencha en avant. Son front était plissé comme s'il tentait de démêler les fils d'un écheveau inextricable.

— Je pense que tu en as peut-être une, en fait, articula-t-il.

Elle n'aurait su dire ce que c'était – son expression, le ton de sa voix ou l'attention totale qu'il lui portait ? –, mais l'espace d'un instant, le temps parut s'arrêter et ses paroles demeurèrent comme suspendues entre eux. Elle eut l'impression qu'ils étaient reliés soudain par les fils invisibles du désir et de quelque chose d'autre qu'elle n'aurait su définir.

La sonnerie aiguë d'un téléphone portable brisa la magie du moment.

— Désolé, s'excusa Walker en ouvrant le clapet de son mobile. Jack ? Je croyais qu'on devait se retrouver à 18 heures ?

Sloan cessa de triturer sa serviette en voyant les traits de Walker se durcir.

— Tu veux qu'on te rejoigne maintenant ?... D'accord, on sera là dans un quart d'heure.

— Que se passe-t-il ?

— On rentre immédiatement. Il y a eu un accident sur le mont Denali. Jack doit emmener deux médecins urgentistes à Indigo. Tout le monde est sur le pont.

Mick tenta de stabiliser l'avion secoué par les rafales de vent. De nouveaux cris de douleur lui parvinrent du fond de l'appareil où les deux scientifiques tentaient de réconforter leur ami blessé.

Qu'est-ce que ces types foutaient là-haut ?

Ils avaient bafouillé des explications incohérentes à propos de recherches, mais pour autant qu'il sache, gravir la montagne en plein mois de décembre relevait du suicide.

C'était une audace que la nature ne tolérait pas.

Ce gars qui luttait pour sa vie derrière lui en était la preuve.

La voix de Maggie résonna dans son casque, dure et autoritaire.

Mais, bon sang, que ça faisait du bien de l'entendre ! Même si elle avait le don de lui casser les pieds, cette fichue nana savait prendre les choses en main en cas de crise.

— Tu n'es plus qu'à quinze minutes, Mick. Un hélicoptère des urgences vient d'atterrir à Indigo, il vous attend.

— Tu as fait évacuer la zone ?

— Oui. La piste t'appartient. Comment va ton blessé ?

— Pas bien du tout, murmura-t-il, se référant aux cris déchirants derrière lui.

— Sa jambe est cassée ? Il a une hémorragie ?

— Oui, et l'artère fémorale est touchée.

— Comment s'en sortent ses copains ?

Mick risqua un bref coup d'œil par-dessus son épaule. Les copains en question n'en menaient pas large, mais ils géraient plutôt bien la situation. Plus important encore, ils avaient agi rapidement, ce qui représentait un facteur essentiel pour la survie de leur ami.

— Ils tiennent le coup. En revanche, il y a un putain de vent, maugréa-t-il après avoir vérifié ses instruments de contrôle. On dirait qu'une tempête se prépare.

Mick n'était pas sûr que l'unité d'urgence puisse transférer le blessé à Anchorage ce soir, mais il préféra garder pour lui ses réflexions. Il ne voulait pas prendre le risque d'être entendu par ses passagers.

— Ils ont un plan B ? se renseigna-t-il auprès de Maggie.

— Le Dr Cloud les aide à installer un poste de premiers secours dans une des salles de l'aérodrome au cas où ils ne pourraient pas décoller.

Une rafale vint fouetter le flanc de l'avion, provoquant d'autres cris d'agonie au fond de l'appareil.

— Je crois que ça s'impose.

— Bien, cow-boy, ramène-toi. On t'attend, conclut Maggie dans un soupir.

Luttant contre un nouvel assaut du vent qui les fit tanguer dangereusement, Mick parvint à maintenir sa trajectoire à travers l'épaisse couverture nuageuse. D'une chiquenaude, il ouvrit le micro et aboya :

— Bon, les gars, j'enfreins une bonne quinzaine de règles en ne vous ordonnant pas de boucler votre ceinture, mais je veux que vous restiez le plus près possible du blessé. Maintenez le point de compression sur sa jambe et ne le relâchez pas ! Ça va secouer à l'atterrissage !

Mick entendit leurs murmures d'assentiment, et espéra qu'ils avaient mesuré la gravité de la situation.

Tandis que les lumières d'Indigo se rapprochaient, il pria pour qu'ils arrivent à temps malgré les éléments déchaînés.

Sloan regardait les lumières rouges et bleues des ambulances tournoyer sur le tarmac. Jack transportait deux médecins pour venir en aide à l'unité aérienne d'urgence qui se trouvait déjà sur place. Tout le monde avait gardé le silence durant le vol, et la tension qui régnait à bord était telle que le mal de l'air dont elle avait souffert à l'aller semblait beaucoup moins violent.

Elle était un peu barbouillée, mais rien de bien méchant. Malheureusement, une situation bien plus grave retenait toute son attention.

Ayant capté quelques bribes de la conversation entre Jack et les médecins, elle avait pu reconstituer l'essentiel du drame qui était en train de se jouer. Trois chercheurs, qui avaient entrepris l'ascension du Denali, avaient été surpris par l'éboulement d'une paroi rocheuse. Comble de malchance, ils avaient également subi une défaillance de leur équipement.

L'un d'eux était maintenant dans un état critique.

L'avion tangua dangereusement sur la droite, et elle entendit Jack marmonner un « Et merde ! » depuis le poste de pilotage. Walker se tourna vers elle, esquissa un sourire et lui prit la main.

— Ça va ? murmura-t-il.

— Je tiens le coup, mais quel sale temps.

— C'est une bonne chose que nous ayons avancé l'heure de notre départ. Autrement, nous aurions dû passer la nuit à Anchorage en attendant que le blizzard se calme.

Elle avait une idée assez précise de la manière dont Walker occupait ses nuits à Anchorage, même si cela ne la concernait pas. Sa façon de se distraire – que ce soit dans le passé ou le futur – n'était pas son affaire.

Alors même qu'elle pensait cela, elle savait qu'elle était en train de se mentir. Ce qu'elle s'était juré de ne jamais faire. Puis son regard se posa sur leurs doigts entrecroisés. Sur cette main puissante qui faisait paraître la sienne minuscule.

Cette vision la réconforta.

Cela signifiait quelque chose. *Il* signifiait quelque chose. Même si leur histoire n'était pas destinée à durer...

Voilà pourquoi la manière dont Walker Montgomery occupait ses soirées lui importait tant.

L'avion s'inclina abruptement sur la droite comme Jack s'apprêtait à atterrir, et Walker resserra son étreinte sur sa main. Ce contact la rassura, l'aida à contenir la vague de panique qui menaçait de la submerger.

Et tandis qu'elle lui rendait son étreinte, elle fut contrainte de reconnaître la vérité : ce qui n'était censé être qu'une visite de soutien à une amie avait pris une autre dimension.

Parce qu'elle avait fait la connaissance de Walker Montgomery.

L'heure qui suivit passa comme dans un rêve. Le moment d'intimité qu'elle avait partagé avec Walker dans la chaleur de la cabine prit brutalement fin à leur arrivée.

Walker fut immédiatement accaparé par sa grand-mère qui, en tant que maire, se devait d'être présente lorsqu'un événement grave se produisait. Bien que ce fût pour une triste raison, Sloan fut soulagée de se retrouver seule. Ses bonnes résolutions fondaient comme neige au soleil dès qu'elle était avec Walker. Il était temps qu'elle se ressaisisse et réfléchisse à tête reposée au bouleversement intérieur dont elle était la proie.

D'où elle se tenait, un peu en retrait, elle vit le Dr Cloud assister l'équipe d'urgentistes tandis que les médecins transportés par Jack s'affairaient déjà autour du blessé. Quels qu'aient pu être ses préjugés quant aux soins qu'on pouvait donner dans un endroit aussi reculé, ceux-ci se dissipèrent rapidement face aux compétences évidentes de l'équipe médicale. Manifestement, chacun savait ce qu'il avait à faire et où était sa place.

Sur la piste, un hélicoptère attendait, mais la neige qui s'était mise à tomber à Anchorage les avait suivis vers le nord, et tournait à la tempête.

— Alors c'est ça l'Alaska, murmura-t-elle pour elle-même en contemplant le rideau de neige.

— Oui, acquiesça une voix masculine dans son dos.

Elle pivota, et découvrit Mick juste derrière elle. La main appuyée contre la vitre, il regardait la piste.

— Ils ne décolleront jamais par ce temps.

— Mais cet homme doit aller à l'hôpital !

— Je sais, mais le risque est trop grand.

Il jeta un coup d'œil aux médecins qui continuaient à s'activer autour du blessé avec leur matériel de première urgence.

— Ce genre d'accident arrive souvent ? murmura-t-elle.

— Trop, répondit-il en hochant la tête d'un air maussade. À peu près une fois par an, moins si on a de la chance. Le Denali fait payer le prix fort à certains.

Sloan perçut dans sa voix un étrange mélange de tristesse et de colère. À l'évidence, ce sauvetage l'avait ébranlé. Ses yeux bleus étaient trop brillants, son teint d'ordinaire hâlé anormalement pâle et ses mains tremblaient.

Ce constat la laissa d'autant plus perplexe qu'une grande partie du travail de Mick consistait à conduire des groupes de touristes sur le mont Denali.

— Vous avez toujours vécu ici ? s'enquit-elle, sentant que changer de sujet permettrait de désamorcer la tension qu'elle percevait chez Mick.

— Je suis né et j'ai grandi ici.

— Vous n'avez jamais eu envie de découvrir d'autres endroits ?

Il haussa les épaules, mais, à son grand soulagement, Sloan constata qu'il avait cessé de trembler quand il répondit :

— Je voyage de temps en temps. Mais aucun lieu ne m'a suffisamment séduit pour ne pas revenir.

— Je comprends. Je ressens la même chose avec New York.

« Ressentais », corrigea-t-elle mentalement.

— La ville vous manque ?

— Beaucoup moins que prévu. Et puis, je suis venue pour Jane. C'est elle ma priorité, New York peut attendre.

Mick parut hésiter, comme s'il cherchait ses mots. Puis, frottant sa joue hérissée de chaume, il demanda :

— Elle va repartir quand tout sera réglé ? Je veux dire, l'histoire avec la maison de Jonas et l'héritage.

— Je suppose.

— Dommage.

— Pardon ?

— Non, rien, fit Mick en secouant la tête.

Intriguée, elle s'apprêtait à insister quand un cri résonna dans la salle. Elle fit volte-face, et devant les mines abattues des médecins, elle comprit.

Le blessé que Mick avait transporté depuis le mont Denali venait de mourir.

14

Le cœur lourd, Sloan parcourut du regard la salle du *Jitters*, le café situé au bout de la grand-rue, à côté de l'*Indigo Blue*. Toutes les personnes assemblées là paraissaient accablées, et elle ne pouvait s'empêcher de partager leur chagrin.

Bien qu'il y ait beaucoup moins de monde que dans le hall de l'*Indigo Blue* après la réunion municipale, quelques jours plus tôt, les clients étaient suffisamment nombreux pour que la soirée ressemble à une veillée funèbre. Ils parlaient peu et à voix basse par respect pour ce mort qu'aucun d'entre eux ne connaissait personnellement.

Une fois encore, Sloan se surprit à admirer ces gens chaleureux et le style de vie qu'ils avaient créé dans cet univers inhospitalier. Face à la rudesse du climat, ils formaient une communauté unie par des liens profonds, où chacun prenait soin de l'autre dans l'adversité.

Même quand cet autre était un étranger.

Walker était resté à l'aérodrome avec sa grand-mère tandis que Mick la raccompagnait au village. Ce dernier était reparti presque aussitôt après l'avoir déposée au café, où elle avait retrouvé Jane et Avery.

— Anchorage t'a plu, au moins ? demanda cette dernière à mi-voix en s'emparant de sa tasse de café.

— C'était intéressant.

— Intéressant ? répéta Jane en haussant les sourcils.

Consciente que ses amies ne la lâcheraient pas tant qu'elle ne leur aurait pas donné plus de détails, Sloan leur raconta son dîner avec Walker et la façon dont il avait été interrompu.

— Victoria a une sale réputation, y compris ici, à Indigo, leur apprit Avery. Personne n'a jamais compris ce qu'il lui trouvait.

— Moi, je vois très bien ce qu'il lui trouve, répondit Sloan avec flegme.

— J'ai dit « trouvait », Sloan. À l'imparfait. Ça fait une éternité qu'on ne les a pas vus ensemble.

— C'est quoi une éternité ?

— Plusieurs mois. Bien avant l'été.

Sloan haussa les épaules.

— De toute façon, ça n'a aucune importance.

— Tu plaisantes ? protesta Jane dans un élan de solidarité. Vous sortiez en amoureux et elle vous a tout gâché.

— On ne sortait pas « en amoureux », rectifia Sloan. Et ce n'est pas la peine de prendre cet air perplexe, ajouta-t-elle.

— À ta guise, concéda Jane. En tout cas, moi je continue à penser que cette fille a tout gâché et que c'est une conne.

Dieu que c'était bon d'avoir une amie comme elle ! songea Sloan. Toujours prête à prendre votre parti et à vous réconforter. À cette pensée, elle sentit des larmes de gratitude lui monter aux yeux. Elle saisit la main de Jane sur la table et la serra avec tendresse. Puis, après avoir pris une profonde inspiration, elle déclara :

— Puisque tu me donnes ton avis, permets-moi de te donner le mien. Je pense qu'il serait temps que tu mettes fin à ta période d'abstinence sexuelle et te décides enfin à passer à l'attaque avec Mick O'Shaughnessy.

Le grand sourire de Jane disparut d'un coup.

— Pardon ?

— Tu lui plais autant qu'il te plaît, ça crève les yeux. J'en ai encore eu la preuve ce soir pendant que j'étais avec lui à l'aérodrome.

— Il a dit quelque chose ? intervint Avery, manifestement intéressée.

— C'est surtout ce qu'il n'a pas dit qui était évocateur. Je t'assure, Jane, tu devrais tenter une approche.

— Pas question.

— Pourquoi ?

Bien que son amie ne soit pas le genre de fille à passer d'un mec à l'autre, Sloan était sûre que cette fois, elle devait foncer. Surtout qu'elle ne l'avait jamais vue craquer à ce point pour un mec. Pas même son ex-fiancé.

Jane secoua la tête, mais l'étincelle qui brillait dans ses prunelles trahissait son enthousiasme à cette perspective.

— Ce serait de la folie.

— La folie serait de refuser une occasion pareille, fit remarquer Avery.

— Tout à fait d'accord ! approuva Sloan en faisant tinter sa tasse contre la sienne.

— Je ne coucherai pas avec Mick.

— Ta voix manque de conviction, Jane Thompson.

Les considérant toutes deux avec une moue contrariée, Jane déclara :

— Je croyais que les amis étaient censés vous éviter de faire des conneries et prendre de mauvaises décisions.

— Sauf qu'il ne s'agit pas d'une mauvaise décision, mais d'une idée de génie. De toute manière, qu'est-ce que tu risques ? Même si ça ne devait pas aboutir, Mick est un type super, pas vrai ?

— Adorable, renchérit Avery. En plus, il est à l'hôtel en ce moment.

Sloan la considéra, surprise. Elle pensait qu'il était rentré chez lui après l'avoir déposée.

— Qu'est-ce qu'il fait là-bas ? demanda-t-elle.

— Je l'ai envoyé se réchauffer dans le sauna avant de repartir.

— Tu vois que c'est une idée de génie, dit Sloan à l'adresse de Jane. Et en plus, il est seul dans le sauna.

— Non, persista Jane, le regard perdu au loin. Même si je donnerais ma main à couper qu'il fait l'amour comme un dieu.

Évitant de regarder vers le fond du terminal, Walker s'installa à côté de sa grand-mère. Il lui effleura le bras pour attirer son attention.

— Ça va ? Il n'y a plus rien à faire maintenant, nous devrions partir. Jack a laissé le moteur tourner pour que nous puissions nous réchauffer dans la voiture.

— C'est tellement triste, Walker. Affreusement triste. Une jeune vie de perdue, et d'autres qui garderont des cicatrices de cette journée jusqu'à la fin de leurs jours.

Walker jeta un coup d'œil dehors ; la neige tombait toujours à gros flocons sur la piste. Les paroles de sa grand-mère résonnaient comme des sirènes d'alarme dans sa tête.

Il en connaissait un bout en matière de cicatrices. Ces instants qui font basculer une vie et ces actes impossibles à rattraper.

— Viens. Si nous attendons encore, nous allons avoir du mal à rentrer. On aurait dû partir il y a au moins une heure.

— Il fallait informer la famille de ce jeune homme.

— Tu aurais pu les appeler de la maison.

Sophie haussa les épaules. Pour la première fois, Walker prit conscience de son âge. Malgré son énergie et sa volonté, les années avaient rattrapé Sophie Montgomery.

— Je voulais qu'ils puissent poser des questions au médecin s'ils le souhaitaient.

— Dans ce cas, tu as fait ce qui devait être fait. Nous n'avons plus de raison de rester ici.

Avec un profond soupir, sa grand-mère prit le bras qu'il lui offrait et se laissa conduire vers la sortie. Jack les attendait dans son gros 4 × 4, raison pour laquelle Walker avait laissé Sophie s'attarder aussi longtemps. Même si la météo se dégradait encore, l'énorme véhicule avec ses quatre roues motrices devrait leur permettre de rejoindre Indigo.

Quelle soirée !

Tout en marchant dans l'air glacé, Walker se remémora la journée qui venait de s'écouler.

Sloan.

Pourquoi ne parvenait-il pas à la chasser de son esprit ? Elle occupait tellement ses pensées qu'il n'y avait quasiment plus de place pour le reste.

Après avoir fermé la portière derrière sa grand-mère, il grimpa à côté d'elle. Il tressaillit quand elle lui prit la main.

— Tu comprends pourquoi je te pousse autant à te marier et à fonder une famille ? murmura-t-elle.

— À mon avis « harceler » serait plus approprié, railla-t-il. Ou « tourmenter ».

À son grand étonnement, sa pointe d'humour n'eut aucun effet sur Sophie, qui se contenta de lui serrer la main un peu plus fort tandis qu'une larme roulait sur sa joue parcheminée.

— Mon but n'est pas de t'ennuyer ni de te faire enrager, tu sais. Simplement, je ne supporte pas l'idée que tu sois seul.

Elle désigna l'aérodrome.

— Ce jeune homme, là-bas, il n'a jamais créé de famille. Ni connu la joie d'avoir une femme et des enfants. La vie est trop courte, Walker. Beaucoup trop courte. Depuis sa mort, il ne se passe pas un jour sans que ton grand-père me manque, mais au moins, nous avons eu toutes ces années ensemble. Des années merveilleuses. Je donnerais tout pour que, toi aussi, tu connaisses ça.

La gorge serrée, Walker ne trouva rien à répondre. Il ne pouvait pas se changer, ni changer ce qui avait fait de lui l'homme qu'il était.

— Ce n'est pas si facile que cela, grand-mère, articula-t-il finalement. Tout le monde n'est pas fait pour ce genre de vie, tu sais.

— Tu crois que le mariage n'est pas pour toi ?

Oui, il en était persuadé. Depuis le jour où il avait découvert la vérité à propos de son père, il était convaincu que s'il vivait en couple, il finirait forcément par se conduire comme lui. Or, il n'avait aucune envie de passer son temps à mentir et à tromper sa compagne tout en calmant sa conscience en se racontant que, hormis quelques incartades sans conséquences, il était un bon mari et un bon père.

Le souvenir de Sloan s'imposa de nouveau à lui : son visage dans la lueur dorée de la chandelle au restaurant ; l'humour dont elle avait fait preuve en face de Victoria, à qui elle n'avait jamais permis d'avoir le dessus ; sa force quand ils avaient compris l'ampleur de la tragédie à l'aéroport.

Une existence entière ne suffirait pas à découvrir toutes les facettes d'une femme comme elle.

Et c'était là le problème.

Comment quelqu'un qui avait passé sa vie d'adulte à éviter toute forme d'engagement pouvait-il se défaire de cette certitude ? De cette absolue conviction que les serments et les obligations n'étaient pas pour lui ?

Mick était glacé jusqu'aux os, et ni la touffeur du sauna ni la bouteille de Jack Daniel's qu'Avery lui avait glissée dans la main ne parvenaient à chasser cette sensation.

Ils ne pouvaient pas non plus chasser la froide réalité de la mort. Cette mort qui s'était brutalement imposée à eux, leur rappelant combien l'endroit où ils avaient choisi de vivre était impitoyable.

Les images du drame continuaient à l'assaillir ; la plus éprouvante était celle des chercheurs paniqués essayant d'arrêter le flot de sang qui jaillissait de la plaie de leur compagnon et formait une flaque gelée au-dessous d'eux.

D'instinct, sans réfléchir, il avait pris les choses en main et fait le nécessaire. Comme il l'avait fait avec sa mère cet horrible jour où tout avait basculé.

— Merde, marmonna-t-il tandis que les deux scènes se superposaient dans son esprit.

Il porta la bouteille à ses lèvres et but une lampée de whisky, se demandant à quel moment l'alcool ferait son œuvre et l'aiderait à oublier.

C'était un remède auquel il recourait rarement, mais, bon sang, il n'était qu'un être humain. Il avait le droit comme tout le monde à une bonne vieille cuite.

Putain de merde !

— Que fais-tu ici tout seul ?

Mick croisa le regard de Jane, qui se tenait à l'entrée du sauna.

— J'essaie de me réchauffer.

— Je vois ça.

Elle s'avança vers lui, les joues rose vif.

— Tu me files une gorgée ?

— Tu aimes le whisky ? dit-il en se levant pour lui tendre la bouteille.

Avec un mélange d'étonnement et d'amusement, il regarda son petit ange avaler plusieurs lampées à une vitesse hallucinante.

— Pas spéciale…

Une quinte de toux l'interrompit.

— Mince alors, ce truc est toujours aussi mauvais ! s'exclama-t-elle après avoir repris son souffle.

— Pourquoi tu en bois ?

Elle le fixa de son mystérieux regard gris comme s'il était la seule personne vivante sur terre. L'unique destinataire de son attention. La sensation était si grisante qu'il sentit son corps se réchauffer d'un coup – et son humeur avec.

— Il paraît que ça donne du courage.

Il s'apprêtait à lui demander pourquoi elle en avait besoin quand la raison de sa présence ici le frappa de plein fouet. L'instant d'après, deux bras se nouaient autour de son cou, et il se retrouva collé à elle.

— Qu'est-ce que tu fais ? murmura-t-il contre ses lèvres.

Elle desserra son étreinte, et recula.

— Visiblement quelque chose que je n'aurais pas dû, vu ta réaction.

— Tu plaisantes ? Au contraire, répondit-il en la ramenant vers lui.

Une main sur ses reins, une autre entre ses omoplates, il s'empara de sa bouche. Dans une sorte de désespoir rageur, il l'embrassa, mêlant sa langue à la sienne dans une danse sensuelle.

Elle était si délicate. Et tellement sexy qu'il ne pouvait que remercier le ciel de la lui avoir envoyée à ce moment précis.

La douceur de sa peau quand il lui frôla le ventre en faisant glisser son pull au-dessus de sa tête l'électrisa.

Elle sentait délicieusement bon ; un parfum de vanille, sublimé par le musc naturel de sa peau et la chaleur de la cabine.

Ses doigts tremblèrent un peu quand il lui dégrafa son soutien-gorge. Le petit morceau de dentelle noir tomba, révélant la rondeur parfaite de ses seins à la pointe durcie.

— Ce que tu es belle !

— La façon dont tu me regardes… j'ai l'impression que je pourrais conquérir le monde.

Cette remarque le ramena brutalement à la réalité. Le monde était dur et cruel, ce n'était ni le moment ni l'endroit pour faire ce qu'ils s'apprêtaient à faire.

— Jane, on devrait peut-être arrêter.

Devant son expression déconfite, il ajouta en hâte :

— Tu vas bientôt partir, et tu mérites mieux qu'une histoire sans lendemain. Tu as déjà assez de problèmes comme ça avec l'héritage de ton père. Tu n'as pas besoin de…

— Tu te trompes. J'en ai besoin. J'ai besoin de toi.

Ses prunelles ressemblaient à deux lacs sombres dans la pénombre du sauna. Le désir et l'impatience qu'il y lisait agirent comme un détonateur sur son corps.

— Et tu es bien trop couvert, ajouta-t-elle, mutine.

Pour la première fois depuis son réveil, Mick sourit, et sentit l'étau qui lui broyait la poitrine se desserrer. Faire l'amour avec Jane était une folie, il en avait conscience. Il ne ferait que s'attacher davantage à elle. Mais comment résister à une pareille sincérité ?

— Je crois que tu as raison, répondit-il.

Il déposa un petit baiser sur son menton avant d'enlever sa chemise en flanelle et le T-shirt en dessous d'un seul mouvement.

— On vous a déjà dit que vous étiez très efficace, Mark O'Shaugnessy ? interrogea-t-elle d'un ton espiègle en lui tapotant le torse de l'index.

— Oui, mais jamais quelqu'un d'aussi sexy que toi.

— Tant mieux.

Leurs bouches se rejoignirent de nouveau dans un long baiser à la fois passionné et joueur.

Il la sentait sourire sous ses lèvres, percevait la joie qui irradiait de son corps tandis qu'elle se plaquait contre lui. Ses mains couraient sur lui, douces et légères.

Et il se sentait de nouveau vivant.

Le bois du dossier s'enfonça dans ses omoplates quand elle le força à s'asseoir.

— Attends, ma belle, murmura-t-il comme elle se mettait à califourchon sur lui.

La repoussant doucement, il se leva.

— Deux secondes.

Il fit deux pas en direction du tas de serviettes pliées sur le banc à l'autre extrémité de la pièce, s'aperçut que son érection frottait douloureusement contre le tissu de son pantalon, et dut réduire ses enjambées. Bon sang, on aurait cru un adolescent en chaleur ! Jusqu'à son sourire béat qu'il n'arrivait pas à réprimer en s'emparant des serviettes.

Un éclat de rire flûté s'éleva derrière lui.

— Qu'est-ce qu'il y a ? s'enquit-il en pivotant.

— Tu n'as pas l'air très à l'aise dans ton pantalon, cow-boy.

Il sentit le rouge lui monter aux joues.

— La faute à qui ?

— À moi, j'espère, riposta-t-elle, une lueur malicieuse au fond des yeux. Face à un aussi beau compliment, il ne me reste plus qu'à faire en sorte que les choses empirent.

Avec la même vivacité que celle dont il avait fait preuve, elle se débarrassa de son jean et de son slip. Et bascula en avant comme son pantalon se prenait dans ses bottes.

Jane n'aurait su dire si elle était mortifiée ou ravie quand Mick la rattrapa et la souleva dans ses bras puissants. Elle choisit la seconde possibilité en sentant son avant-bras musclé sous ses fesses nues.

Elle était ravie, sans conteste.

Puis il baissa les yeux sur son jean et son slip qui formait une sorte d'accordéon sur ses bottes.

Non. Mortifiée.

— Tu ne t'es pas fait mal ? s'enquit-il en la déposant doucement sur le banc.

Elle sentit un nœud se former dans sa poitrine. Le désir qui étincelait dans son regard bleu un instant plus tôt avait laissé place à une étrange inquiétude. Il était urgent de revenir à plus de légèreté, décida-t-elle.

— Mick, ça va. Franchement.

— Tu es sûre ?

— Ben, côté sexy, j'en ai pris un coup, mais pour le reste, ça va, assura-t-elle avec un sourire.

À son grand soulagement, Mick sourit à son tour.

— Si tu en es certaine, fit-il en s'accroupissant devant elle pour lui ôter ses bottes avec précaution.

Alors, le nœud dans sa poitrine se transforma en une énorme boule de désir, et d'autre chose qu'elle se refusa à nommer.

Sans crier gare, le souvenir de son ex s'imposa à elle. Cool, assuré, accro du boulot, Jason n'aurait jamais fait l'amour tant qu'elle n'était pas douchée, parfumée et parfaitement épilée.

— Je... je peux les retirer moi-même, marmonna-t-elle en s'efforçant de chasser de son esprit l'image malvenue de Jason.

— Tu en as déjà fait beaucoup, répondit Mick sans s'interrompre.

Ses doigts s'attardèrent sur son mollet après qu'il eut tiré sur la première botte.

Assise dans cette cabine de sauna, nue sur le banc de bois, avec un homme taillé comme un bûcheron qui la déchaussait, Jane eut l'impression de vivre le moment le plus érotique de sa vie.

Après les bottes, Mick lui retira son jean et son slip, puis, posant les mains sur le banc de chaque côté de ses hanches, il se pencha vers elle et murmura contre ses lèvres :

— C'est beaucoup mieux ainsi.

Elle répondit d'un baiser fiévreux, toute trace de gêne envolée. Tout était si naturel, aussi évident que la neige qui tombait en ce moment même.

— J'ai envie de toi, souffla-t-elle.

— Voilà qui fait plaisir à entendre, dit-il en se redressant. À présent regarde bien, ajouta-t-il en se débarrassant de ses bottes.

— Je sais comment on fait, gloussa-t-elle.

— Je n'ai pas eu cette impression. Il fait sacrément chaud ici, continua-t-il en commençant de déboutonner sa braguette.

Elle se leva d'un bond.

— Je devrais pouvoir t'aider, là.

En un tournemain, elle acheva de lui déboutonner son pantalon. Incapable de résister, elle enroula les doigts autour de son sexe engorgé ; il était chaud et pulsait contre sa paume.

— Tu me tues, articula Mick.

À cet instant, pour la première fois depuis des mois, Jane se sentit légère et insouciante.

Heureuse.

Mick se pencha pour étaler les serviettes sur le banc de bois. Elle s'y assit, et tira sur son pantalon, qui rejoignit ses propres vêtements sur le plancher.

Dès qu'il fut nu, il la hissa contre lui.

— C'est à ça que tu pensais en venant ici ? demanda-t-il.

Elle plongea son regard dans les prunelles bleues assombries par le désir.

— Exactement.

Puis elle baissa la tête et referma la bouche sur son mamelon. Mick gémit sous la caresse suave de sa langue, et elle sentit son sexe tressaillir contre son ventre.

— Jane, haleta-t-il. Tu me tues vraiment.

Il enfouit les doigts dans ses cheveux et ramena son visage vers le sien pour l'embrasser fiévreusement. Langues mêlées, ils se goûtèrent, se mordirent, se savourèrent, dans un baiser qui reflétait l'ardeur et l'impatience de leurs corps en feu.

Jane gémit quand Mick glissa les doigts entre ses cuisses, puis dans la moiteur accueillante de son sexe. Il la caressa doucement d'abord, puis accéléra le rythme tandis que la vague du plaisir gonflait en elle, encore et encore, jusqu'au déferlement final.

Mick cueillit son cri de cri de volupté sur ses lèvres. Sans lui laisser le temps de reprendre son souffle, il se laissa tomber sur le banc et l'attira sur lui. Lorsqu'il la fit glisser lentement sur son sexe érigé, la sensation fut si exquise qu'elle faillit crier de nouveau.

— Tu es avec moi, ma belle ? l'entendit-elle lui murmurer à l'oreille d'une voix si rauque de désir qu'un nouvel orgasme la balaya.

— Oui, souffla-t-elle en se noyant dans son regard bleu. Oui.

— Accroche-toi.

Jane obéit.

Et jouit comme elle n'avait encore jamais joui.

15

— Toi, tu as fait l'amour cette nuit, assena Sloan d'un ton accusateur en s'asseyant face à Jane.

En descendant prendre son petit déjeuner, elle s'était promis d'éviter les crêpes. Mais un simple coup d'œil à son amie lui fit instantanément changer d'avis. De toute évidence, elle aurait besoin d'un maximum d'énergie pour combattre la bouffée de jalousie qui l'avait submergée à la vue du visage épanoui de Jane.

— Chut, souffla cette dernière en rougissant.

— Il n'y a personne. Et je veux tous les détails.

Sloan s'empara de la cafetière. Et faillit la lâcher de surprise en voyant son amie éclater brusquement en sanglots.

— Oh non !

Le monstre jaloux s'évanouit comme par magie tandis qu'elle se levait en hâte pour aller s'asseoir près de Jane.

— Que s'est-il passé ?

— Tout, chuchota Jane.

Sloan la considéra en silence, attendant la suite.

— Il est merveilleux ! À tout point de vue, hoqueta Jane. C'était fantastique. Incroyable. J'ai eu trois orgasmes... Alors que c'était la première fois qu'on faisait l'amour.

Sloan décida que, finalement, elle prendrait peut-être des œufs brouillés en plus de ses crêpes... Elle hésita, se demandant comment gérer la situation. Devait-elle se montrer compréhensive et attentionnée ou la jouer copine garce ?

Repensant au triple orgasme, elle opta pour la seconde solution.

— Tu t'attends que je me lamente sur ton sort ?

Jane, qui avait enfoui la tête entre ses mains, la releva subitement.

— Je suis en train de pleurer, non ?

— Oui. Et vu ce que tu viens de me confier, j'ai un peu de mal à comprendre pourquoi.

— Parce que c'était fantastique.

Sloan frappa la table du plat de la main.

— Je persiste à ne pas comprendre. Tu as passé une nuit merveilleuse et tu chouines comme une gamine le lendemain matin.

— Sloan ! s'écria Jane.

Une expression choquée, puis furieuse remplaça ses larmes.

— Quoi ? Tu voudrais que je te prenne dans mes bras et que je te console ? Désolée, mais je ne suis pas d'humeur, ce matin. Ce n'est peut-être pas sympa, mais c'est ainsi.

— D'accord, j'ai compris, renifla Jane avant de laisser échapper un soupir.

Sloan réprima un sourire en la voyant saisir son assiette, puis se diriger d'un pas raide vers le buffet. Et un autre quand elle revint avec une assiette débordant de nourriture.

Comprenant qu'elle y était sans doute allée un peu fort, elle décida de se montrer plus amicale. Sans compter qu'elle s'amusait trop pour s'en tenir là.

— Alors, à quel moment a eu lieu ce merveilleux événement ? ironisa-t-elle. Tu étais encore au café à 21 heures.

Occupée à déplier sa serviette, Jane répondit sans la regarder :

— Juste après.

— Et ?

— Ça s'est passé au sauna. Enfin, au début, parce que ensuite on est montés dans ma chambre.

Un instant, le monstre de la jalousie pointa de nouveau son nez, mais Sloan le congédia aussitôt, lui préférant un bon moment de partage.

— Tu as vraiment baisé avec Mick dans le sauna ?

— Oui.

— Donc, tu as suivi mon conseil. Conseil très inspiré, oserais-je ajouter. Et grâce à Avery, tu as su exactement où trouver la terre promise.

Comme si elle avait entendu son nom, Avery se matérialisa dans la salle, une cafetière fumante à la main.

— Je me trompe ou vous êtes en pleines confidences ? Si c'est le cas, je veux tout savoir.

Jane tritura sa serviette.

— Eh, ne joue pas les cachottières avec moi ! s'exclama Avery. D'autant que j'ai pris soin d'éteindre la caméra de sécurité hier soir, en véritable copine que je suis. Rien que pour ça, tu me dois des détails.

— La caméra ? s'écria Jane d'une voix stridente.

— Eh oui, il y a une caméra. Attends, tu crois que tu es la première à avoir l'idée de le faire au sauna ? Parce que tu l'as fait, pas vrai ?

— Euh, non. J'ai juste… enfin, oui.

Avery lui tapota le bras.

— Ne t'inquiète pas. Je l'ai éteinte après avoir suggéré à Mick d'aller là-bas. Ce qui était visiblement une très bonne idée.

— Mon Dieu ! gémit Jane en enfouissant de nouveau la tête entre ses mains.

— Allez, ma belle, accouche.

— Elle a eu trois orgasmes, annonça Sloan, ce qui lui valut un sourire de la part d'Avery, et une autre tasse de café.

— Sloan ! s'exclama Jane.

— Quoi ? fit mine de s'étonner cette dernière. Elle veut des détails, je lui en donne.

— Je savais que je n'aurais pas dû te le dire.

— Tu plaisantes ? Cacher ce genre d'info à une amie, c'est carrément de la trahison. Un orgasme implique des détails.

— Et trois orgasmes, le confessionnal, renchérit Avery. Une chance pour toi qu'il neige, autrement j'aurais demandé au père Joseph de venir. Remarque, si j'insiste, il ne refusera pas. J'éteindrai la caméra de la salle de conférences, promis.

— Avery ! Tu veux bien arrêter ?

— Quoi ? J'essaie juste de t'aider, répondit Avery en se versant à son tour un café.

— Ce en quoi tu es très efficace, commenta Sloan.

Si contrariée fût-elle, Jane ne put s'empêcher de glousser, ce qui tira un éclat de rire à Sloan.

— Trois orgasmes ? Vraiment ?

— Ouais.

Sloan se tourna vers Avery.

— Je propose de jeter son corps dans une congère à la sortie du village et de sauter sur ce mec. Il est bloqué ici et, de toute façon, personne ne retrouvera le cadavre de Jane avant le printemps. À ce moment-là, on sera loin.

— Loin et plus riches de quelques orgasmes, approuva Avery. Ça me paraît un super plan.

Jane leur sourit, le regard embrumé. Quelle qu'en ait été la raison, sa tristesse s'était volatilisée, constata Sloan avec satisfaction.

— On s'en occupe dès que j'ai terminé mon café. Laisse-la prendre de l'avance, déclara-t-elle.

Elle sursauta en recevant une serviette dans la figure.

— Tu es vraiment une sale petite garce, Sloan McKinley !

— Attends, tu l'as cherché, non ? Un triple orgasme, la première fois que vous faisiez l'amour, qui plus est !

Le sourire de Jane s'élargit davantage tandis qu'elle s'essuyait délicatement les commissures des lèvres avec sa serviette en papier.

— Je me doutais que ça te ferait bisquer.

— Sur ce coup, je dois reconnaître que tu ne t'étais pas trompée, admit Sloan en riant.

Se penchant pour embrasser son amie, elle ajouta :

— Tu as de la chance que je t'aime.

Avery piqua une tranche de bacon dans l'assiette de Jane.

— Au fait, je vous ai déjà dit combien j'étais heureuse que vous soyez venues à Indigo, toutes les deux ?

Le temps que Walker déblaie la neige sur l'allée menant chez lui et sur celle de sa grand-mère, il était déjà presque 11 heures. Malgré son envie de passer au café, il se rendit à son cabinet. Les affaires étaient toujours moins nombreuses à cette période de l'année, et la perspective de la compétition amplifiait encore ce phénomène.

Personne ne semblait enclin à lancer une procédure de divorce autour de Noël ; les testaments étaient plus une résolution de la Nouvelle Année qu'une activité de vacances ; et les querelles de voisinage attendaient généralement le printemps et l'été quand il était enfin possible de mesurer les terrains.

En examinant les dossiers sur son bureau, il remarqua celui de Denny Fitzgerald, accusé d'ivresse sur la voie publique. Pourquoi Denny avait eu l'idée d'intenter un procès au ministère public au lieu de payer l'amende qui lui avait été infligée, Walker l'ignorait. Malgré tout, par sympathie pour lui, il avait accepté de s'occuper de son cas.

Denny n'était pas un mauvais bougre. D'accord, il se laissait parfois aller sur la bouteille, mais dans l'ensemble, il était plutôt un bon concitoyen, toujours prêt à aider ses voisins, à abattre un arbre qui menaçait de tomber ou à participer aux préparatifs de la fête du 4 Juillet.

Et, bien sûr, il participerait à la vente aux enchères du concours des célibataires.

Walker avait remarqué les coups d'œil qu'il jetait parfois en direction de Sloan – comme la plupart des types du village, d'ailleurs. Ce qui n'avait rien d'étonnant. Même dans une ville comme New York, il ne faisait aucun doute qu'on devait se retourner sur elle, alors dans un village de sept cent douze habitants...

— Vous en avez un air pincé !

Walker leva les yeux, et découvrit Myrtle, qui avait passé la tête dans l'entrebâillement de la porte.

— Bonjour aussi à vous, Myrtle.

— Vous savez très bien qu'il est presque midi. D'ailleurs, qu'est-ce que vous fichez ici ?

— Je travaille.

Walker jeta un regard appuyé à sa montre avant d'ajouter :

— Ce qui n'est pas votre cas ce matin.

— Ne vous plaignez pas, j'aurais aussi pu ne pas venir du tout, surtout après ce que m'a fait Mortimer.

— Qu'est-ce qui ne va pas ? s'enquit Walker, pensant aussitôt au récent infarctus du mari de sa secrétaire.

— Cet homme va finir par me rendre folle. Il a passé la matinée à se plaindre des bouchons dans la grand-rue suite à la fermeture de la route au niveau de la banque. Quelle mouche a piqué votre grand-mère de faire un truc pareil ? À cause d'elle, Mortimer est invivable.

Walker s'obligea à garder son sérieux. Parler de « bouchons » à propos de la circulation à Indigo était tout simplement risible. Dans le pire des cas, les voitures restaient arrêtées deux minutes, trois au maximum. Préférant ne pas s'engager dans une discussion dans laquelle il n'aurait pas de toute façon le dernier mot, il changea de sujet.

— Il est tombé soixante centimètres de neige hier, ne me dites pas qu'il est resté toute la matinée dehors à déblayer l'allée.

— Je sais combien de centimètres il est tombé, répliqua Myrtle. Mais non, il n'était pas dehors à déblayer, ajouta-t-elle en se radoucissant. Le fils des Stark s'en est occupé tôt ce matin. Mais ne changez pas de sujet : pourquoi votre grand-mère a-t-elle fermé cette satanée route ?

Walker secoua la tête, réprimant un soupir.

— C'est comme ça chaque année. Pendant une semaine, la route est fermée à cause du concours.

— Une semaine ! bougonna Myrtle en pivotant pour retourner dans son bureau.

Malgré la distance, il l'entendit maugréer :

— Tout ça pour un truc qui dure à peine un après-midi.

N'ayant aucune envie de se retrouver en tête à tête avec lui-même, Walker la rejoignit.

— C'est là que se tient la course de seaux, lui rappela-t-il.

— Je sais. Mais pourquoi diable tout préparer une semaine avant ?

— Il faut garder la route sèche si on ne veut pas qu'une des concurrentes glisse et se casse un membre.

— C'est pénible !

Cette fois, Walker ne se priva pas de soupirer. Comment Mortimer Driver réussissait-il à supporter la délicieuse Myrtle depuis presque quarante ans ?

— À propos de pénible, reprit-elle, j'espère que vous comptez me ficher la paix aujourd'hui. Vous avez certainement des choses à faire au village.

— Vous essayez de vous débarrasser de moi ?

Les boucles grenat de Myrtle rebondirent sur ses épaules quand elle acquiesça.

— J'ai du travail, argua Walker.

— Il n'y a rien qui presse. Les quelques affaires en cours avancent à un rythme de tortue. Partez d'ici et laissez-moi faire mes classements tranquille.

Walker jeta un coup d'œil à son bureau immaculé.

— Je ne vois rien à classer ici.

— Dans ce cas, débarrassez le plancher et laissez-moi jouer au Solitaire.

— Vous pouvez me rappeler pourquoi je vous emploie ?

— Parce que je suis la meilleure secrétaire juridique de tout l'État. Et que je me tue au travail pour vous. Si vous n'arrivez pas à vous organiser pour avoir suffisamment de boulot au milieu de l'hiver, ce n'est pas ma faute. Vous voulez que je bosse ? Alors, laissez-moi faire mon boulot.

Myrtle rangea son sac à main dans un tiroir sans cesser de ronchonner dans sa barbe.

Un mouvement derrière la fenêtre détourna l'attention de Walker. Un groupe de femmes emmitouflées dans des parkas traversaient la place principale. Intrigué, il s'approcha de la vitre, et reconnut avec surprise Sloan, Jane et Avery.

— Qu'est-ce que vous regardez ?

— Nos visiteuses intrépides.

Myrtle le rejoignit et laissa échapper un long sifflement.

— Sûr que ces deux-là créent du remous dans le coin. D'après ce que j'ai entendu dire, il y en a pas mal qui espèrent qu'elles enchériront sur eux.

— Elles n'ont peut-être l'intention d'enchérir sur personne.

— Sloan compte le faire sur plusieurs pour son article, si j'ai bien compris.

— Sur plusieurs ?

— Il lui restera quatre jours après ce week-end, elle veut en profiter. Tous ceux à qui j'ai parlé se demandent s'ils seront choisis.

— Vous croyez qu'elle va enchérir sur quatre hommes ?

— Peut-être huit. À raison d'un déjeuner et d'un dîner par jour. Elle pourrait même aller jusqu'à douze, en offrant des verres entre les repas.

— Impossible. De toute façon, je ne suis même pas sûr qu'on ait douze inscrits.

— Vous plaisantez ? Ils étaient trente-huit aux dernières nouvelles. Elle peut en prendre un tiers sans problème. Elle fera passer ça en note de frais, ajouta Myrtle d'un air entendu.

En proie à un agacement aussi désagréable qu'incongru, Walker se rappela que Sloan avait un article à écrire. Tout simplement.

Alors pourquoi ressentait-il brusquement le besoin d'envoyer son poing dans la figure de certains de ses amis et concitoyens ?

— Regardez ça. C'est pas mignon ?

La voix de Myrtle le détourna de son combat imaginaire avec Denny.

— Qu'est-ce qui est mignon ?

— Grizzly et Tommy Sanger viennent d'entamer une bataille de boules de neige.

— Contre qui ?

— Les filles. Je crois que je vais aller chercher mon fauteuil. Il y a de l'amour dans l'air, on dirait. Pas vrai ?

— Ouais, marmonna Walker de mauvaise grâce.

Puis, sans réfléchir, il attrapa anorak, bonnet et écharpe sur le portemanteau près de la porte et fonça dehors.

Ce ne serait que bien plus tard qu'il se rappellerait avoir entendu Myrtle crier dans son dos :

— Eh bien, il était temps !

Frissonnant au contact de la neige glacée dans sa nuque, Sloan bondit de côté pour éviter une deuxième boule. Tommy l'avait atteinte une première fois, mais il ne l'aurait pas une deuxième.

La neige fraîche crissa sous ses pieds quand elle rejoignit en courant Avery et Jane derrière un banc pour préparer la prochaine attaque. L'air glacé lui brûlait les poumons, l'enivrant comme une drogue tandis qu'elle compactait la neige entre ses moufles.

Tout était d'un blanc immaculé autour d'elle. Rien à voir avec la boue qui couvrait les rues de New York lorsqu'il neigeait.

— Prêtes ? interrogea Jane, une boule de la taille d'un ballon entre les mains.

Sloan estima la distance qui les séparait de leurs adversaires. Si elle voulait que son coup soit efficace, elle devait sortir de son abri et s'exposer.

Elle chargea Avery de faire diversion pendant qu'elle effectuait des manœuvres d'approche.

Dès qu'elle vit Tommy répondre aux attaques d'Avery, elle se précipita sur Grizzly.

— Prends ça !

Elle eut à peine le temps de se réjouir de sa victoire que le géant s'essuyait les yeux et ramassait des paquets de neige, qu'il lui lança les uns après les autres sans s'arrêter.

— Raté ! Raté ! se moqua-t-elle en riant. Même un gamin de dix ans ferait mieux !

À ces mots, il lâcha un rire sonore et plongea en avant, ratant ses chevilles de quelques centimètres.

— Mon pauvre ! Tu n'es pas meilleur pour attraper que pour lancer.

— Sloan !

Avery lui fit signe de regagner leur camp avant que Grizzly puisse se relever. En entendant le rire bon enfant du géant résonner dans l'air glacé, Sloan ne put s'empêcher de s'esclaffer à son tour.

— Qu'est-ce qu'on s'amuse !

— C'est autre chose que l'espèce de gadoue qu'on a à New York, commenta Jane.

— Pour être honnête, elle est blanche au début, corrigea Sloan. C'est après que ça se gâte.

— Exact. En attendant, ici, c'est…

Les mains sur les hanches, Jane contempla le paysage.

— Waouh ! C'est tout simplement magique !

Oubliant un instant la bataille, Sloan la prit par la taille, le regard fixé sur le village qui s'étendait devant elles.

— Merci de m'avoir demandé de venir ici.

— Merci d'être venue.

Elles étaient sur le point de s'étreindre quand un cri leur arracha un sursaut.

— Merde ! s'exclama Jane. Ils ont du renfort.

Trois nouveaux venus se dirigeaient en effet vers le camp de Grizzly et de Tommy. Sloan reconnut La Glisse ainsi qu'un type qu'elle avait croisé le premier soir et un autre qui prenait son petit déjeuner à l'*Indigo Café* en même temps qu'elle.

— T'inquiète. On les aura, assura-t-elle.

Elle compactait de la neige dans ses mains quand une voix grave attira son attention.

— Si tu crois ça, c'est que tu n'as jamais participé à une bataille de boules de neige en Alaska.

Elle se redressa, et se retrouva nez à nez avec Walker. C'était la première fois qu'elle le revoyait depuis le drame à l'aéroport ; la bouffée de désir qui la traversa lui coupa le souffle.

Bon sang, comment se débrouillait-il pour avoir une telle allure avec un bonnet de laine sur la tête ?

Il n'y avait rien de moins sexy qu'un bonnet, et pourtant il ressemblait à une pub ambulante pour les sports de plein air.

— Tu es dans notre camp ? s'étonna-t-elle. Ça ne fait pas de toi un traître ?

— Un traître ? répéta-t-il sans comprendre.

Espiègle, elle se hissa sur la pointe des pieds pour lui murmurer à l'oreille :

— Tu vas te battre contre l'équipe des Pénis.

Walker lâcha un grand rire.

— À mon avis, l'équipe des Pénis a suffisamment de couilles comme ça. Et puis, je préfère le spectacle ici.

— Walker, tu veux bien fermer ton clapet d'avocat et te mettre au boulot, intervint Avery en lui donnant une petite tape derrière la tête.

Lui plaçant d'office une boule de neige dans la main, elle ajouta :

— Arrête de draguer, et remue-toi.

— À vos ordres, commandant !

Le camp adverse débita un flot de jurons et d'insultes à l'adresse de Walker. Sans se départir de sa bonne humeur, celui-ci répliqua :

— Dites ce que vous voulez, en attendant, qui se retrouve avec trois superbes créatures ?

En réponse à sa réplique, les cinq hommes du camp adverse demeurèrent un instant bouche bée, ce qui permit à Walker de lancer l'offensive.

— Joli coup, commenta Sloan en envoyant à son tour un missile. Bravo ! Tu es un bon élément.

Leurs regards se croisèrent, et la température entre eux s'éleva d'un coup, au point que Sloan s'étonna que l'air ne se mette pas à grésiller.

Sans la présence des habitants d'Indigo, de plus en plus nombreux sur la place, elle l'aurait embrassé à pleine bouche.

Au lieu de quoi, elle lui envoya une boule de neige à la figure.

16

La grande bataille de neige de 2011 resterait à jamais dans l'esprit des habitants d'Indigo. En parcourant du regard la place où s'était rassemblée une bonne partie du village, Walker ne put s'empêcher de sourire.

Il avait l'impression d'être un gamin.

Sensation qu'il n'avait pas ressentie depuis longtemps.

Depuis *très* longtemps.

Après un combat acharné qui avait duré une partie de l'après-midi, le champ de bataille n'était plus que trous et bosses. L'*Indigo Café* avait installé une grande table où il proposait des boissons chaudes à ceux qui souhaitaient se réchauffer ou faire une pause. À côté, installées sur des chaises longues et emmitouflées dans des couvertures, Sophie, Mary et Julia faisaient salon.

Non loin d'elles, Sloan était en grande conversation avec Jane. Sa casquette fourrée, sur laquelle était inscrit : *TASTY – Leurres et hameçons de qualité*, devait lui avoir été prêtée par l'intrépide propriétaire de la boutique d'articles de pêche.

Si peu sexy que soit sa tenue, Walker sentait son sexe durcir chaque fois qu'il posait les yeux sur Sloan.

— Quel est le score final ?

Il se tourna vers Avery qui venait de s'arrêter près de lui, les joues rosies par le froid et un grand sourire aux lèvres.

— Ex æquo, je dirais. Aucun de nous n'a lâché dans le dernier round.

— Peu importe. C'était une belle canonnade !

— Sûr !

Lui entourant les épaules du bras, il donna une pichenette sur sa casquette.

— Tasty t'en a refilé une à toi aussi ?

— Il nous a proposé un marché impossible à refuser.

— À quel moment ? Je ne vous ai pas vues partir ?

— Je pense que c'était quand tu as fait une pause à cause de ta crampe dans le pied. Pauvre chou.

— Hé, c'est une ancienne blessure de baseball mal soignée !

— Mais oui…

— D'accord, mademoiselle Je-suis-plus-maligne-que-tout-le-monde. Alors, qu'est-ce qu'il vous a offert en échange de vos talents de mannequin ?

— Il nous prête sa superbe cabane de pêche tout un samedi.

Walker la fixa d'un regard abasourdi.

— Tu plaisantes ? Je n'imaginais pas que ce vieux forban pouvait être aussi généreux.

— Visiblement, il sait où se trouvent les meilleurs emplacements pour sa pub.

— À n'en pas douter, approuva Walker en la serrant contre lui.

Dans un geste que des années d'amitié rendaient complètement naturel, elle appuya la tête contre son épaule. Il sourit.

— Ça va, Avery ?

— Oui, très bien.

— Tu as changé.

— Je crois, oui. Et c'est tant mieux.

— L'arrivée de Sloan et de Jane t'a fait du bien, apparemment.

Elle acquiesça d'un signe de tête.

— C'est agréable d'avoir des amies qui ne se préoccupent ni de mon passé ni des commérages du village. On s'amuse ensemble, un point c'est tout.

Il s'écarta légèrement pour la regarder dans les yeux. *Lui* connaissait son passé.

— Mon offre demeure valable, lui rappela-t-il.

— Walker, je ne prendrai pas ton argent ! répondit-elle, les sourcils froncés.

— Il n'est pas question de me le prendre, mais de me l'emprunter. Tu me rembourseras quand tu le pourras.

Avery haussa les épaules.

— Où veux-tu que j'aille ?

— N'importe où. Là où tu as envie.

Elle poussa un soupir, mais ne répondit rien. Profitant de son silence, il s'apprêtait à insister quand elle l'arrêta d'un geste.

— Attends, Walker. Attends.

Il regarda s'évanouir derrière le petit nuage de vapeur que faisait son souffle la fille qu'il connaissait depuis si longtemps. Celle qui la remplaçait était plus sûre d'elle et plus détendue. Peut-être que l'ancienne Avery avait disparu depuis longtemps, et qu'il ne s'en était pas rendu compte.

Ou n'avait pas pris la peine de l'observer.

En tout cas, au cours de la semaine écoulée, il avait commencé à se rendre compte que son amie d'enfance avait changé. La femme qui lui faisait face avait eu sa part de malheurs et en portait la trace.

Les épreuves l'avaient rendue plus forte.

Plus intéressante.

Et bien plus précieuse que les gens ne le pensaient.

— Quand il est parti, j'ai cru que ma vie était finie, lâcha Avery. Mais je me trompais. Il m'a fallu beaucoup de temps pour le comprendre. Ma vie n'était pas finie. *Je* n'étais pas finie.

— Bien sûr que non.

— Il est parti, Walker. Il voulait voir le monde et vivre sa vie avec un grand V. Il est parti sans un regard en arrière. Je crois que c'est ce qui m'a fait le plus mal.

— Il y a eu des regards en arrière, Avery, et tu le sais. Tous ces cadeaux qu'il continue à envoyer.

— Cela n'a rien à voir. C'est juste un moyen d'apaiser sa culpabilité.

Avery n'avait pas tout à fait tort, Walker devait l'admettre. Alors, plutôt que de répondre, il se contenta de lui frotter le dos en un geste de réconfort.

— J'aurais pu l'accepter, s'il m'avait vraiment quittée. Vraiment. Mais ce silence. Ce refus de se rappeler d'où il vient. Cet abandon. Je n'arrive pas à lui pardonner.

— Rien ne t'y oblige.

Cette remarque lui arracha un petit rire ; elle lui donna un coup de hanche.

— Tant mieux, parce que je n'en ai pas l'intention.

— Alors, ne le fais pas, répondit-il en lui rendant son coup de hanche.

Les yeux plissés, elle le considéra d'un air narquois avant de déclarer :

— Dis donc, beau gosse, c'est gentil de te préoccuper de ta vieille amie, mais tu ne crois pas que tu as mieux à faire ?

— Je ne suis pas gentil du tout. C'est juste que je te trouve canon avec cette casquette.

— Je le suis, et je te conseille de ne jamais l'oublier, Walker Montgomery. Cependant…

Le prenant par l'épaule, elle le fit pivoter en direction de Sloan et de Jane.

— … j'ai l'impression qu'il y a une certaine jeune femme là-bas qui t'intéresse beaucoup plus.

— Tu veux dire, celle qui a lancé l'offensive en m'envoyant une boule de neige dans la figure ?

Avery lui tapota la joue.
— Allons, avoue-le, tu as adoré ça.
Des images de la mémorable bataille dansèrent devant ses yeux ; Sloan en était toujours le centre.
— Elle est extraordinaire.
— Dans ce cas, pourquoi restes-tu là à jacasser avec moi ? Ce n'est pas sa voisine qu'on risque de trouver extraordinaire.
— Désolé de te contredire, ma chère, mais tu te trompes. Comme chacun sait, j'ai un goût très sûr, et c'est pourquoi je serai heureux de passer le reste de ma soirée en compagnie de plusieurs femmes extraordinaires.
— Vu comme ça, je te suis.

Entourée de Jane et de quelques-uns de ses adversaires de la bataille de boules de neige, Sloan dégustait sa tasse de chocolat fumant en riant. Depuis quand ne s'était-elle pas sentie aussi détendue ? se demanda-t-elle. S'était-elle même déjà autant amusée ?
Fixant Grizzly droit dans les yeux, elle déclara du ton de celle à qui on ne la fait pas :
— Je n'y crois pas.
Le géant interrompit le récit de sa rencontre avec un orignal sur la grand-rue au printemps dernier – récit qu'elle avait déjà entendu trois fois depuis son arrivée à Indigo – et répliqua d'un air vexé :
— C'est pourtant la pure vérité, mademoiselle Sloan. Je n'ai jamais eu aussi peur de ma vie, et pourtant je ne suis pas un trouillard, tout le monde pourra vous le dire. J'ai beau être grand, cet animal est énorme.
Elle lui donna une tape amicale dans le dos.
— Je vous faisais marcher, Grizzly. Bien sûr que je vous crois.
Grizzly lâcha un grand rire.

— Je vois bien que non, mais ce n'est pas grave. À propos de trucs difficiles à croire, je vous trouve bien costaudes pour des filles de la ville.

— Mon amie et moi sommes des dures, intervint Jane en le prenant par la taille.

Ce qui fit naître un sourire ravi sur les lèvres de Grizzly, dont le visage s'illumina littéralement.

— Avec un cœur d'or, alors, commenta quelqu'un derrière eux.

Sloan sentit son pouls s'emballer en reconnaissant la voix de Walker. Elle pivota sur les talons. Il s'approchait en compagnie d'Avery.

Le désir flamba dans ses veines, si violent qu'elle en vacilla presque. Elle dut faire appel à toute sa volonté pour ne pas s'élancer vers lui et se blottir dans ses bras puis ne plus les quitter.

Comment parvenait-il à la bouleverser ainsi chaque fois ?

C'était encore pire depuis la bataille de boules de neige. Car elle avait découvert une autre facette du Walker, avocat sexy célibataire endurci.

Il était *drôle*.

Résultat, elle craquait encore plus qu'avant.

Jane la tira de ses pensées en annonçant :

— Je meurs de froid. Et j'ai entendu dire qu'ils avaient fait griller assez de hamburgers à l'intérieur pour nous nourrir toute la soirée.

— Je te suis, déclara aussitôt Avery en se libérant du bras que Walker avait posé sur ses épaules.

Avant que Sloan ait le temps de dire ouf, le groupe entier s'était volatilisé.

Elle se tourna vers Walker.

— J'ai dit quelque chose qu'il ne fallait pas ?

— Rien ni personne ne peut rivaliser avec un steak et une bonne bière, ironisa-t-il.

Elle eut une moue dubitative. Selon elle, ce n'était pas juste l'attrait de l'alcool et des hamburgers qui avaient convaincu tout le monde de s'éclipser si rapidement ; le clin d'œil aguicheur que Jane avait adressé à Grizzly et à ses compagnons devait aussi y être pour quelque chose.

— Tu te bats comme une vraie guerrière, fit remarquer Walker en se rapprochant d'elle. Même si tu as tendance à confondre ceux de ton camp et les autres.

Elle se rappela soudain qu'elle avait accepté de porter une affreuse casquette pendant la bataille – et qu'elle la portait toujours ! Sur le moment, jouer les publicités ambulantes lui avait paru amusant, mais tandis que Walker la fixait d'un regard intense, elle trouva l'idée beaucoup moins drôle.

— Je voulais tester ta loyauté, expliqua-t-elle.

— Drôle de méthode.

Elle laissa échapper un rire nerveux.

— J'avais déjà reçu trois boules. Il était temps que tu en prennes une, histoire de te décoiffer un peu. À propos de se décoiffer…

Sloan saisit l'un des rabats de sa casquette, mais Walker l'arrêta en posant la main sur la sienne.

— Non, garde-la.

— Elle est hideuse.

— Pas du tout, elle est sexy. Follement sexy, assura-t-il en s'inclinant sur elle.

Elle renversa légèrement la tête, les yeux mi-clos, attendant son baiser, quand une explosion de lumière illumina brusquement le ciel.

— Ô mon Dieu ! s'exclama-t-elle.

— Quoi ?

Il se redressa, jeta un coup d'œil au café, puis la regarda de nouveau, mais déjà elle s'éloignait en direction du square.

Elle lui lança un regard par-dessus son épaule, vit qu'il était perdu, mais l'estimant assez futé pour lui emboîter le pas, elle poursuivit sa route.

— C'est incroyable ! C'en est vraiment une.

Elle entendit la neige crisser sous les bottes de Walker tandis qu'il la rejoignait en grommelant.

Il n'était *pas* indifférent !

Elle sentit son désir pour lui grimper d'un cran.

— Une aurore boréale. Je ne pensais pas que j'aurais la chance d'en voir une pendant mon séjour.

— C'est vraiment de la chance, confirma-t-il. Mais le froid vif de cette nuit est une condition favorable à leur apparition.

Il s'était exprimé d'un ton neutre. Cette interruption alors qu'il s'apprêtait à l'embrasser l'aurait-elle irrité ?

— C'est magnifique ! souffla-t-elle.

De longs rubans aux teintes iridescentes et improbables irradiaient le ciel.

— Les touristes adorent.

— Je les comprends.

Il se plaça derrière elle. Elle perçut son souffle tiède contre son oreille quand il se pencha.

— Je connais un meilleur endroit pour les observer, chuchota-t-il.

— Où ça ?

— Dans mon jardin.

Elle fit volte-face, son étonnement se mêlant à une bonne vieille sagesse féminine.

— Très original, Walker Montgomery. C'est la version nordique du fameux « viens voir mes estampes japonaises » ?

— Pas vraiment, répondit-il, une lueur espiègle dans le regard. À moins, bien sûr, que tu n'aies envie de voir mes estampes.

Se haussant sur la pointe des pieds, elle referma les bras autour de son cou.

— Tu sais quoi ? Allons admirer l'aurore boréale, nous verrons ensuite ce que nous ferons.

Il sentait la tension monter en lui tandis qu'ils parcouraient la courte distance qui les séparait de chez lui. Son désir pour Sloan mettait son système nerveux à rude épreuve ; il avait l'impression d'être une guirlande électrique. Il lui fallait toute sa volonté pour ne pas laisser le courant lui griller la cervelle et le pousser à faire n'importe quoi, comme la prendre dans ses bras et rouler avec elle dans la neige, par exemple.

— Je suis surprise que tu habites si près du village. Je te voyais plutôt du genre à vivre dans une cabane perdue au fond des bois.

— Ça, c'est Mick, répondit-il. Un amoureux des grands espaces. Moi, je préfère ne pas trop m'éloigner, ajouta-t-il en indiquant son allée fraîchement déblayée. C'est plus facile pour aller travailler et ça me permet de garder un œil sur ma grand-mère en cas de besoin.

— Tu veilles sur elle ?

Il ôta son gant pour récupérer ses clés dans sa poche.

— Elle me fait tourner en bourrique, mais, oui, je veille sur elle.

— Et tes parents ?

— Ils sont partis. Ma mère vit à Seattle et mon père à Phoenix.

— Ils sont divorcés ? s'étonna-t-elle.

Une bouffée de chaleur les enveloppa quand il ouvrit la porte.

— Non, mais c'est tout comme.

— Je ne savais pas.

Il alluma dans le couloir et s'efforça de prendre un ton détaché pour répondre :

— Presque personne ne le sait. Même pas ma grand-mère. Je te demanderai donc de garder ça pour toi.

— Euh, oui… Bien sûr.

La confusion de Sloan ne lui échappa pas. Bon sang, comment la conversation était-elle arrivée sur ce foutu sujet ? Ce n'était pas du tout le genre de soirée qu'il avait prévu.

Elle posa sa main gantée sur son bras.

— On sort voir l'aurore boréale ?

— Tu n'as pas froid ?

— J'ai au moins dix couches de vêtements.

— C'est l'hiver en Alaska, Sloan. Fais attention.

Elle se haussa sur la pointe des pieds, pour déposer un petit baiser sur sa joue cette fois.

— Ne t'inquiète pas pour moi. Allez, viens. Je suppose que c'est par là ? fit-elle en désignant la porte à l'autre bout du couloir.

Il lui emboîta le pas. La regarda déverrouiller la porte du jardin.

— Ô mon Dieu ! s'exclama-t-elle de nouveau, le visage levé vers le ciel irisé.

Contrairement à la plupart de ses concitoyens et des touristes, Walker n'était pas un grand amateur d'aurores boréales. Conséquence de mauvais souvenirs...

Mais face à l'enthousiasme émerveillé de Sloan, il se dit qu'il était temps de revoir sa position.

Finalement, il était peut-être possible de se créer de nouveaux souvenirs.

Des souvenirs qui effaceraient les anciennes douleurs.

Jack tourna les yeux du visage maussade de Mick pour regarder par la fenêtre. Les éclats lumineux qui traversaient le ciel offraient une distraction bienvenue.

— Les lumières sont particulièrement intenses cette nuit, fit-il remarquer.

— C'est l'air froid.

— Sans doute.

Un silence pesant s'abattit sur eux, contrastant avec les rires et les éclats de voix en provenance de l'autre bout du café.

— Tu veux partir ? reprit-il.

— Pas spécialement.

— Elle te tient.

Mick jeta un coup d'œil par-dessus son épaule à Jane, attablée en compagnie d'une dizaine d'hommes.

— Visiblement, je ne suis pas le seul.

— Elle ne fait rien d'autre que discuter. Et je ne l'ai pas vue quitter une seule fois sa chaise depuis tout à l'heure.

— Qu'est-ce que ça change ? répliqua Mick avec un haussement d'épaules. Elle n'est pas assise ici.

— Vu que tu as l'air aussi accueillant qu'un ours, ça n'a rien d'étonnant.

Comme Mick restait muet, Jack décida de passer à l'attaque. Il savait que la mauvaise humeur de son ami était liée à Jane, mais il le soupçonnait de ne pas avoir évacué la tension générée par son intervention à Denali.

— Tu as ramené les chercheurs à Anchorage ?

— Ouais.

— Ça s'est bien passé ?

Un autre haussement d'épaules désabusé accueillit sa question. Puis, après avoir avalé une bouchée de son hamburger, Mick soupira :

— Aussi bien qu'on pouvait l'espérer.

— Et toi, ça va ?

— Qu'est-ce qu'il y a, Rafferty ? Tu as décidé de devenir aussi chiant que ma grand-mère ou quoi ?

— Je me fais juste du souci pour un ami, rétorqua Jack. Si tu n'as pas envie d'en parler, pas de problème. Mais, vu ton expression, c'est normal que je me demande ce qui ne va pas.

— Tout va très bien.

Mick triturait sa serviette. Il avait perdu son sourire et son humour habituels ; sa tension était visible jusque dans ses épaules.

— Bizarre, ce n'est pas ce que j'ai entendu dire, lâcha Jack.

— Ah oui ? Et qu'est-ce que tu as entendu dire ?

— Que Jane ne t'adresse plus la parole depuis que vous avez couché ensemble cette nuit.

— On n'a pas couché ensemble.

— Ce n'est pas ce que dit Avery.

— Merde. Parce que Avery est censée le savoir ?

— Étant donné qu'elle est la grande copine de la fille de Jonas, ça n'a rien d'étonnant. Mais ne t'en fais pas, je suis le seul à qui elle en ait parlé. Je crois qu'elle était inquiète pour toi.

Mick se passa la main dans les cheveux.

— Bordel, je suis supposé faire quoi ? demanda-t-il en abattant la main sur la table.

— Reste là et prends du bon temps, vieux. Ce que tu as toujours su faire, pas vrai ?

Mick secoua la tête en marmonnant un truc à propos de « psychologie de bazar ». Puis, prenant une profonde inspiration, il lâcha :

— Je ne comprends rien. Ç'a été la nuit la plus chaude de ma vie, et à 5 heures du matin, elle est sortie du lit pour aller pleurer dans la salle de bains. Ce qui pue le regret à plein nez.

Jack grimaça, compatissant. Une séance de jambes en l'air décevante, passe encore. Mais une nuit d'enfer qui tourne court, sûr que ça devait faire mal.

Comme il glissait un regard du côté de la table de Jane, ses yeux se posèrent sur Jessica, assise à côté d'elle, et qui riait à gorge déployée.

Sans crier gare, une suite d'images érotiques l'assaillit. Les seins ronds de Jessica, au creux de sa paume. Ses mains à elle, si douces tandis qu'elle explorait son corps. La chaude moiteur de son sexe comme il s'enfonçait en elle. Oui, cette nuit-là avait été fantastique…

Il prit conscience abruptement de la déception et la tristesse que sa réaction avait dû faire naître chez Jessica. De la douleur qu'elle avait éprouvée.

Et éprouvait sans doute encore.

Il s'était comporté comme un vrai salaud.

La voix de Mick le tira de ses pensées :

— Écoute, merci pour la séance de thérapie, mais je crois que je vais rentrer.

— On se revoit demain ?

Sa question fit ricaner Mick.

— J'ai vraiment l'impression d'entendre ma grand-mère. Tu ne lâches jamais, pas vrai ?

— Jamais un ami. À demain, alors.

— À plus.

Après le départ de Mick, Jack demeura un long moment assis à réfléchir. Généralement, la période de Noël était l'une des pires pour lui. Celle où le souvenir de Molly se faisait le plus douloureux. Aussi fut-il surpris de constater que, ces derniers temps, Jessica McFarland occupait le devant de la scène dans son esprit.

S'était-il vraiment conduit avec elle comme Jane avec Mick ?

En lui laissant voir ses regrets ?

Oui, sans le moindre doute, dut-il reconnaître en son for intérieur.

— Un autre café, Jack ?

Il leva les yeux vers Nancy, la serveuse.

— Avec plaisir. Surtout si tu y ajoutes une goutte d'amaretto.

— Pas de problème.

— Nancy, attends.

La jeune femme se retourna vers lui.

— Offres-en un de ma part à Jessica, s'il te plaît.

La lueur de surprise dans le regard de Nancy ne lui échappa pas. Demain, tout le village serait au courant, c'était couru d'avance. Pourtant, étrangement, cette perspective ne le dérangeait pas.

Il reporta son attention sur Jessica. Le petit groupe autour d'elle s'était réduit. Même La Glisse avait fini par s'en aller, comprenant sans doute qu'en dépit de ses sempiternelles blagues, il ne coucherait avec personne ce soir.

Nancy s'approcha de la table et posa une tasse fumante devant Jessica avant d'indiquer qui la lui offrait. Un mélange de perplexité et d'étonnement se peignit sur les traits de la jeune femme, puis elle jeta un coup d'œil dans sa direction, et s'empourpra.

Dieu qu'elle était belle !

Ses longs cheveux encadraient son visage mangé par deux grands yeux de biche qui brillaient dans la lumière du café.

Il se leva et se dirigea vers elle, ignorant le léger tremblement dans ses jambes.

— Je peux m'asseoir ? s'enquit-il.

Elle écarquilla brièvement les yeux, puis une esquisse de sourire flotta sur ses lèvres.

— Bien sûr.

Il adressa un signe de tête à Avery et à Jane qui s'étaient déjà levées et enfilaient leurs manteaux.

— Salut, Jack, lança Avery. Désolée de partir quand tu arrives, mais il se fait tard, Susan doit avoir besoin de moi à l'hôtel.

— Et un peu d'aide sera sans doute la bienvenue, s'empressa d'ajouter Jane.

L'excuse manquait de subtilité, mais il leur en fut reconnaissant et ne chercha pas à les retenir.

Le moment était venu de rattraper le temps perdu.

17

Des voiles et des tourbillons colorés illuminaient la nuit, offrant un spectacle grandiose. Assise dans l'une des chaises longues du jardin de Walker, Sloan admirait leur danse féerique.

Évidemment, elle avait lu un tas de choses sur les aurores boréales avant son départ pour l'Alaska, mais aucun guide touristique n'était capable de rendre compte de ce phénomène. Il fallait le voir en vrai.

Même les vidéos qu'elle avait visionnées sur Internet n'offraient qu'un maigre aperçu de sa majestueuse beauté.

— Tu es sûre que tu n'as pas froid ?

— Certaine, répondit-elle en se tournant vers Walker.

S'il était certes évident qu'il aurait préféré être ailleurs que dans le jardin à admirer le ciel, sa crainte qu'elle prenne froid n'en était pas moins sincère à en juger par son ton inquiet.

— C'est le plus beau spectacle auquel j'aie jamais assisté, expliqua-t-elle. Et la chance que je revoie une autre aurore boréale dans ma vie est très mince. Je ne veux pas en perdre une miette.

À peine avait-elle prononcé ces mots qu'elle aurait voulu les ravaler.

Le moment était trop parfait pour qu'elle le gâche en se rappelant qu'elle quitterait bientôt l'Alaska pour reprendre le cours de sa vie à New York et ne reviendrait sans doute jamais.

Si cette allusion à son départ toucha Walker, il n'en laissa rien paraître.

— Tant que tu ne me dis pas que c'est un signe que les extraterrestres existent.

Elle secoua la tête en s'esclaffant.

— Tu me prends pour qui, Walker ? Ce n'est pas parce que je suis une fille de la ville que j'avale toutes les couleuvres.

Elle reporta son attention sur le ciel iridescent et demeura un long moment silencieuse avant de demander, l'air de rien :

— Tu n'apprécies pas les aurores boréales, pas vrai ?

— Si, je les aime, comme tout le monde, répondit-il d'un ton désinvolte.

Trop désinvolte, jugea-t-elle.

— Je n'ai pas l'impression.

— Écoute, Sloan, tu as tenu à venir te geler les fesses ici, et on y est. Pas de problème. À présent que veux-tu que je te dise d'autre ?

— Rien de particulier.

— Tant mieux. Parce que je n'ai rien à dire.

— Parfait.

Elle n'insista pas. Manifestement, elle avait atteint une limite, et ne s'estimait pas le droit de la franchir.

Même si la réaction de Walker l'intriguait. Il avait été drôle et plein d'entrain toute la journée, avant de s'assombrir brusquement avec l'apparition de l'aurore boréale. Et la perspective de ce qui allait suivre – car il ne faisait aucun doute qu'ils finiraient dans son lit – ne suffisait pas à apaiser la tension dans sa voix.

— C'est un peu comme l'Empire State Building, lâcha-t-il soudain.

— Pardon ?

— Les aurores boréales. Elles n'ont rien d'extraordinaire quand on vit ici. Comme l'Empire State Building pour toi.

— Détrompe-toi. Je prends toujours plaisir à regarder l'Empire State Building. J'y monte même régulièrement. C'est l'un des meilleurs endroits pour admirer New York.

— Dans ce cas, tu es une exception. La plupart des gens ne voient plus ce qui est devant eux. Ils sont blasés.

— C'est une question de choix, Walker. Tout le monde ne court pas forcément après ce qu'il n'a pas. Certains savent aussi apprécier ce qu'ils ont.

— Certains, oui. Ce qui prouve que tu es aussi rare que tu le parais.

Sloan se leva et commença à replier la chaise longue.

— Que fais-tu ?

— Il fait froid. Il est temps de rentrer.

— Rien ne nous y oblige.

Un flot de tristesse l'envahit tandis qu'elle le regardait. Il y avait tant d'amertume et de douleur dans son expression.

Il semblait si malheureux, soudain, si désenchanté.

— Viens, murmura-t-elle en lui prenant la main. Rentrons.

Walker s'empara de la main tendue de Sloan, étonné qu'elle prenne si bien les choses. Elle avait envie de rester dehors à admirer l'aurore boréale, il le savait. Il se conduisait comme un crétin égoïste en l'en empêchant. Or, loin de lui en vouloir, elle conservait sa bonne humeur et lui faisait comprendre que rien n'était changé entre eux.

Comment pouvait-elle demeurer aussi curieuse et enthousiaste alors qu'elle voyageait constamment et vivait dans l'une des plus grandes métropoles du monde ? Surtout, comment réussissait-elle à ne pas tomber dans les pièges récurrents qui minent les rapports entre les hommes et les femmes ?

Sloan était littéralement extraordinaire.

Elle était un mystère, et chaque nouvelle facette qu'il découvrait d'elle ne faisait qu'accroître sa curiosité à son égard.

Ils pénétrèrent dans la cuisine où régnait une chaleur bienvenue. Sa grand-mère, Avery ou Jessica s'étaient souvent moquées de son peu d'intérêt pour la décoration. Et tout à coup, tandis que Sloan se tenait au milieu de la pièce peinte en beige, il comprit pourquoi.

Elle était si vivante, si lumineuse, si chaleureuse.

Alors que lui menait une existence neutre, certes dénuée de risques, mais sans grand intérêt au fond.

Sa maison lui avait toujours semblé correspondre à ce qu'il était : un célibataire endurci et content de l'être. Mais était-il vraiment heureux ?

— Je déteste les aurores boréales depuis la nuit où mon père m'a avoué qu'il trompait ma mère alors que nous en contemplions une ensemble.

Sloan, qui retirait son écharpe, suspendit son geste.

— Oh, Walker, je suis désolée ! souffla-t-elle en l'enveloppant de son regard bleu.

— Merci. Mais je préfère que tu évites de t'apitoyer.

Elle hocha la tête, et retira la main qu'elle avait posée sur son bras.

Une fois encore, il fut surpris. D'autres à sa place auraient accusé le coup et auraient été blessées par sa rebuffade, Sloan, elle, comprenait. Il avait besoin de prendre un peu de distance, et elle lui laissait l'espace nécessaire.

Avec un soupir, il ôta son manteau et ses gants, puis s'installa en face d'elle à la table.

— Cela remonte à quand ? voulut-elle savoir.

— Une quinzaine d'années. C'était vers la fin de mes études. J'étais rentré ici pour les vacances de Noël, et mon père a dû estimer que j'étais assez grand pour entendre la vérité. À moins qu'il n'en ait juste marre de garder ses mensonges pour lui seul.

Le souvenir de ce soir-là était gravé dans son esprit, aussi précis que si la scène avait eu lieu la veille.

La voix joviale de son père, la tape virile qu'il lui avait donnée dans le dos en affirmant que ce n'était pas grave, qu'un homme avait besoin de liberté. De s'amuser un peu quand il devenait vieux et commençait à se lasser du quotidien.

— Ma mère n'était pas au courant. Il a fallu encore trois ans avant qu'elle l'apprenne. Elle a eu tellement honte qu'elle a préféré ne rien dire à personne. Elle a refusé d'admettre que leur mariage partait à vau-l'eau.

Incapable de rester en place, il se leva et se dirigea vers le réfrigérateur.

— Tu veux une bière ?

— Volontiers.

Il sortit deux bouteilles, qu'il décapsula d'un geste nerveux, avant de revenir les poser sur la table. Tout en buvant une longue goulée, il repensa à tous ces moments bizarres avec ses parents après qu'il eut appris la vérité. Cette question obsédante qui lui tournait dans la tête : sa mère savait-elle ? Avait-elle fini par découvrir les minables secrets de l'homme avec qui elle partageait sa vie depuis tant d'années ?

— Pendant trois ans, il a continué à mentir, à jouer au mari modèle. Puis un jour, tout est sorti. J'ignore toujours exactement comment les choses se sont passées. Peut-être qu'il en a eu assez de mentir, ou qu'elle a fini par comprendre ce qui se cachait réellement derrière ses nombreux déplacements et ses appels tardifs.

— Des tas de gens divorcent, fit valoir Sloan. C'est triste, mais fréquent. Tu as dit tout à l'heure que personne ici n'était au courant. Ça ne les surprend pas que tes parents aient une adresse différente ?

— Pour eux, les Montgomery habitent Seattle et vivent sous le même toit. Ma mère envoie toujours une carte à Noël, qu'elle signe de leurs deux noms. Et chaque année, ils effectuent leur petit pèlerinage dans la famille ensemble. C'est la seule chose qu'elle a exigée de lui après avoir découvert la vérité.

— Quel gâchis ! Surtout pour elle.

— Rien de ce que j'ai pu dire n'a pu la faire changer d'avis. Elle refuse de divorcer. J'ai fini par laisser tomber.

— Je comprends mieux ton aversion pour le concours des célibataires. La vision idyllique que ta grand-mère a de l'amour doit t'agacer au plus haut point.

Il avala une autre gorgée de bière.

— Son fils prouve l'inanité de tout ce à quoi elle croit, ces fadaises sur l'amour et l'engagement et la fidélité. Tout cela n'est qu'un jeu. Et quand le jeu s'achève, il y a toujours un perdant.

— Les choses peuvent se passer autrement, tu sais. Même mes parents – si folle que soit ma mère – s'aiment, se comprennent et restent fidèles l'un à l'autre. Il n'y a pas de fatalité. Beaucoup de gens passent leur vie ensemble. Volontairement, et dans la joie.

— Et beaucoup vivent dans le mensonge, contra-t-il.

Il perçut la frustration grandissante dans le ton de Sloan comme elle s'obstinait à défendre son point de vue.

— Le mensonge n'est pas partout. Nos vies ne sont pas des mensonges, tout comme nos sentiments en tant qu'êtres humains. Ne me dis pas que tu n'en es pas conscient.

— Je pense qu'à partir d'un certain moment, nous nous inventons des histoires parce que ça nous arrange. Comme toi en ce moment, Sloan.

Sa voix était calme lorsqu'elle reprit la parole, mais les mots qu'elle prononça le frappèrent de plein fouet.

— Je suis vraiment désolée que tu voies les choses ainsi, Walker. Que pour toi, tout ne soit que mensonge, et que tu considères ce qui se passe entre deux personnes comme un jeu avec un gagnant et un perdant.

— Sloan, réfléchis un peu. Dans moins d'une semaine, tu rentreras à New York. C'est toi-même qui l'as rappelé tout à l'heure. N'essaie pas de me faire croire que tu t'es brusquement découvert une passion pour la vie sauvage. Tu vas retrouver ton appartement confortable avec vue sur la ville et toutes tes habitudes de citadine. Si tu as envie d'une aventure dans les grandes étendues glacées de l'Alaska, je suis ton homme, mais franchement, tu ne me sembles pas être le genre de fille à coucher avec un mec sans rien attendre de plus.

— Dans ce cas...

Sloan reposa sa bouteille de bière encore pleine et se leva.

— ... je ferais mieux d'y aller.

— Sans doute. Je vais te raccompagner jusqu'à l'hôtel.

Elle entreprit de s'emmitoufler de nouveau. Puis, triturant sa casquette publicitaire de chez Tasty entre ses doigts, elle précisa :

— Je ne demande pas l'amour, Walker. Ou qu'on me fasse un tas de faux serments. En revanche, j'ai besoin de sentir que l'autre a des sentiments suffisamment purs pour reconnaître que ce qui se passe est bien réel. J'ai bien peur que tu n'en sois pas capable.

— Je te raccompagne.

— Merci, mais j'ai besoin de prendre l'air - seule. L'atmosphère est devenue étouffante ici.

— Tu ne vas pas traverser le village toute seule.

— Je te rappelle que j'habite New York. Marcher en pleine nuit ici ne me fait pas peur. Bonne nuit.

Il avait envie de protester, mais s'en abstint, conscient qu'elle avait raison. Du reste, il pouvait la suivre des yeux jusqu'à ce qu'elle ait atteint l'hôtel. L'aurore boréale honnie l'éclairerait suffisamment.

Malgré l'air glacial qui l'enveloppait, il demeura un long moment sur le seuil à la regarder. Et à chaque pas qui l'éloignait de lui, il se répétait combien il était stupide.

« Un crétin arrogant et têtu, voilà ce qu'il est », décréta-t-elle tandis qu'elle se dirigeait vers l'hôtel.

C'était une chance que les choses en soient restées là, essayait-elle de se convaincre. Une chance qu'elle n'ait pas été plus loin. Faire l'amour avec Walker aurait laissé en elle une marque indélébile, qui aurait rendu son départ encore plus difficile.

Or, elle devait partir.

Une vie l'attendait à New York. Une vie qui lui plaisait. La plupart du temps.

Non ?

Ce fut alors qu'elle prit conscience de l'ampleur des dégâts. Si elle n'avait pas senti le regard de Walker dans son dos, elle se serait effondrée sur l'un des bancs de la place.

« Oh, McKinley, tu es vraiment stupide ! se tança-t-elle. Quelle mouche t'a piquée de tomber amoureuse de lui ? De tous les hommes qui existent, pourquoi *lui* ? »

Elle comprenait d'autant mieux les larmes de Jane ce matin au petit déjeuner qu'en cet instant elle-même se retenait de pleurer.

Elle avait trouvé le moyen de tomber raide dingue d'un type qui vivait à plus de quatre mille kilomètres de chez elle.

Un type qui ne croyait pas en l'amour et évitait tout ce qui ressemblait de près ou de loin à un engagement.

Du moins c'était ce qu'il affirmait. Car, à bien y réfléchir, il était revenu vivre dans son village natal, près de tous ceux qu'il connaissait depuis toujours. Et il prenait soin de sa grand-mère. Bien sûr, il jouait le petit-fils martyr, n'empêche, il veillait sur elle et s'en occupait.

Si ce n'était pas une forme d'engagement, qu'est-ce que c'était ?

Sans doute considérait-il cela juste comme un devoir.

Mais il se trompait.

C'était un choix. Walker Montgomery était manifestement capable de décider de s'engager.

Mais pas avec elle.

Jessica parcourut du regard son petit salon. La pièce n'avait pas changé depuis ce matin. Il y avait toujours le même canapé rouge recouvert de coussins aux couleurs vives. La couverture dans laquelle elle s'était emmitouflée la veille au soir pour regarder la télévision formait un tas sur le sol, et le polar qu'elle avait commencé à lire était ouvert à l'envers sur la table basse.

Oui, tout était quasiment resté tel quel.

Sauf que la présence de Jack Rafferty sur le canapé changeait tout. Elle joua avec le pompon d'un des coussins.

— Tu as participé aux travaux d'installation sur le terrain, aujourd'hui ?

— Oui, acquiesça Jack, les yeux fixés sur la canette de coca qu'elle lui avait offerte.

Une bonne maîtresse de maison offre toujours à boire à ses invités.

Le conseil de sa mère résonna à ses oreilles, et elle réprima un rire en se rappelant les leçons de savoir-vivre dont elle l'avait abreuvée autrefois. Dommage qu'elle ne lui ait jamais appris comment se comporter face à un invité avec qui on a couché.

Ni comment réagir quand ledit invité vous battait froid depuis.

Le souvenir de l'attitude de Jack au cours des derniers mois la refroidit un peu. Elle lui avait fait comprendre à de multiples reprises qu'elle aimerait le connaître mieux, mais il avait toujours fait mine de ne pas comprendre.

Pire, il lui avait laissé penser que le week-end qu'ils avaient passé ensemble n'était, de son point de vue, qu'un faux pas qu'il préférait oublier.

— Mary, Julia et Sophie font appel à toutes les bonnes volontés, on dirait.

— Ainsi qu'aux mauvaises, répondit-il avec une grimace. Ce sont de vrais tyrans.

— Ce qui ne les empêche pas d'être adorables.

— En effet.

Jack baissa de nouveau les yeux sur son coca. Bon sang, que cherchait-il ? s'interrogea-t-elle. Il s'était montré charmant toute la soirée. Chaleureux. Amical. Mais sans jamais lui laisser entendre qu'il souhaitait aller plus loin. Et elle était tellement dingue de lui qu'elle s'était pliée sans broncher à cette nouvelle règle du jeu.

Lorsqu'il avait proposé qu'elle lui offre un verre pour que Nancy puisse fermer, elle avait été tellement surprise qu'elle avait acquiescé sans réfléchir. Mais maintenant qu'ils étaient là, elle se demandait si elle n'aurait pas dû refuser.

Car son désir pour Jack transformait chaque moment en sa compagnie en une véritable torture. Cet homme avait le don de la mettre dans un état d'excitation à la limite du supportable.

Alors que tout ce qu'il voulait apparemment, c'était discuter tranquillement autour d'un verre.

Bon sang, elle était vraiment indécrottable.

— Jessica ?

— Hmm ?

— Tu as l'air d'être à des milliers de kilomètres.

— Excuse-moi, je réfléchissais.

— À quoi ?

Elle eut un geste vague de la main.

— Oh, à rien d'important !

— C'est drôle les pensées, n'est-ce pas ?

Elle le regarda sans comprendre. Il avait toujours les yeux fixés sur sa canette quand il reprit :

— J'ai beaucoup pensé à toi dernièrement.

— Ah ?

La gorge nouée, elle s'obligea à garder la tête froide. Il pouvait avoir pensé à des tas de choses sans aucun rapport avec ce qui l'obsédait, elle.

Il leva enfin les yeux vers elle.

— Tu comptes participer au concours ce week-end ? s'enquit-il, anéantissant d'un coup tous ses espoirs.

Elle haussa les épaules.

— Oui. Pourquoi ?

— Serais-tu prête à renoncer à y participer si je te le demandais ?

— Pourquoi ? Je veux dire, pourquoi tu me le demanderais ? Je concours tous les ans.

Son regard était verrouillé au sien.

— Parce que j'ai beaucoup pensé à toi. Et je me suis rendu compte que je n'avais pas été totalement honnête avec toi.

— Honnête ? À quel sujet ?

À ces mots, il se leva et vint s'agenouiller devant le fauteuil où elle avait pris place. Il posa les mains sur ses genoux et elle en sentit la chaleur à travers le tissu de son pantalon. Elle eut l'impression qu'un courant électrique la parcourait de la tête aux pieds.

Doucement, il lui écarta les jambes et se plaça entre ses cuisses. Puis il l'entoura de ses bras, son visage si près du sien qu'il lui aurait suffi de se pencher un peu pour l'embrasser.

— De mes sentiments pour toi, répondit-il. De l'effet que tu me fais.

Sur le moment, elle demeura muette de saisissement, trop émue pour émettre un son. Était-elle en train de rêver ?

Éprouvait-il vraiment lui aussi quelque chose pour elle ?

Se pouvait-il que ces longs mois d'attente et de solitude n'aient pas été vains ?

— Que… quel effet ? parvint-elle à balbutier.

— Je me sens vivant, murmura-t-il avant de s'incliner pour déposer un baiser au creux de son cou. J'éprouve aussi un tas d'autres choses merveilleuses, Jessica.

Elle referma les mains sur sa nuque et tira doucement sur ses cheveux pour l'obliger à la regarder.

— Tu en es certain ? Parce que je ne me sens pas le courage de revivre les dix-huit mois qui viennent de s'écouler.

— J'en suis certain.

— Vraiment ?

Jack s'assit sur ses talons, s'empara de ses mains et noua ses doigts aux siens.

— J'ai été horrible avec toi, Jessica. Je m'en veux énormément.

Cette fois, elle ne put retenir ses larmes.

— Oui, acquiesça-t-elle. Et je sais pourquoi. Du moins, je pense le savoir. Mais oui, ça a été terrible.

— Oh, Jessica, je suis désolé ! J'étais déchiré entre l'espoir que notre rencontre avait fait naître en moi et la culpabilité que je ressentais vis-à-vis de Molly.

Elle avait beau avoir terriblement envie de le croire, Jessica avait besoin d'être rassurée, de comprendre vraiment pourquoi il avait agi comme il l'avait fait.

— Qu'est-ce qui a fait changer ton état d'esprit ?

— Plusieurs choses, ces derniers jours. Ces gars que Mick est allé chercher à Denali. L'approche du concours et toutes ces discussions autour du mariage et du fait de vivre seul. Mais, c'est surtout Mick qui m'a ouvert les yeux.

— Mick ? s'étonna-t-elle. Quel rapport il peut bien avoir avec tout ça ?

— Il est complètement accro à Jane. Il ne sait même pas pourquoi.

— Je ne pense pas qu'elle en soit consciente. Elle…

Il leva la main pour l'interrompre.

— Je ne veux pas en entendre plus. Avery m'en a déjà trop dit, et je ne pense pas que Mick aimerait que je me mêle de sa vie sentimentale.

— D'accord, mais je ne vois toujours pas le rapport entre sa vie amoureuse – ou son absence de vie amoureuse – et ta présence chez moi ce soir.

— En discutant avec lui, j'ai songé à la manière dont je me conduis avec toi depuis l'année dernière. Et à ce qu'en penserait Molly. Ce qu'elle aurait souhaité, pour toi ou pour moi. Elle t'aimait bien, tu sais.

— Molly ?

Jessica revit la jolie brune que Jack avait épousée. Molly avait quelques années de plus qu'elle et lui avait même servi de baby-sitter à cet âge charnière où l'on n'est pas encore assez grande pour rester seule le soir, mais déjà trop âgée pour être gardée.

— Moi aussi, je l'aimais bien. C'était une fille formidable. Je n'ose imaginer ce que tu as traversé en la perdant. Et avant, lorsqu'elle est tombée malade.

— Molly aimait la vie. Elle l'aimait beaucoup trop pour vouloir que je gâche la mienne par fidélité à son souvenir. J'ignore pourquoi je ne l'ai pas compris plus tôt, mais tout à l'heure, en voyant ces types te faire du charme, ça m'est apparu comme une évidence.

— Quoi ?

— Qu'il était temps que j'agisse.

Elle lui pressa les doigts, se demandant si elle devait le croire.

— Je n'ai jamais eu l'intention de te courir après, tu sais.

Il fronça les sourcils, perplexe.

— Pourquoi dis-tu cela ?

Elle libéra ses mains, et se tordit les doigts, cherchant ses mots.

— Je ne tourne pas autour des maris de mes amies, et même si Molly et moi ne nous connaissions pas très bien, j'avais de l'affection pour elle. Je ne suis pas une de ces filles qui attendent la moindre occasion pour tenter leur chance. J'espère que tu me crois.

— Je n'ai jamais pensé une chose pareille.

— Malheureusement, beaucoup le pensent, soupira-t-elle.

Il haussa les épaules.

— Personne ne sait ce qui s'est passé entre nous.

— Je n'en suis pas si sûre.

— Peu importe. Ça ne les regarde pas.

— Nous vivons dans un village de sept cents habitants, Jack. On ne peut pas empêcher les commérages.

— Dans ce cas…

Avec un sourire, il se pencha vers elle et entreprit de lui ôter son pull.

— … donnons-leur une bonne raison de parler.

18

Walker frappa à la porte de la chambre de Sloan. Il avait l'estomac aussi noué qu'un adolescent avant son premier rendez-vous. Il avait attendu qu'elle disparaisse à l'intérieur de l'*Indigo Blue*, et avait prévu de retourner finir sa bière avant de s'offrir un whisky.

Il lui avait fallu environ deux minutes pour admettre qu'il était le roi des crétins.

— Qu'est-ce que tu fais là ? Je croyais que l'hôtel ne laissait pas entrer les individus bizarres après 22 heures.

— Sloan, arrête.

Les bras croisés, elle le fixait d'un air buté où la rage le disputait à la détermination.

— Je peux entrer ?

— Pour quoi faire ?

Désarçonné par sa question, il resta un instant silencieux.

Pour quoi faire, effectivement ? Arrêter de mentir ?

— Écoute, j'ai réfléchi à ce que tu m'as dit.

— Moi aussi, j'ai réfléchi à ce que tu m'as dit, rétorqua-t-elle du tac au tac. Et j'en ai tiré la conclusion que nous avions des positions beaucoup trop éloignées pour trouver un compromis.

Sur ce, elle fit mine de refermer la porte. D'un mouvement prompt, Walker glissa le pied dans l'entrebâillement.

— Pas si vite.

Elle arqua un sourcil, mais lâcha le battant.

— Je peux entrer ?

— Je t'en prie.

Il pénétra dans la pièce et referma doucement derrière lui. La chambre était parfaitement rangée. Sloan avait posé sa valise sur une chaise dans un coin, et rien ne traînait sur le sol ni même sur la table de chevet. Il désigna la télé où un présentateur d'une chaîne d'information continue commentait les derniers chiffres de l'économie.

— Ça t'ennuierait d'éteindre ? J'aimerais te parler.

Attrapant la télécommande sur le lit, elle obéit. Puis elle s'assit sur l'un des deux fauteuils du coin salon et le regarda droit dans les yeux.

L'estomac de Walker se noua davantage ; il se félicita d'avoir renoncé au verre de whisky.

— Je te dois des excuses, commença-t-il. L'aurore boréale m'a mis de mauvaise humeur, du coup, je me suis conduit comme un connard de première classe.

— De première classe ? répéta-t-elle.

Elle n'avait pas souri, mais il y avait une note plus légère dans sa voix. Apparemment, il avait réussi à entailler son armure.

— C'est une classification légale, réservée à des contextes très particuliers, plaisanta-t-il en se débarrassant de son manteau. Et qui s'adapte parfaitement à mon comportement de ce soir.

— Je vois.

— Écoute. Ce qui arrive à mes parents est pathétique, et je n'ai pas l'habitude d'en parler.

— De toute évidence.

— Mais la vue de l'aurore boréale m'a replongé dedans, et si j'ajoute à cela tes questions…

Il n'acheva pas sa phrase, alerté par l'expression de Sloan. Manifestement, l'effet positif de sa plaisanterie s'était dissipé.

— Donc, c'est ma faute, lança-t-elle, le regard noir.

— Je n'ai pas dit cela.

— Sauf que si je ne t'avais pas questionné, si je m'étais contentée de me laisser embrasser en fermant les yeux et en oubliant l'aurore boréale, rien ne serait arrivé. Je me trompe ?

— Non. Enfin, oui. Je veux dire…

Il se passa la main dans les cheveux et prit une inspiration avant de poursuivre :

— D'accord. Disons que j'ai tout foutu en l'air en beauté, et que ta réaction ne m'a pas facilité les choses.

— Tu ne méritais pas que je te les facilite.

— Pardon ? fit-il, surpris.

— Tu n'es pas le seul à être submergé par des émotions dont tu ne sais que faire, Walker. Tu as déjà pensé à ça ?

— Eh bien…

Il se tut. La réponse était simple : Non, il n'y avait jamais pensé.

— Je ne suis pas venue ici dans l'intention de rencontrer quelqu'un, et encore moins dans celle de prendre mon pied. Je suis venue aider une amie qui traverse une passe difficile.

L'expression que Sloan avait employée lui arracha un sourire.

— Qu'y aurait-il de mal à ça ? interrogea-t-il.

— À « ça » ?

— Prendre son pied.

— Rien, sauf que s'envoyer en l'air ne s'accorde pas avec mon objectif.

— Ce serait possible, à condition de bien s'y prendre.

— Ce n'est pas ce dont je parle pour l'instant.

— Alors, de quoi parles-tu ?

— Si j'étais venue chercher une aventure, je considérerais ce qui se passe entre nous comme tel. On passerait du bon temps, je rentrerais chez moi, et tout le monde serait content.

— Tu fais ça souvent ?

Les mots étaient sortis sans qu'il puisse les retenir. Sloan, qui perçut aussitôt la jalousie qu'ils dissimulaient, eut un sourire moqueur.

— Je ne répondrai pas à cela, déclara-t-elle. Même si je suppose que cela m'est arrivé beaucoup moins souvent qu'à toi. Et jamais avec un parfait inconnu.

Préférant ne pas approfondir le sujet, il résuma :

— Donc, tu n'es pas venue ici pour avoir une aventure. Et le reste ? Rencontrer quelqu'un et ces émotions qui te submergent ?

— Je ne cherche pas à rencontrer quelqu'un, c'est vrai. Et ce qui me mine, c'est toute cette merdasse romantique qui traîne au fond de chaque femme, prête à la prendre à la gorge à la moindre occasion, et que tu as réveillée en moi.

— « Merdasse romantique » ? Serait-ce un autre terme légal que je ne connais pas ?

— Une fichue plaie, voilà ce que c'est ! Je rêve de petits restaus et de longues promenades avec toi, Walker. Et ça me fout en boule.

Incapable de résister, il s'approcha. Posant une main sur chacun des accoudoirs du fauteuil, il se pencha vers elle.

— Peut-être que ça me plaît que tu rêves à toute cette « merdasse romantique ».

— Tu veux dire que tu ne vas pas t'enfuir en courant ?

— Sûrement pas.

— Qu'allons-nous faire, alors ? Nous voulons des choses différentes et nous avons des vies différentes.

— En ce moment nous désirons la même chose, fit-il valoir.

Cela ressemblait à un cliché, sauf qu'il le pensait vraiment. Pour l'instant, tout ce qu'il voyait, c'était Sloan. Et s'il ignorait à quoi ressemblerait son avenir, il ne l'imaginait pas avec une autre qu'elle.

Cela signifiait-il quelque chose ?

Avec un petit soupir, elle noua les bras autour de son cou.

— C'est vrai.

Il se redressa en l'entraînant avec lui, puis enlaça son corps gracile. Les mains plaquées sur ses reins, il lui chuchota à l'oreille :

— Je suis tellement content que nous soyons d'accord.

Il captura ses lèvres, soudain impatient de percevoir le lien qui les unissait. Elle se pressa contre lui tandis que leurs langues entamaient une danse enfiévrée. Le désir se déploya en lui, vague après vague. Une partie de son esprit lui souffla qu'il devait profiter au maximum de ces instants avec Sloan, car le temps leur était compté.

Refroidi d'un coup à la perspective de cette prochaine séparation, il interrompit leur baiser pour la regarder. Elle souleva les paupières.

— Oui ?

— Rien.

Il hésita. Il aurait aimé lui dire à quel point il était heureux qu'elle soit venue à Indigo ; combien il aurait aimé qu'elle reste ; que ses sentiments pour elle étaient bien plus profonds qu'il n'y paraissait ; qu'il ne s'agissait pas juste de prendre son pied ou de s'éclater entre adultes consentants.

Elle n'était pas une aventure.

Elle était Sloan.

Et elle était devenue tout pour lui.

Mais il n'osa pas prononcer les mots, préférant se concentrer sur l'instant présent et le bonheur qu'il éprouvait à la tenir dans ses bras.

Ils échangèrent un autre long baiser passionné, puis il détacha ses lèvres des siennes pour l'embrasser dans le cou.

— Tu es sûr de le vouloir ? chuchota-t-il contre sa peau.

— Oui, Walker.

Sans le lâcher, elle recula d'un pas, l'entraînant avec elle vers le lit, sur lequel elle se laissa tomber.

— Oui, répéta-t-elle dans un souffle.

Tandis qu'il basculait sur elle, l'idée s'imposa à lui que tout était sur le point de changer.

Ce qu'il pensait savoir.

Ce qu'il pensait vouloir.

Ce qu'il pensait être.

Sloan savoura la sensation du corps puissant de Walker pesant sur le sien, et celle, délicieuse, que déclenchait le contact de ses doigts. À l'endroit où son sexe appuyait contre le sien, elle était déjà toute moite et palpitante de désir.

Elle lui caressa le dos et les épaules, fascinée par le jeu de ses muscles. Étonnamment, avec lui, elle se sentait presque fragile. C'était à la fois grisant et excitant. Poursuivant son exploration, elle fit courir ses mains sur son torse dur.

Agacée par toutes ces couches de vêtements qui les séparaient, elle le débarrassa de son pull et de sa chemise, puis s'attaqua à la ceinture de son pantalon. Avec un petit soupir, elle descendit la fermeture de sa braguette, et éprouva un incroyable bonheur à l'entendre gémir lorsqu'elle referma les doigts autour de son érection.

— Eh bien, maître, voilà un argument impressionnant, plaisanta-t-elle.

— Si mon introduction vous convainc, attendez de découvrir le reste de ma plaidoirie.

— Je vous en prie, développez, répondit-elle en le fixant avec espièglerie.

La température monta encore de quelques degrés, et elle n'eut plus envie de rire quand Walker roula sur le dos, l'entraînant avec lui. À califourchon sur lui, elle frissonna lorsqu'il glissa les doigts sous son chemisier, puis referma les mains sur ses seins. Il se mit à jouer avec les pointes durcies à travers la soie de son soutien-gorge, et elle se cambra pour mieux s'offrir.

— Tu es tellement belle.

Sa voix grave résonna dans le silence dans la chambre tandis qu'il continuait à lui prodiguer d'affolantes caresses.

Soudain impatient, il attrapa le bas de son chemisier et le lui fit passer par-dessus la tête avant de le jeter de côté. Elle dégrafa elle-même son soutien-gorge, pressée de sentir les mains de Walker sur sa peau nue.

Une autre vague de volupté la balaya quand de ses doigts, ô combien agiles, il attisa le brasier qu'il avait allumé en elle.

Walker.

Quelle était cette attraction qu'ils ressentaient l'un pour l'autre ? D'où venait-elle ? Et qui aurait pensé qu'elle avait dû aller aussi loin pour la trouver ?

Pour le trouver, lui.

Ignorant ces questions troublantes, elle reporta son attention sur l'homme au-dessous d'elle et son grand corps qui ne demandait qu'à s'unir au sien. Pour l'instant, seul ce qui se passait ici et maintenant comptait ; elle ne laisserait pas ses interrogations sur l'avenir gâcher la magie de ce moment.

Cette nuit était la leur. Il s'agissait de prendre et de donner du plaisir.

De partager.

En un tournemain, Walker la fit de nouveau rouler sous lui, et entreprit de lui retirer son pantalon. Il la souleva doucement pour le faire glisser le long de ses jambes en même temps que son slip. Et il en profita pour la caresser des cuisses aux chevilles.

— Quelle efficacité, maître. Vous avez de la pratique ?

Walker la considéra, les sourcils froncés.

— Cela n'a rien à voir avec la pratique, Sloan, affirma-t-il. Tu n'es pas une conquête de plus. Ni rien de ce que j'ai connu jusqu'à présent.

Elle se mordit la lèvre, la gorge nouée soudain.

— Je ne voulais pas…

Il posa l'index sur sa bouche pour la faire taire.

— Pas de problème. Je tenais juste à ce que tu saches que ce qui se passe entre nous est différent, c'est tout.

— D'accord, acquiesça-t-elle dans un souffle.

La gravité de l'instant s'évapora comme par magie quand il lui sourit, une lueur espiègle dans les yeux. Avant qu'elle ait pu deviner ses intentions, il glissait le long de son corps et se positionnait entre ses cuisses.

Le plaisir qu'il lui avait déjà donné n'était rien à côté de la lame de fond qui l'emporta quand sa bouche se pressa sur son sexe. La caresse langoureuse de sa langue faisait bouillonner en elle une lave brûlante qui se répandait en volutes incandescentes dans son corps entier.

Elle n'était plus qu'une succession de sensations de plus en plus intenses et enivrantes.

— Walker, haleta-t-elle.

Dans la brume de volupté qui l'enveloppait, sa voix lui parut étrangement lointaine. Puis le volcan explosa dans un affolement de tous les sens, et son corps vola en éclats.

Sans lui laisser le temps de retrouver ses esprits, Walker se débarrassa de son pantalon et, tout en murmurant des paroles qu'elle ne comprit pas, il sortit un petit sachet de sa poche.

Ce n'est qu'en l'entendant le déchirer qu'elle comprit. Comment avait-elle pu oublier ?

— Je vais t'aider, chuchota-t-elle.

Elle lui prit le sachet des mains, s'aperçut que celles-ci tremblaient et ne put s'empêcher d'en être émue. Avec une lenteur délibérée, elle déroula le préservatif le long de son pénis.

— Sloan, tu essaies de me tuer, pas vrai ?

— Après ce que tu m'as fait, ce n'est qu'une juste vengeance, susurra-t-elle en lui embrassant le torse.

Alors, il n'y eut plus de mots, juste des murmures et des gémissements tandis que Walker se hissait au-dessus d'elle, son sexe niché entre ses cuisses. L'agrippant aux hanches, Sloan se cambra à sa rencontre et le prit en elle jusqu'à la garde.

Le plaisir l'engloutit de nouveau tandis qu'il commençait à se mouvoir en elle, encore et encore dans une danse envoûtante de plus en plus rapide.

Cramponné au corps luisant de sueur de Walker, Sloan sentit, émerveillée, cet homme puissant s'abandonner et s'ouvrir à elle dans l'éblouissement du plaisir partagé.

Puis les vagues de plaisir se transformèrent en une force irrépressible qui la souleva jusqu'à des hauteurs vertigineuses. Resserrant son étreinte autour de Walker, elle cria son nom, et entendit un long cri rauque tandis qu'il la rejoignait dans la jouissance.

— Sloan ?

— Mmm ?

— Tout va bien ? Tu n'as pas bougé.

Elle gémit, ouvrit un œil, puis l'autre.

— Je viens d'avoir deux orgasmes coup sur coup, Walker. Où veux-tu que j'aille ?

Il s'esclaffa, surpris lui-même d'avoir suffisamment d'énergie pour rire.

— Je voulais juste m'assurer que tout allait bien.

— Dire que ça va serait un euphémisme. Et de taille.

La bouffée de satisfaction qui envahit Walker à cette remarque le prit au dépourvu.

— Toi, au moins, tu sais parler aux hommes.

— Je te retourne le compliment, beau gosse.

Il ignorait pourquoi, mais il repensa tout à coup à leur échange un peu plus tôt, quand il lui avait demandé s'il lui arrivait souvent d'avoir des aventures sans lendemain. Sans doute moins fréquemment que lui, avait-elle répondu. Il essaya de se remémorer toutes les femmes avec qui il avait couché depuis qu'il était adulte.

Des femmes intelligentes et séduisantes qui recherchaient la même chose que lui. Des adultes partageant les mêmes désirs et les mêmes attentes, rien d'autre.

Alors pourquoi cette pensée lui donnait-elle soudain une impression de vide ?

En particulier quand il songeait à l'avenir, et se rendait compte que c'était là tout ce qui l'attendait.

C'était là ce qu'il voulait et avait toujours voulu.

Pas vrai ?

19

Sloan se leva tôt le jour de la compétition, impatiente de recueillir les pensées et les impressions des concurrentes qui prenaient leur petit déjeuner à l'*Indigo Blue*. Elle avait déjà discuté avec plusieurs d'entre elles au cours des deux derniers jours, mais elle tenait à les interviewer juste avant le début des épreuves, quand l'excitation serait à son comble.

Si elle passait ses journées en compagnie des futures candidates, ses nuits, elles, étaient consacrées à Walker. Elle avait dormi chez lui la veille et l'avant-veille, et constaté que plus ils se voyaient, plus leur relation gagnait en intensité.

Et plus la perspective de rentrer à New York l'angoissait.

Elle était cependant réaliste et savait que c'était mieux ainsi. Leur aventure passionnée n'était qu'une parenthèse, une histoire sans lendemain destinée à devenir un joli souvenir. En attendant, il fallait profiter du présent sans se préoccuper de l'avenir.

Sauf qu'elle avait beau se raisonner, elle ne cessait de penser à ce départ.

Et aux longues nuits de solitude qui s'ensuivraient.

Elle secoua la tête, s'efforçant de chasser ces pensées moroses tandis qu'elle remplissait son assiette au buffet :

œufs brouillés au bacon, pommes de terre rissolées et deux crêpes pour la note sucrée.

— Il y a vraiment un truc avec leurs crêpes, entendit-elle Jane déclarer d'une voix encore ensommeillée derrière elle.

Tout en saisissant le flacon de sirop d'érable, Sloan acquiesça :

— Sûr qu'elles sont irrésistibles.

— Avant de venir ici, je n'en prenais quasiment jamais. Je n'ai pas dû en manger plus de cinq fois au cours des cinq dernières années.

— J'en suis à plus de cinq fois au cours des dix derniers jours, avoua Sloan. Je me trouve toujours une excuse. Aujourd'hui, c'est pour me donner des forces avant la compétition. De toute façon, elles sont trop appétissantes pour résister.

— S'il n'y avait que les crêpes auxquelles tu ne résistais pas…

Sloan pivota pour lancer un regard noir à son amie, mais celle-ci, le dos tourné, se servait un café.

— Que veux-tu dire ?

— Tu le sais parfaitement. Tu as couché avec le très appétissant maître Montgomery, et je n'ai pas encore eu droit au moindre détail.

Son plateau à la main, Sloan regagna sa table avec une pointe de culpabilité. Jane et Avery lui avaient tout raconté de leurs démêlés sentimentaux, et elle ne leur avait même pas confié qu'elle voyait Walker.

Jane la rejoignit, une tasse fumante à la main.

— Je t'ai laissée tranquille parce que je pensais que tu en avais besoin, mais là, ça commence à durer. Alors, que se passe-t-il exactement ?

— Les plus beaux orgasmes de toute ma vie.

— Décidément, c'est une manie par ici. Qui aurait cru que les hivers étaient aussi brûlants en Alaska ?

— Tu as remis ça avec Mick ?

Sloan avait posé la question d'un ton faussement désinvolte. Après avoir gardé si longtemps le silence sur Walker et elle, elle ne se sentait qu'à demi autorisée à interroger Jane.

— Sûrement pas, se défendit son amie, l'air presque offensé.

— Quoi ? Je ne vois pas où serait le problème.

— Je ne recoucherais pas avec lui, même si…

Jane s'interrompit pour avaler une gorgée de café. Puis elle poussa un soupir avant de reprendre :

— Il m'ignore complètement. Ce qui fait de lui le dernier mec avec qui je coucherai. Après Jason, bien sûr.

— Je ne comprends pas. Il est fou de toi. Pourquoi ne te parle-t-il plus ?

— Mmm… Sans doute à cause du regard glacial que je lui lance chaque fois qu'il approche.

Sloan posa sa fourchette.

— Jane, à quoi joues-tu ?

— Je ne sais pas, Sloan. Franchement. C'est comme si tout se mélangeait dans ma tête. Mes fiançailles rompues, la mort de mon père. Et maintenant, cette histoire avec Mick qui me tombe dessus.

Elle posa la tête sur ses avant-bras croisés sur la table.

— Je me sens totalement accro. Et ça me terrorise.

— As-tu essayé de lui en parler ? Je suis sûre qu'il t'écouterait.

— Pour lui dire quoi ? répliqua Jane en se redressant. Je regrette de m'être jetée sur toi comme une nymphomane à moitié folle ? Ça t'intéresse de jouer les vibromasseurs pour moi jusqu'à la fin de mon séjour ?

— Ce n'est pas ainsi que tu le considères, tu le sais très bien.

— Sauf que je n'ai rien d'autre à offrir.

— Arrête, tu n'y crois pas toi-même.

— Ah oui ? Et que suis-je censée ressentir pour lui ? Ce n'est pas le genre d'homme avec qui on peut envisager quelque chose de sérieux, Sloan, reconnais-le.

En écoutant Jane, Sloan avait l'impression de s'entendre. Par quelle ironie du sort son amie et elle se retrouvaient-elles dans cette situation ?

— Imagine que tu te trompes, risqua-t-elle.

La question demeura un instant suspendue entre elles. L'attitude de Sloan lorsqu'il s'agissait de sa relation avec Walker changeait d'une heure à l'autre, et elle soupçonnait son amie d'être victime du même genre de fluctuations.

Un bruit en provenance de la cuisine mit fin à leurs réflexions. Sloan tourna la tête vers Avery, qui venait de franchir la porte battante, un grand plateau entre les mains.

— Qu'est-ce que vous faites debout aussi tôt ?

— On se prépare, répondit Sloan.

— On s'apitoie sur notre sort, déclara Jane en même temps.

— Oh, oh ! J'ai l'impression que je vais avoir besoin d'un bon café, commenta Avery.

Elle alla se remplir un mug au bar, puis les rejoignit.

— Qu'est-ce que j'ai manqué ? s'enquit-elle.

— Rien d'important. Sloan s'apprêtait à me donner des détails croustillants sur Walker et elle.

— Super ! Je ne regrette pas d'avoir commencé tôt ce matin.

Avery s'empara du pichet de lait et en versa la moitié dans sa tasse avant de prendre le sucrier.

— Comme ça, j'ai un peu de temps pour bavarder avec vous. Accouche, Sloan. Et ne lésine pas sur les adjectifs.

— Si vous y tenez, soupira Sloan, incapable de réprimer un petit sourire. Incroyable. Merveilleux. Explosif. Oh, et…

Elle jeta un bref coup d'œil à Jane.

— … multi-orgasmique !

— Tu crois que c'est à cause de l'air de l'Alaska, Avery ? demanda Jane. Un effet de l'altitude sur le clitoris ?

Avery faillit en recracher sa gorgée de café.

— Pardon ?

— Je suis sérieuse, insista Jane. C'est comme si quelque chose avait changé en moi. Je veux dire, j'ai déjà eu des orgasmes, ce n'est pas ça. Mais ici, ils sont… Je ne sais pas, si faciles. Et si nombreux.

Avery ne put s'empêcher d'éclater de rire, aussitôt imitée par Sloan.

— Jane, tu es vraiment dérangée, commenta cette dernière.

— Oui, je sais, je suis une nymphomane à moitié folle.

Cessant de rire, Avery arqua les sourcils.

— Pourquoi dis-tu ça ?

— Ah, ça, c'est la partie que tu as ratée ! Le fait que j'évite Mick prouve à quel point mon état mental est détérioré.

— Ou que tu as peur, contra Avery d'un ton posé.

Elle ne s'érigeait pas en juge, elle évaluait honnêtement la situation.

— Tu es peut-être simplement effrayée par ce qui pourrait se passer entre vous.

L'évidence de ce fait leur ôta tout d'un coup l'envie de rire. Avery ne venait-elle pas de mettre le doigt sur le vrai problème ?

La peur.

Ce sentiment, qui avait le don d'embrouiller l'esprit, ne les empêchait-il pas de voir les choses telles qu'elles étaient ? s'interrogea Sloan.

Sans doute Jane en était-elle arrivée à la même conclusion, car elle concéda, le nez dans sa tasse :

— Tu as peut-être raison.

Sloan se posa la question : « Avait-elle peur ? »

Non.

Au contraire, sa relation avec Walker la rendait plus forte, plus solide. Elle était une adulte qui avait fait un choix, et ce choix la rendait heureuse.

— Peut-être n'est-ce qu'une question de point de vue, hasarda-t-elle en reprenant sa fourchette. Si je prends mon cas, par exemple, j'étais tellement obnubilée par ce que Walker ne pouvait pas être pour moi que cela m'empêchait de voir ce qu'il *pouvait* être.

Ignorant le silence de ses amies, elle tira du réconfort de cette révélation tout en savourant sa crêpe. Non, elle n'avait pas à chercher à savoir où la mènerait son aventure avec Walker. Ni à passer les trois jours qui lui restaient à s'inquiéter de son prochain départ.

Ce que Walker et elle avaient partagé avait du sens pour l'un et l'autre, elle le savait. Désirer plus ne servirait probablement à rien.

Tout ce qu'elle avait à faire, c'était de savourer le moment présent.

Sloan avait presque réussi à se convaincre quand un petit cri étouffé à côté d'elle la tira de ses réflexions.

Une voix grave s'éleva à l'autre bout de la salle.

— J'ai entendu dire qu'on pouvait prendre son petit déjeuner ici.

Sloan le reconnut sur-le-champ. Un mètre quatre-vingt-dix de muscles, des épaules taillées dans le roc, des cheveux bruns ondulés et un regard vert qui faisait se pâmer toutes les New-Yorkaises.

Roman Forsyth était de retour à Indigo.

Même si elle n'avait pas su qui il était, elle l'aurait deviné à la pâleur soudaine d'Avery.

— Tu n'as qu'à te servir, répondit celle-ci en désignant le buffet d'un geste brusque.

Sur quoi, sans laisser à ses amies le temps de dire ouf, elle saisit sa tasse de café en annonçant :

— Je ferais mieux de retourner à la cuisine. Les clients ne vont pas tarder à descendre et j'ai encore un tas de choses à préparer.

Comprenant qu'elle avait besoin de se retrouver seule, Sloan feignit de croire à son mensonge et lui adressa un sourire d'encouragement.

Elle la regarda traverser la salle jusqu'à la porte battante, nota qu'elle évitait Roman, qui se plaça pourtant ostensiblement sur son chemin pour lui parler. De là où elle se trouvait, Sloan ne pouvait pas entendre ce qu'ils se disaient, mais il suffisait de les observer pour sentir la tension entre eux.

— Ça n'a pas l'air facile, commenta Jane à mi-voix.

— En effet. Elle me fait penser à un chat qu'on aurait jeté dans un baquet d'eau. Regarde comme elle est crispée.

— Tu m'étonnes qu'elle nous ait parlé de la peur de tomber amoureuse, tout à l'heure. À mon avis, elle en connaît un rayon sur le sujet.

— De toute évidence.

Walker discutait avec Mick et Roman sur le terrain de jeu. Les derniers préparatifs pour la compétition étaient quasiment achevés, et ils s'occupaient d'installer les podiums pour les lauréates.

— Ça fait rudement plaisir de te revoir, mon pote ! s'exclama Mick en donnant une grande tape dans le dos de Roman. Ça fait un sacré bout de temps que tu n'es pas venu.

— C'est vrai, reconnut Roman en frottant ses mains gantées l'une contre l'autre. L'année a été chargée.

Bien que lui aussi soit content de retrouver leur ami, Walker ne put s'empêcher de penser à sa conversation avec Avery après la bataille de boules de neige.

Roman les avait abandonnés. Tous, et plus particulièrement Avery. Pour couronner le tout, le joueur vedette de la Ligue Nationale de Hockey ne s'était pas montré au mieux de sa forme depuis son dernier passage à Indigo.

— Je n'arrive pas à croire que nos grands-mères persistent à organiser ce truc, reprit Roman en balayant du regard les dizaines de personnes qui s'activaient autour d'eux.

De là où il se trouvait, Walker voyait Jack et Grizzly qui réglaient les derniers détails sur l'espace de tir aux pigeons d'argile. À l'autre bout du terrain, les chiens de Sucre d'orge et de Whisky bondissaient et se roulaient joyeusement dans la neige en attendant le début de la course de traîneaux, son épreuve favorite. Des tables proposant de la bière et des sandwichs avaient été dressées de l'autre côté de la rue.

— Non seulement, elles persistent, mais il n'y a jamais eu autant d'inscrites que cette année, fit valoir Mick.

Roman secoua la tête, l'air consterné.

— Incroyable !

Ils continuèrent à monter en silence les trois podiums pour les médailles d'or, d'argent et de bronze, comme aux Jeux olympiques.

Sa tâche terminée, Roman s'assit sur les talons.

— Est-ce qu'on sert toujours leur dîner aux gagnantes ? s'informa-t-il.

Mick, qui venait d'enfoncer son dernier clou, hocha la tête.

— Les trois premières se font servir par le célibataire de leur choix juste avant le début des enchères.

— Il y a de grandes chances que tu fasses partie des élus pour la sixième année consécutive, intervint Walker. Même si tu continues à refuser de participer aux enchères.

— L'éternel chouchou de ces dames, renchérit Roman.

— Bouclez-la, les mecs, fit Mick en ramassant ses outils.

— En gros, rien n'a changé, constata Roman.

Pourquoi cette dernière remarque le contrariait-elle autant ? Walker n'aurait pu le dire. Pourtant, à son corps défendant, il s'entendit répliquer, une pointe d'agressivité dans la voix :

— Question de point de vue.

— Qu'est-ce que c'est censé signifier ?

— Ce que je viens de dire. Que tout dépend de l'endroit où l'on se place. De mon point de vue, la vie à Indigo apparaît riche et pleine de surprises. Le fils de Donny Sanderson est entré à Harvard cet automne. Et Theresa McBain a signé un contrat au printemps pour un roman qui doit sortir dans quelques mois.

Roman le considéra, la mine sceptique.

— Allons, Walker, tu sais très bien ce que je veux dire. Au fond rien ne change vraiment. Les choses se répètent encore et encore. La vie s'écoule tranquillement.

La contrariété de Walker se mua en agacement.

— Ce n'est pas le cas à New York, peut-être ? rétorqua-t-il.

— Il se passe toujours quelque chose à New York.

— Ah oui ? Pourtant, je n'ai pas l'impression que ta vie ait beaucoup évolué en quinze ans. Tu es toujours obsédé par tes matchs neuf mois sur douze, et quand tu ne joues pas, tu passes ton temps à traîner avec des filles qui ne s'intéresseraient même pas à toi si tu n'étais pas célèbre. Ah oui, chaque année tu achètes une nouvelle voiture, plus grosse que la précédente ! J'ai oublié quelque chose ?

Roman fronça les sourcils, manifestement abasourdi.

— C'est quoi ton problème, là ? lâcha-t-il.

Du coin de l'œil, Walker vit Mick le considérer avec stupeur.

Walker fit un pas vers Roman. Il savait qu'il allait droit au conflit, pourtant, il ne put s'empêcher de répondre :

— Je n'ai aucun problème. Je pense juste que tu devrais peut-être passer plus de cinq minutes avec les gens avant de balancer des jugements à l'emporte-pièce.

Puis, sans laisser à Roman le temps de répliquer, il tourna les talons.

— Je vais voir si quelqu'un a besoin d'un coup de main là-bas, lança-t-il par-dessus son épaule en s'éloignant.

Walker n'avait toujours pas décoléré tandis qu'il prenait son petit déjeuner au café, une heure plus tard. À son grand soulagement, l'endroit était tranquille ; tout le monde devait être, soit sur le terrain, soit chez soi ou à l'hôtel, en train de se préparer pour l'événement de la journée.

Les paroles de Roman tournaient en boucle dans sa tête. Plus il y pensait, plus il se demandait ce qui était arrivé à son ami.

— Ça t'ennuie si je m'assois ?

En parlant du loup…

— Non.

Roman s'installa face à lui et adressa un sourire à la serveuse. Après avoir commandé un steak et des œufs, il versa du lait dans son café.

Walker continua à manger comme si de rien n'était. Il n'était pas d'humeur à discuter.

— J'ai croisé Avery ce matin, fit Roman.

— Ah ?

— Elle était dans la salle de restaurant de l'hôtel quand je suis descendu prendre mon petit déjeuner. En compagnie de ces deux filles dont tout le monde parle. Les New-Yorkaises.

— Sloan et Jane.

— C'est ça.

— Si tu as déjà déjeuné, pourquoi recommences-tu ?

— Finalement, je n'ai pris qu'un café.

— Pourquoi ?

Comme Roman ne répondait pas, Walker lui jeta un coup d'œil. Tête baissée, son ami paraissait accablé.

— Roman ?

— Elle a quitté la salle à toute vitesse comme si j'étais la dernière personne à qui elle avait envie de parler.

Walker hésita une seconde, puis lâcha :

— En fait, c'est le cas.

— Mais, Walker, tout ça remonte à une éternité.

— Peut-être, sauf que la façon dont tu te conduis avec elle donne l'impression que c'était hier.

— Que veux-tu dire ? s'étonna Roman. Cela fait treize ans que je suis parti.

— Oui. Et tu te sens aussi coupable qu'au premier jour.

— Je ne me sens pas coupable.

Ils s'interrompirent comme la serveuse approchait avec l'assiette de Roman. Elle la posa devant lui, et remplit de nouveau leurs tasses avant de s'éloigner.

— Si ce n'est pas de la culpabilité, alors qu'est-ce que c'est ? voulut savoir Walker.

— C'est...

Roman s'interrompit pour couper sa viande.

— Ce n'est pas de la culpabilité.

— D'accord.

— Merde, Walker.

— Qu'est-ce que tu espères ? Ce matin tu insultes les gens du village devant Mick et moi, et maintenant tu te mens à toi-même. Ne compte pas sur moi pour continuer à te trouver des excuses.

— Parce que tu me trouves des excuses ? Et pour quelles raisons ?

— Bien sûr que je t'en trouve. Comme Mick, ta mère et ta grand-mère. Tout le monde trouve des excuses au grand Roman Forsyth, dieu du hockey et gloire locale.

— J'ai eu l'occasion de vivre le rêve de ma vie et je l'ai saisie. Où est le mal ?

— Nulle part. Du reste, personne ne te le reproche.

Roman posa sa serviette sur la table d'un geste sec.

— Alors où est le problème, bordel ?

— Dans la manière dont tu as agi, Roman. Reconnais-le, tu as pris la fuite. Tous ces cadeaux hors de prix sont autant de moyens de te faire pardonner.

— Je n'ai pas pris la fuite, protesta Roman en crispant les doigts autour de sa tasse. Et les cadeaux ne sont que des cadeaux.

— Écoute, je ne suis pas la bonne personne pour discuter de tout ça. Ce n'est pas moi qui suis concerné.

— Qui alors ? Avery ? Il n'est pas question que j'en parle avec elle.

— Dans ce cas, ne t'attends pas qu'elle déroule le tapis rouge quand tu viens ici. Tu dois choisir, mon vieux. Pourquoi ne la laisses-tu pas simplement tranquille ?

— Je ne sais pas. *Putain*, je n'en sais rien.

Tandis qu'ils mangeaient en silence, Walker songea au conseil qu'il venait de donner à Roman.

Tu dois choisir, mon vieux.

N'était-ce pas ce qu'il refusait de faire avec Sloan. Il cherchait une relation facile, sans promesses ni attaches, alors que s'il était honnête avec lui-même, il devait s'avouer qu'il n'imaginait même pas comment il arriverait à la laisser partir dans quelques jours.

— Tu es vraiment accro ?

Walker leva les yeux vers Roman.

— Pardon ?

— Sloan.

Sans lui laisser le temps d'ouvrir la bouche, Roman enchaîna :

— N'oublie pas que ma mère adore les commérages.

— Je sais. Mais tu n'es arrivé qu'hier soir.

— Elle m'a donné des nouvelles de tout le village jusqu'à une heure du mat.

— On sort ensemble, c'est tout, se contenta de répondre Walker d'un ton qui se voulait désinvolte.

— C'est une belle femme. Je l'avais déjà rencontrée, tu sais.

Walker se raidit intérieurement.

— Vraiment ?

— Elle m'a interviewé il y a quelques années pour un article sur les Metros. Un vrai plaisir pour les yeux.

— C'est sûr, approuva Walker sèchement.

— Avec un corps à damner un saint.

Réprimant son envie de jeter son café à la tête de Roman, Walker répliqua :

— Elle est aussi intelligente que belle.

— Je sais. Elle a vraiment tout pour elle. D'ailleurs, je ne l'ai pas oubliée.

Walker porta sa tasse à ses lèvres ; sa main tremblait.

— Je crois que j'ai ma réponse, déclara soudain Roman.

Walker le considéra sans comprendre.

— Quelle réponse ?

— À voir comment tu te retiens de me lancer ton poing dans la figure, j'en conclus que tu es vraiment accro.

— Va te faire foutre !

Roman eut un sourire sarcastique.

— C'est drôle, j'ai l'air de faire cet effet-là à tout de monde en ce moment.

— Je ne suis pas accro.

— Si tu le dis.

— Je le dis et je le répète.

— Tu sais, Walker, même les plus forts finissent par tomber.

— Peut-être, mais pas moi.

20

Un vent glacé soufflait sur Indigo. Sur la place, le thermomètre indiquait moins dix-sept degrés. Le village avait changé de physionomie et Sloan s'émerveilla une fois de plus de ce que ses habitants pouvaient se montrer intrépides.

Des gradins installés à intervalles réguliers permettaient à un maximum de spectateurs de suivre les différentes épreuves stratégiquement situées autour de ladite place. Tous les magasins étaient ouverts afin d'accueillir ceux qui souhaiteraient se réchauffer, même si, manifestement, tout le monde mettait un point d'honneur à tenir jusqu'à la fin du déjeuner.

Avec vingt-neuf candidates sur trente-deux ayant touché leur cible au premier tour, le ball-trap prit un excellent départ.

Et pour la première fois cette année, un intermède avait été ajouté entre chaque rencontre.

— Tu crois que les gens pensaient vraiment à ça quand ils ont réclamé à la mairie des animations pour occuper le temps entre deux rounds ? interrogea Jane.

Serrées l'une contre l'autre, Sloan et elles attendaient que deux bénévoles rechargent le lanceur pour la partie suivante.

— Je ne peux pas croire que cet homme n'a pas de pantalon, dit Sloan.

Hilare, elle regardait Grizzly effectuer une sorte de strip-tease avec son manteau qui ressemblait à une gigue.

Une gigue plutôt grivoise, mais une gigue tout de même.

— Il est assez agile, observa Jane, pensive.

Comme Grizzly glissait le bras entre ses jambes pour attraper son pantalon, elle ajouta :

— Étonnamment agile.

Entendant sa voisine s'esclaffer, Sloan se tourna vers elle.

— Je ne m'attendais pas à ça, confia-t-elle.

— Moi non plus.

— Vous êtes Amanda, n'est-ce pas ?

— Oui. Et vous, Sloan, la journaliste ?

— En effet. Nous n'avons pas encore eu l'occasion de nous rencontrer. J'aimerais bien vous interviewer quand vous aurez cinq minutes.

— Avec plaisir.

Elles restèrent silencieuses un moment, riant devant les nouvelles trouvailles de Grizzly pour amuser la foule.

— Il va finir gelé, commenta Amanda en secouant la tête.

— Entre les rires et le plaisir d'être au centre de l'attention, je ne pense pas qu'il sente le froid.

Sophie appela la candidate suivante depuis l'estrade du jury. Jane se leva pour participer au deuxième round.

Se détournant du spectacle offert par Grizzly, Amanda gratifia Sloan d'un sourire bon enfant.

— Vous êtes venue ici pour votre reportage ?

— Pas exactement. Il s'agit plutôt d'un heureux concours de circonstances.

Sloan expliqua comment elle s'était retrouvée à Indigo et avait eu l'idée de proposer un article à un magazine de voyages.

— Sûr que ça va plaire aux lecteurs. Je suis d'ailleurs surprise que ce concours ne soit pas plus connu. C'est le genre d'événement qu'on adore dans les programmes télé matinaux.

— C'est la première fois que vous y participez ?

— Non, j'étais déjà là l'année dernière. Je m'étais promis de revenir si j'étais encore célibataire cette année. Puisque je le suis…

Amanda haussa les épaules, et poursuivit d'un ton enjoué :

— En tout cas, le strip-tease est une nouveauté.

— Vous n'avez pas de petit ami ? s'étonna Sloan en admirant la silhouette élancée et les magnifiques yeux bleus de son interlocutrice.

— Ce n'est pas faute d'essayer, mais non, toujours pas.

— Il faut un sacré courage pour venir en chercher un en Alaska en plein hiver.

Amanda parcourut la foule du regard, et répondit :

— Venir ici me donne l'impression d'être moins seule. En voyant les autres femmes, je me rends compte que ma situation n'est pas exceptionnelle. En outre, on s'amuse bien.

— Avez-vous repéré quelqu'un en particulier ? s'enquit Sloan.

Elle avait vu Amanda parler avec La Glisse un peu plus tôt et voulait vérifier si son impression était juste. Mais Amanda se contenta de déclarer d'un ton anodin :

— Il y en a plusieurs qui me plaisent bien, mais je ne me fais pas trop d'illusions. L'Alaska, c'est loin.

— D'où venez-vous ?

— Du Missouri. Pas vraiment la porte à côté.

Sloan se surprit une fois encore à penser à Walker et aux moments qu'ils avaient partagés. Elle non plus ne se faisait pas d'illusions, et pourtant…

— On ne sait jamais, fit-elle valoir. Je vous ai aperçue en grande discussion avec La Glisse, tout à l'heure.

Une légère rougeur colora les joues d'Amanda.

— Il est mignon.

— Vous devriez enchérir sur lui.

La rougeur s'accentua, accompagnée d'un sourire radieux.

— C'est prévu.

— Comment avez-vous entendu parler de ce concours ?

— C'était il y a deux ou trois ans. Je venais de survivre aux quatre jours de l'apocalypse quand je suis tombée sur une publicité dans un magazine. Ça m'a intriguée, et je suis allée voir leur site sur Internet.

— Les quatre jours de l'apocalypse ?

Amanda pouffa.

— C'est ainsi que je surnomme Thanksgiving, Noël, le Nouvel An et la Saint-Valentin. Non pas qu'il n'y ait pas des moments merveilleux parfois, mais il y en a aussi de difficiles.

Songeant au propos qu'elle avait surpris dans la cuisine de sa mère, Sloan demanda :

— Du genre ?

— Quand le fait d'être seule cesse d'être une épreuve personnelle pour devenir un sujet semi-public.

Sloan éclata de rire. Elle appréciait l'humour avec lequel la jeune femme évoquait ses difficultés de célibataire. Peut-être aurait-elle mieux vécu le dernier Thanksgiving si elle avait pu adopter son point de vue.

— C'est la première fois que j'entends quelqu'un qualifier ces jours de fête d'apocalyptiques, mais je suis tout à fait d'accord, avoua-t-elle. Par curiosité, lequel d'entre eux est le pire selon vous ?

— Le Nouvel An, sans aucun doute.

— Vraiment ? Pas la Saint-Valentin ?

— Sûrement pas.

Amanda se tut et détourna la tête, l'air soudain très intéressé par la clameur qui venait de s'élever du côté du lanceur de disques d'argile. Le silence revenu, elle reporta son attention sur Sloan.

— Excusez-moi, je discute, je discute, et pendant ce temps, la compétition continue.

Comprenant soudain, Sloan lui posa la main sur le bras.

— Je n'en parlerai pas dans mon article, si c'est ce qui vous inquiète, assura-t-elle.

Amanda poussa un soupir.

— C'est un peu stupide, mais si vous voulez vraiment savoir pourquoi…

— Je veux bien, oui.

— J'ai commencé à détester le Nouvel An le soir où j'ai pris conscience que j'étais la seule à souffler dans mon mirliton.

— Votre mirliton ? répéta Sloan sans comprendre.

— Vous savez, ces espèces de trucs en papier avec un embout en plastique qui se déroulent quand on souffle dedans.

— Oui.

— C'était il y a quelques années. J'avais été invitée pour le réveillon, et au premier coup de minuit, tout le monde a crié « Bonne année » et s'est mis à souffler dans son mirliton. Et tout à coup, je me suis rendu compte qu'il n'y avait plus que moi qui soufflais.

— Pourquoi ?

— Parce que tous les autres s'embrassaient.

Amanda eut un pauvre sourire.

— C'est à cet instant-là que j'ai décidé de prendre les choses en main. Quelques mois plus tard, je trouvais cette pub, et me voilà ! conclut-elle en écartant les mains. Et vous savez quoi ? Je m'amuse beaucoup. Et si j'arrive à enchérir suffisamment pour passer la soirée avec un certain célibataire, je risque de m'amuser encore plus.

La voix de Sophie appelant Amanda résonna dans les haut-parleurs.

— Je ferais mieux d'y aller.

— Bonne chance, cria Sloan comme elle s'éloignait.

Elle ne savait que trop bien de quoi parlait Amanda. Elle connaissait ces moments où la réalité vous tombe dessus sans prévenir. Elle en avait vécu un au dernier Thanksgiving, et c'était loin d'être le premier.

Mais pour être honnête, elle devait reconnaître que cet horrible instant où elle avait surpris les paroles de Mary Jo avait joué un rôle dans sa décision de rejoindre Jane en Alaska. Elle serait sans doute allée la soutenir de toute façon, mais le fait de pouvoir s'échapper quelque temps avait aussi joué dans sa décision.

Un seul instant.

Cela suffisait parfois à vous forcer à sortir de votre petit confort.

Ou à vous projeter dans quelque chose que vous ne vouliez ou n'imaginiez même pas.

N'était-ce pas de cela dont parlait Walker quand il avait évoqué sa situation avec son père ? En un instant, ce dernier avait modifié sa vision du monde, les fondements de son existence même.

— En train de réfléchir à ta stratégie d'attaque ?

La voix grave de Walker la tira de ses réflexions. Tout en tournant la tête vers lui, Sloan se rendit compte que c'était le moment ou jamais de suivre le conseil d'Amanda, et de profiter de ce qui s'offrait à elle là, maintenant. De s'amuser.

— Tu aimerais la connaître ?

Il posa sa grande main gantée au creux de ses reins, et malgré les multiples couches d'étoffe qui les séparaient, elle aurait juré sentir la chaleur de sa paume.

— Je promets de ne rien dire, dit-il à mi-voix.

Elle pivota si bien qu'il se retrouva à lui enlacer la taille.

— Comment puis-je être sûre que tu ne me trahiras pas ?

— Si je parle, tu auras le droit de me donner une fessée, déclara-t-il avec un sourire.

— Dans ce cas, qui sera vraiment puni, maître ?

— J'imagine qu'on le découvrira le moment venu.

Son nom résonna dans les haut-parleurs ; elle s'écarta à contrecœur.

— Souhaite-moi bonne chance.

— Je vais faire mieux que ça.

Avant qu'elle ait pu deviner ce qu'il avait en tête, il l'attira à lui et s'empara de sa bouche pour un baiser torride.

Profitant de l'instant, Sloan y répondit avec toute la fougue qu'elle retenait en elle depuis si longtemps.

Il n'y avait pas que la tristesse qui vous tombait parfois dessus sans prévenir, l'inverse aussi était vrai. Le moment qu'elle était en train de vivre en était la preuve.

Et elle comptait en profiter pleinement.

Après s'être plié de mauvaise grâce pendant des années à la lubie de sa grand-mère, Walker se découvrait un intérêt surprenant pour la fête des célibataires. L'ambiance lui paraissait plus joyeuse que les années précédentes, avec un côté bon enfant très communicatif.

L'introduction d'intermèdes entre les différentes épreuves y était sans doute pour quelque chose. Ainsi, la prestation de Grizzly montrant comment effectuer une *lap dance* avec un orignal avait-elle ajouté à la gaieté et à l'humour de cette journée.

Mais peut-être que les choses s'étaient toujours passées ainsi et qu'il avait choisi de l'ignorer. À moins – ce qui était plus probable – qu'il n'ait jusqu'alors décidé de bouder un événement que tout le monde trouvait réjouissant.

— Serait-ce un sourire que je vois sur ton visage ? Un sourire sincère et bien réel ?

Walker se pencha vers sa grand-mère et l'embrassa.

— Mary, Julia et toi vous êtes surpassées cette année.

— C'est une belle journée. Le temps est idéal, et les candidates sont charmantes. Pas une seule pomme pourrie dans le lot.

De fait, toutes les participantes jouaient le jeu à fond tout en gardant en tête l'objectif principal de la fête, à savoir, s'amuser.

— Sloan s'en sort bien.

Il hocha la tête tout en cherchant la jeune femme des yeux parmi celles qui attendaient leur tour pour la course de traîneaux.

— Elle est arrivée deuxième au tir au pigeon d'argile et a passé l'épreuve de préparation de sandwichs haut la main, reprit sa grand-mère.

— Une histoire de plus au répertoire de Grizzly, commenta Walker avec un soupir.

Sophie se frotta les mains pour les réchauffer.

— J'imagine qu'il était ravi quand elle s'est approchée de sa chaise longue avec son sandwich et sa bière.

— Ravi est un euphémisme. J'ai cru qu'il allait avoir une attaque lorsqu'elle s'est assise sur ses genoux pour l'embrasser sur la joue.

— En tout cas, ça me surprend.

Il reporta les yeux sur sa grand-mère.

— Qu'est-ce qui te surprend ?

— J'aurais pensé que cela te contrarierait qu'elle ne choisisse pas ta chaise longue.

Glissant le bras autour de ses épaules, il la serra tendrement contre lui.

— Tu sais, grand-mère, une approche subtile est généralement plus efficace qu'un coup de marteau sur la tête.

— Je suis vieille, Walker. Je n'ai plus le temps de jouer.

Il la considéra un instant. Était-elle aussi sérieuse qu'elle en avait l'air ? Il la trouvait un peu absente depuis la mort de ce chercheur qui escaladait le mont Denali et ne savait que faire de cette référence à son âge.

— Allons, grand-mère, tu ne vas pas te mettre à broyer du noir, voulut-il plaisanter.

— Ce n'est pas broyer du noir que de dire la vérité.

— Si, ça l'est, un jour qui devrait symboliser ta réussite à la fois comme maire et comme la plus grande enquiquineuse du village.

Elle lui donna une petite tape sur le bras avec cet enjouement qu'il aimait tant chez elle.

— Arrête ! Tu ne vas quand même pas faire pleurer une vieille femme.

— Tu comptes continuer longtemps avec cette histoire de vieillesse ?

— Mais je suis vieille, Walker. C'est un fait.

L'éclat malicieux dans les yeux de sa grand-mère disparut. Inquiet, Walker la regarda se frotter de nouveau les mains. Qu'est-ce qui lui arrivait ?

Pourquoi ce soudain coup de blues, qui plus est un jour comme aujourd'hui ?

— Que se passe-t-il, grand-mère ?

— Rien, rien, assura-t-elle en retrouvant sa bonne humeur coutumière. Allons là-bas, la course de traîneaux va commencer. Tu as une candidate à encourager.

— Tu es certaine que ça va ?

— Bien sûr.

Avant qu'il ait pu l'arrêter, sa grand-mère saluait quelqu'un dans la foule, mettant un terme à leur conversation.

Mais tandis qu'il se dirigeait vers le lieu de la prochaine épreuve, Walker ne put s'empêcher d'avoir la désagréable impression que sa grand-mère avait tenté de lui dire quelque chose, que ses paroles avaient un sens caché.

Sloan enfouit le visage dans l'épais pelage du husky en attendant de s'élancer sur la piste de course. Le soleil commençait à disparaître à l'horizon, et le froid glacial la pénétrait jusqu'aux os en dépit de ses nombreuses couches de vêtements.

Sucre d'orge, qui s'occupait des chiens et conseillait les concurrentes, s'approcha d'elle.

— Attention, Sloan. Si tu le caresses trop, il va se laisser aller et tu n'en tireras rien, prévint-elle.

— Il est magnifique. Comment s'appelle-t-il ?

— Lui, c'est J.R.

Glissant le bras autour du cou de l'animal, Sloan lui murmura à l'oreille :

— Tu vas être un bon chien, et on va gagner, pas vrai ?

Comme Avery passait, Sucre d'orge lui fit signe d'approcher,

— Tu veux bien tenir Bobby un moment ? demanda-t-elle en lui fourrant d'office la laisse dans la main. Il faut que je calme Sue Ellen avant qu'elle me renverse ce traîneau.

J.R., Bobby, Sue Ellen ?

Non, ce n'était pas possible ?

— Elle a vraiment donné le nom des personnages de *Dallas* à ses chiens ? interrogea Sloan.

— Absolument, confirma Avery avec un sourire amusé. C'est la portée *Dallas*.

Sloan secoua la tête, incrédule.

— Remarque, je me demande pourquoi je m'étonne. Rien dans ce village n'est jamais tel que je l'attends. Entre nous, pourquoi *Dallas* ?

— C'est la série préférée de Whisky. Selon lui, on n'a pas fait mieux depuis.

— C'est un avis… Mais dis-moi, enchaîna Sloan sans cesser de caresser J.R., il y a eu une autre portée depuis ?

— Tout à fait, acquiesça Avery en s'esclaffant. La portée *Brady Bunch*. En hommage à la grande fertilité de leur maman, Marsha.

Le rire d'Avery s'arrêta net, mais Sloan n'eut pas besoin de se retourner pour en deviner la raison.

L'athlétique silhouette de Roman Forsyth les domina un instant avant qu'il s'accroupisse près d'elles.

— Tu es en train de raconter les aventures sexuelles de Marsha, Avery ? Cette chienne a encore fait des siennes ? Tu te souviens du jour où on l'a retrouvée avec Basil, le carlin de ma grand-mère.

— Pas vraiment.

À en juger par le sourire qui avait flotté brièvement sur ses lèvres, Avery se rappelait parfaitement ce qui était arrivé à Basil. Sa réponse signifiait simplement qu'elle n'avait aucune envie d'évoquer ces souvenirs avec Roman.

— Sucre d'orge et Whisky n'ont jamais réussi à garder cet animal attaché, reprit Roman.

Sloan remarqua qu'une lueur mélancolique s'était allumée dans les prunelles de Roman. Et qu'il gardait les yeux rivés sur Avery. Quel effet cela faisait-il de connaître quelqu'un depuis aussi longtemps ? se demanda-t-elle non sans une pointe d'envie. D'avoir partagé des moments remontant à l'époque où l'on découvre qui l'on est ?

L'attitude glaciale d'Avery parvenait peut-être à dissimuler la blessure laissée par le départ de Roman, mais elle ne pouvait rien contre leur passé commun.

Expériences, aventures, souvenirs... Ils avaient partagé tant de choses !

Le silence commençait à se faire pesant, aussi Sloan décida-t-elle d'intervenir :

— J'imagine que Basil a survécu pour raconter son aventure.

Roman se détourna d'Avery sans se départir de son sourire ravageur.

— Non seulement il a survécu, mais il s'est fait une réputation d'étalon. Notre cher Basil a prouvé qu'il avait beaucoup de ressources en dépit de sa taille.

— Tu parles ! Il a fécondé la moitié des chiennes du village avant que quelqu'un se décide enfin à le conduire chez le vétérinaire, intervint Avery avec flegme. Certains chiens n'apprennent jamais rien, pas vrai ?

De toute évidence, la conversation ne concernait plus vraiment Basil. Certaine que Roman l'avait également compris, Sloan jugea préférable de changer de sujet.

— Je ne m'attendais pas à vous croiser ici à cette époque, Roman. L'équipe des Metros ne joue pas cette semaine ?

— Pas les deux jours qui viennent. La prochaine rencontre étant à Seattle, j'ai profité qu'on soit sur la route pour m'éclipser et faire un saut ici.

— S'éclipser est le terme adéquat.

Sloan jeta un regard noir à Avery, mais continua à discuter comme si de rien n'était.

— Cette visite a dû faire plaisir à votre famille.

— Sûr. D'autant que ma grand-mère en a profité pour m'embaucher pour les festivités.

— Tu m'étonnes, lança Avery. Elle voit déjà ce que ça peut rapporter. Quelle femme résisterait à la perspective de passer une soirée en compagnie du grand joueur de hockey Roman Forsyth ? Les enchères vont exploser.

— En plus, je lui ai promis de doubler la mise.

— Ah oui ? Encore un moyen de rentrer dans les bonnes grâces de ta famille, je suppose.

L'atmosphère devenait de plus en plus électrique, et c'est avec soulagement que Sloan entendit qu'on appelait son nom sur la ligne de départ. Se demandant si laisser ces deux-là seuls était sans danger, elle s'apprêtait à faire signe à Jane de les rejoindre, lorsque le Dr Cloud vint à la rescousse.

— Roman. Quelle surprise de te voir ici. Ta grand-mère te cherche.

Comme à l'aérodrome, Sloan ne put s'empêcher d'être subjuguée par le calme et la présence du médecin. Très vite, la discussion tourna autour de la prochaine saison de hockey ; elle en profita pour attraper Avery par la main.

— Viens avec moi. Je dois conduire J.R. sur la ligne de départ. Sucre d'orge avait raison : je sens qu'il se ramollit.

Dès qu'elles furent hors de portée de voix, elle murmura :

— À quoi joues-tu ? Tu as vu comment tu lui parles ?

— Je ne supporte pas d'être près de lui.

— Je comprends, mais il essayait juste d'être poli.

Plus que poli, eut-elle envie d'ajouter en tirant sur la laisse de J.R. pour le forcer à avancer. Roman était venu les retrouver volontairement, leur rencontre n'avait rien d'accidentel.

Ce qui n'était pas rien.

— Sa conversation était pleine de sous-entendus. Je n'ai aucune envie de ressasser le passé avec lui. En plus, c'est lui qui a commencé.

— Commencé quoi ? répliqua Sloan.

Si la note d'exaspération dans sa voix ne parut pas troubler son amie, elle eut un effet certain sur J.R., qui aboya et se mit enfin à avancer de lui-même.

— Cette petite histoire à propos de Basil comportait d'autres détails qu'il a omis de mentionner. Entre autres, que c'est nous qui avons trouvé les chiens alors qu'on rentrait discrètement chez moi après avoir passé un moment tous les deux à l'écart du village.

Difficile, après cette précision, de continuer à adresser des reproches à Avery. Sloan décida malgré tout de lui exprimer le fond de sa pensée.

— Vu comment tu l'ignores, il n'a d'autre choix que de se référer au passé pour discuter avec toi.

Avery s'immobilisa pour le regarder, arrêtant Bobby dans son élan.

— Que veux-tu dire ?

— Que le passé est tout ce que vous avez en commun, et la seule chose dont vous pouvez parler ensemble. Donc, soit vous vous construisez de nouveaux souvenirs, soit vous trouvez le moyen de tolérer les anciens.

— Je n'avais pas vu les choses ainsi.

— D'autre part, personne ne t'a jamais dit qu'aller bien était la meilleure des vengeances ?

— Ce qui signifie ?

— Ce qui signifie que tu dois être au top ce soir pour les enchères, expliqua Sloan. Il faut que Roman se rende compte que, tout grand joueur de hockey qu'il est, il a fait la connerie du siècle en te quittant. Allez, Avery, il est temps de prendre ta revanche !

Avery étrécit les yeux, l'air soupçonneux.

— Tu as raison, je possède tellement d'atouts, railla-t-elle. La fille du coin qui travaille dans l'hôtel de sa mère et vit dans un trou perdu au milieu de nulle part.

Comme elles approchaient des coordinatrices, Sloan baissa la voix pour répondre :

— D'après ce que j'ai pu voir, tu as la plus belle paire de jambes qui existe de ce côté des Rocheuses et un cul à faire pâlir d'envie Jennifer Lopez. Alors, je te conseille d'en sortir la tête et de faire bon usage de l'un et de l'autre.

Sous le choc, Avery laissa échapper un petit cri étouffé avant de la dévisager, bouche bée.

Moins de dix minutes plus tard, Sloan effectuait son second tour de terrain tirée par un J.R. amorphe qui trottinait péniblement derrière les trois autres concurrentes. En repérant Avery sur le bas-côté, les bras croisés et l'air toujours aussi furieux, Sloan se félicita d'avoir remporté une victoire autrement plus importante que celle de la course de traîneaux.

Si elle ne se trompait pas, Cendrillon allait rentrer se préparer pour le bal.

21

— Et la première place revient à…

La voix de Sophie résonnait dans l'air glacial de la fin d'après-midi tandis qu'elle annonçait les résultats de la compétition des célibataires.

— … Amanda Truesdale.

Sloan applaudit la gagnante qui se dirigeait vers le podium en compagnie de la deuxième, une jeune femme d'Anchorage, et de la troisième, une nouvelle participante originaire d'Atlanta. Elle leur avait déjà donné rendez-vous pour une interview le lendemain, et se réjouissait de voir son futur reportage prendre forme dans sa tête.

Remarquant que La Glisse, au premier rang, dévorait Amanda des yeux, elle se demanda si elle ne devrait pas écrire une seconde partie sur la vie des gagnantes *après* le concours.

— De toute évidence, toi et moi ne sommes pas faites pour la vie dans le grand Nord, lui murmura Jane à l'oreille.

— Je n'en suis pas si sûre. J'ai l'impression que nous avons obtenu de très bons résultats là où c'était le plus important.

— C'est-à-dire ?

— La bataille de boules de neige.

— Ah oui ! Cette bacchanale hivernale au cours de laquelle j'ai tenté de soigner mon cœur brisé.

Était-ce l'expression remplie d'espoir d'Amanda ou le fait d'avoir assisté à l'échange entre Avery et Roman, quoi qu'il en soit, Sloan ne ressentit aucune envie de consoler son amie.

— Il ne tient qu'à toi qu'il ne soit pas brisé, fit-elle remarquer.

Elle sentit Jane se raidir près d'elle.

— Il ne s'est pas montré de la journée. Même pas pour assister aux épreuves. Je pense qu'il aurait dû, ajouta-t-elle après un silence.

— Je l'ai vu ce matin. Je suppose qu'ensuite, il est allé travailler. L'aérodrome ne ferme pas sous prétexte que c'est la fête au village.

— Oui. Sauf que je ne vois pas qui il transporterait vu que tout le monde est ici.

Loin d'éveiller sa compassion, les lamentations de Jane ne firent qu'accroître son agacement. Sans doute parce qu'elle avait l'impression d'agir comme elle, de tergiverser et d'attendre au lieu de foncer. Que craignait-elle, bon sang ? De mettre son cœur en danger ? De toute façon, en ne tentant rien, elle serait quand même perdante. Alors pourquoi se prendre la tête ?

— Avery et toi faites vraiment la paire, commenta-t-elle.

— Qu'entends-tu par là ?

— Que vous préférez passer à côté de l'homme qui vous plaît plutôt que de prendre un risque.

— Ma relation avec Mick n'a rien à voir avec celle d'Avery et de Roman, se défendit Jane.

— Ah bon ? Elle ressemble à celle que tu avais avec Jason, alors ?

Le regard de Jane se fit orageux dans la lumière déclinante. Lâchant un profond soupir, elle tourna les talons et, fendant la foule, s'éloigna au pas de charge.

Sloan la suivit.

Finalement, à quelques mètres de l'*Indigo Blue*, son amie lança :

— Je sais que tu es derrière.

— Je sais que tu le sais.

— Fiche le camp ! Je n'ai pas envie de te parler.

— Bien sûr que si.

— Certainement pas.

Elles pénétrèrent dans l'hôtel l'une derrière l'autre. Pas mal de gens étaient venus s'y réchauffer et plus de la moitié des tables du hall étaient occupées.

Sloan suivit Jane jusqu'aux ascenseurs.

— Tu vas me lâcher ? s'exclama celle-ci, exaspérée.

— J'ai le droit de monter dans ma chambre, se défendit Sloan avec un haussement d'épaules.

— Je n'arrive pas à croire que tu as prononcé son nom !

Jane leva les yeux sur le panneau indiquant où se trouvait l'ascenseur, et laissa échapper un soupir agacé en constatant qu'il était au dernier étage.

Sloan, à l'inverse, afficha un sourire satisfait.

Elle n'allait pas laisser Jane s'en tirer aussi facilement.

— Pourquoi ? rétorqua-t-elle. Tu as toi-même mentionné son nom devant Avery. Je ne pensais pas que c'était un tel secret.

— Ce sont mes affaires.

— C'est de l'histoire ancienne. Tu as un présent beaucoup plus intéressant avec un type qui est fou de toi et auprès de qui Jason Shriver a l'air d'un petit branleur – ce qu'il est, d'ailleurs.

— Oh !

Devant l'expression à la fois choquée et attristée de son amie, Sloan regretta un instant ses paroles.

Puis elle repensa à Mick, à la façon dont il contemplait Jane – avec un désir sincère et profond –, et décida d'enfoncer le clou.

— Mick O'Shaughnessy ne te regarde pas seulement comme si tu étais la plus belle femme du monde, mais comme si tu étais un don du ciel qu'il avait peur de perdre. Il te voit telle que tu es, Jane.

— Je croyais que tu aimais bien Jason.

— Pas vraiment. Mais comme toi, tu l'aimais, je ne m'estimais pas le droit de dire quoi que ce soit.

— Tu aurais dû. Tu es mon amie, non ?

— Justement. Je n'ai pas envie que tu me confondes avec ta mère.

Cette remarque arracha un sourire sans joie à Jane. Elle entra dans l'ascenseur. Sloan lui emboîta le pas, bien décidée à poursuivre cette discussion jusqu'au bout.

— N'empêche, contra Jane d'un ton réprobateur. Tu aurais au moins pu me dire ce que tu pensais de lui.

— Je l'ai fait, à plusieurs reprises. Mais comme tu ignorais mes sous-entendus, j'ai fini par laisser tomber.

Bien que Jane gardât les yeux obstinément fixés devant elle, Sloan perçut son intérêt à la légère inclination de sa tête.

— Qu'est-ce que tu n'aimais pas chez lui ? demanda-t-elle. Maintenant qu'il ne fait plus partie de ma vie, tu peux parler librement.

— Il te faisait toujours passer après lui.

— En effet, admit Jane avant d'appuyer la tête contre la paroi de la cabine et de fermer les paupières.

— Puis il est allé se faire tailler une pipe par cette stagiaire deux semaines avant votre mariage, prouvant que la seule chose qui l'intéressait, c'était lui-même et son petit plaisir.

Jane ne répondit rien.

— Tu mérites quelqu'un qui te respecte et t'aime vraiment, insista Sloan.

— Toi aussi.

— Je sais.

Elles n'échangèrent plus un mot jusqu'à leur étage. Lorsque les portes s'ouvrirent, Sloan décida qu'elle en avait terminé et sortit la première.

— On se retrouve aux enchères, lança-t-elle.
— Sloan ?
Elle pivota vers Jane.
— Il me regarde vraiment comme tu l'as dit ?
— Oui. Et vu que tu le regardes de la même façon, je trouve qu'il serait dommage de tout gâcher pour un détail aussi insignifiant que des fiançailles rompues avec un petit con qui ne mérite même pas de te baiser les pieds.

Walker gagna l'étage de Sloan en empruntant l'escalier de service, histoire d'éviter le groupe de femmes rassemblées dans le hall. Il ne l'avait pas revue depuis l'épreuve de tir au pigeon d'argile et était impatient de…
De quoi ?
De la toucher ? De l'embrasser ? Juste de la voir ?
Tout cela à la fois, dut-il admettre à contrecœur.
Déconcerté et passablement essoufflé, il se laissa tomber sur une marche pour reprendre haleine.
Bon sang, il commençait à se faire vieux. À une époque, lui-même et toute l'équipe de hockey du lycée grimpaient tous les jours cet escalier en courant pour s'entraîner ; c'était à peine alors s'il transpirait à l'arrivée. Il réussissait même à battre Roman.
Qu'en était-il maintenant ?
Son manteau sur les genoux, il essaya de comprendre ce qui se passait. Il s'était toujours considéré en bonne forme, mais, visiblement, il avait grand besoin de se remettre au sport si le simple fait de monter cinq étages le mettait dans cet état.
« Ou bien tu dois reconnaître que tu n'es plus un gamin. »
Cette pensée s'insinua en lui tel un serpent attendant de mordre, le laissant déconcerté.
Il savait qu'il n'était plus un gamin. Il avait un travail et des responsabilités. Il était adulte.

Alors pourquoi se sentait-il vieux et seul tout à coup ?

Et pourquoi la pensée de continuer à adopter cette attitude insouciante vis-à-vis de la vie et de l'amour lui apparaissait-elle subitement comme vide de sens ?

Sloan.

Son nom se fraya un chemin dans son esprit, et lui fit l'effet d'une décharge électrique. Elle était vibrante, drôle et... indispensable.

Elle lui faisait voir la vie d'une manière totalement nouvelle. Pour la première fois de son existence, il envisageait l'avenir avec quelqu'un, et non pas comme une suite de rencontres avec des femmes sans visage allant et venant au gré des saisons.

En proie à un regain d'énergie, il se remit debout et grimpa les dernières marches deux à deux. Il frappa doucement à la porte de Sloan.

Et eut de nouveau le souffle coupé quand elle lui ouvrit en peignoir, une serviette drapée autour de la tête.

— Walker !

Il s'appuya contre le chambranle en espérant qu'elle ne remarquerait pas ses jambes tremblantes.

— Tu ouvres toujours aussi facilement aux inconnus ? s'étonna-t-il.

— J'ai cru que c'était Jane.

Elle s'effaça pour le laisser entrer.

— Remarque, j'adore qu'un inconnu frappe à ma porte. C'est tellement excitant.

Était-ce un effet des pensées qui l'avaient traversé avant de venir ou la vision de Sloan en peignoir ? Walker fut soudain submergé par une bouffée de désir totalement irrépressible.

Il fallait qu'il fasse l'amour avec elle.

Maintenant.

Refermant le battant d'un coup de pied, il laissa tomber son manteau sur le sol et attira Sloan à lui pour l'embrasser.

Elle poussa un petit cri quand il s'empara de ses lèvres, mais répondit à son baiser avec une ardeur identique à la sienne. Les bras noués autour de son cou, elle se plaqua contre lui.

Durant de longues et merveilleuses minutes, Walker eut l'impression que plus rien n'existait hormis cette femme dans ses bras. Ses sens enregistraient tout avec une acuité affolante : les doigts de Sloan dans ses cheveux, les battements accélérés de son cœur contre son torse, la chaleur de son corps.

Lui agrippant les hanches, il la pressa contre son érection.

— Maintenant, Sloan.

Elle détacha ses lèvres des siennes. Le bleu de ses yeux était presque violet sous l'effet de la passion.

— Oui, souffla-t-elle. Maintenant.

Ils se laissèrent tomber sur le lit. Fébrilement, il dénoua la ceinture de son peignoir dont il écarta les pans. La serviette enroulée autour de sa tête avait glissé en chemin, et ses cheveux encore humides se déployèrent sur l'oreiller.

Elle retint son souffle quand il prit ses seins en coupe et en caressa les pointes, qui durcirent instantanément. Lorsqu'elle arqua le dos pour mieux les lui offrir, il répondit à son invite, remplaçant l'une de ses mains par sa bouche.

Sloan se tortillait sous lui tandis qu'il embrassait, suçait, léchait un sein après l'autre. Puis elle tira sur son pull avec impatience, et lui murmura à l'oreille :

— Je veux sentir ta peau.

Il se redressa pour ôter pull et chemise, qu'il jeta sans ménagement sur le sol. Déjà Sloan promenait fiévreusement les mains sur son torse. Une vague de plaisir le submergea, qui alla croissant quand elle le fit basculer sur le dos et s'installa à califourchon sur lui avant de couvrir sa gorge et sa poitrine de baisers brûlants. Le volcan qui couvait en lui menaça d'exploser lorsqu'elle lui caressa les tétons de la langue. La tirant doucement en arrière, il la débarrassa de son peignoir. La vision de son corps nu lui fit l'effet d'un direct au plexus.

— Tu es si belle, articula-t-il d'une voix rauque en la dévorant du regard.

— C'est toi qui me rends belle, assura-t-elle, les pupilles dilatées par le désir.

Puis, avec adresse, elle glissa sur ses cuisses et entreprit de lui déboutonner son pantalon. Le contact de ses doigts sur son sexe gonflé était une torture.

Repoussant sa main, Walker murmura, les dents serrées :

— Laisse-moi faire.

À ces mots, elle laissa échapper l'un de ces délicieux rires de gorge tellement féminins. Sans doute Cléopâtre avait-elle eu le même quand elle s'était retrouvée dans une situation identique avec Marc Antoine.

Ce dernier avait-il alors compris qu'il était perdu ? Comme lui en ce moment ?

Perdu et emporté par le désir et la passion qui menaient les hommes et les femmes depuis des millénaires.

En quelques gestes vifs, il se débarrassa de son pantalon. À peine avait-il terminé que Sloan se plaçait au-dessus de lui et positionnait son sexe érigé à l'entrée de sa fente humide.

Dès qu'il sentit ses muscles intimes l'enserrer, Walker sut qu'il avait vu juste.

Il était perdu. Livré corps et âme à cette femme.

Sloan se mit à onduler voluptueusement, et un flot de plaisir l'inonda, si intense qu'il perdit très vite pied. La dernière pensée cohérente qui lui traversa l'esprit avant qu'il sombre dans l'extase fut d'une simplicité et d'une force telles qu'il se demanda pourquoi il lui avait fallu tant de temps pour la formuler.

Ce n'est qu'en se perdant qu'il pouvait finalement se trouver.

Sloan sentit le plaisir monter en elle en un crescendo presque douloureux. Mais elle s'obligea à chevaucher Walker jusqu'à ce que tous deux soient satisfaits.

Que tous deux soient gagnants.

Walker lâcha un cri rauque, et elle sentit son corps se tendre comme un arc sous le sien tandis qu'un même cri fiévreux s'échappait de ses lèvres à elle.

Les ondes de plaisir de l'orgasme se répandirent en elle, entraînant dans leur sillage des sensations si époustouflantes qu'elle aurait voulu les retenir à jamais. De sa vie, elle n'avait connu jouissance plus enivrante.

Dans un dernier cri, Walker creusa les reins et s'enfonça en elle avant de l'envelopper de ses bras pour l'attirer contre son torse. Ils demeurèrent un long moment enlacés tandis que les battements affolés de leurs cœurs s'apaisaient doucement.

— J'espère que les chambres sont insonorisées, chuchota Sloan contre sa peau.

— Pas moi, répondit Walker d'une voix enrouée qui la fit frissonner.

— Pourquoi ?

— Parce que tu es à moi, et que j'ai envie que tout le monde le sache.

Sloan leva la tête pour l'examiner.

— Vous ne trouvez pas que ça fait un peu homme des cavernes, maître Montgomery ?

— Complètement, approuva-t-il avant de capturer ses lèvres.

Ses mains qui encadraient son visage étaient douces, mais pas sa bouche, et le baiser qu'il lui donna était destiné à la marquer comme sienne. Empreint d'une passion brute, intense, presque primaire, Sloan s'en délecta. Le désir jaillit de nouveau entre eux et elle sut qu'elle était transformée à jamais.

Au fond, elle le savait déjà, mais avait refusé de l'admettre. Avait refusé de s'abandonner aux sentiments puissants que Walker faisait naître en elle.

S'efforçant de revenir sur un terrain plus stable, elle s'arracha à sa bouche et déclara d'un ton léger :

— Serait-ce là une tactique masculine pour m'empêcher d'enchérir sur Grizzly ?

— Sur Grizzly, La Glisse, Tommy, Chuck et tous les autres. Ne dépense pas ton argent inutilement.

— En tant que journaliste, la déontologie m'oblige à ne favoriser personne. D'ailleurs, que se passera-t-il si cette comptable de Chicago qui te fait les yeux doux depuis son arrivée gagne les enchères sur toi ?

— Celle avec les gros seins ?

Elle lui donna une petite tape sur l'épaule.

— Tu as remarqué ?

Il se mit à rire et déposa un baiser sur sa bouche.

— Évidemment. Je suis un homme normalement constitué, je te rappelle. Avec un pénis et des pulsions.

— Raison de plus pour que j'enchérisse sur d'autres candidats. Je suis sûre que Grizzly est bien plus gentleman que toi et n'a pas estimé la taille de mes bonnets de soutien-gorge.

Walker s'esclaffa tout en l'enveloppant d'un regard possessif.

— Tu paries ?

— Je ne préfère pas, admit-elle avec une grimace.

— Tu as raison. Sinon, serais-tu d'accord pour me réserver toutes les danses sur ton carnet de bal ?

— Eh bien, maître Montgomery, voilà la demande la plus touchante qu'on m'ait jamais faite, commenta-t-elle.

Son regard verrouillé au sien, elle marqua une pause avant d'enchaîner :

— Et qui rend encore plus difficile de devoir vous dire non.

— Non ?

— Plusieurs charmants célibataires d'Indigo m'ont déjà demandé une danse. Je ne voudrais pas les décevoir.

— Petite sorcière, siffla-t-il en se penchant pour lui mordiller le lobe de l'oreille. Quel sortilège m'as-tu jeté ?

En guise de réponse, Sloan l'embrassa sur la bouche, puis déposa une pluie de petits baisers mouillés le long de son cou et sur son torse.

Et tout en savourant le plaisir qu'elle sentait monter entre eux, elle ne put s'empêcher de penser au temps qui filait et à son départ tout proche. Dans quelques jours, ces moments merveilleux ne seraient plus que des souvenirs.

Walker n'avait pas proposé de donner un tour plus sérieux à leur relation.

D'ailleurs, que se passerait-il s'il le faisait ?

Préoccupée par l'idée de devoir bientôt partir, elle ne s'était jamais demandé comment elle réagirait s'il lui proposait de rester. De bâtir sa vie ici, en Alaska.

Accepterait-elle ?

— Sloan ?

— Hmm ?

Elle déposa un dernier baiser sur son ventre plat avant de lever la tête.

— Ça va ? s'enquit-il.

— Bien sûr ? Pourquoi ?

— J'ai eu l'impression que tu étais ailleurs, tout à coup.

Se ressaisissant, elle reporta son attention sur le présent et l'homme si sexy qui lui donnait envie de… tant de choses.

— Je réfléchissais.

— À quoi, mon ange ?

— Au chemin à suivre, répondit-elle en enroulant la main autour du sexe de Walker, qui durcit davantage.

Avec un sourire, elle s'inclina sur lui et referma les lèvres sur son érection. Il tressaillit violemment tandis qu'un long gémissement lui échappait.

Accepterait-elle rester ?

La question revint la tarauder.

La tester ?

Walker la tira soudain à lui et la fit rouler sous lui avant de plonger en elle.

Accepterait-elle de rester ?

Alors qu'elle vacillait déjà au bord du gouffre de la jouissance, la réponse s'imposa à elle.

Bien sûr qu'elle accepterait.

Elle l'aimait.

22

Décoré de multiples banderoles, fanions et guirlandes lumineuses aux nuances bleutées, le centre Montgomery était presque méconnaissable.

— Les grands-mères se sont surpassées, s'extasia Amanda en pénétrant dans le vaste hall d'entrée. C'est encore plus beau que l'année dernière.

Sloan avait croisé la jeune femme en sortant de l'*Indigo Blue*, et elles avaient remonté la grand-rue ensemble, s'amusant du contraste entre leurs grosses bottes fourrées et leurs robes de soirée. Elles se dirigèrent vers la table où s'effectuaient les inscriptions.

Alors qu'elle se préparait, Sloan avait reçu un texto de Jane lui disant de ne pas l'attendre, qu'elle la rejoindrait plus tard. Elle en avait aussitôt déduit que son amie ne lui avait toujours pas pardonné son coup d'éclat, mais qu'elle aimerait bien qu'elle lui réserve une place. Loin de lui en vouloir, Sloan avait parfaitement compris sa réaction. Elle espérait simplement que Jane saurait utiliser ce surplus de temps pour se mettre sur son trente et un et donner le coup de grâce à Mick O'Shaughnessy.

— On a l'impression d'être dans un conte de fées, commenta Amanda tandis qu'elles prenaient place dans la file.

— Tout à fait d'accord.

— En même temps, c'est un peu normal dans un village qui accorde une telle importance à l'amour.

L'amour.

Un mot, et ce que Sloan avait éprouvé un peu plus tôt revint en force. Maintenant que les effets de ses ébats avec Walker s'étaient dissipés, elle était en mesure de considérer la situation avec une plus grande objectivité.

Et le résultat était là, indéniable.

Elle était amoureuse.

Raide dingue d'un type habitant un bled perdu au milieu de nulle part.

Comment était-ce possible ?

— Ça va ?

La voix inquiète d'Amanda la tira de ses pensées.

— Je ne sais pas.

— C'est vrai que c'est assez impressionnant.

— C'est le moins qu'on puisse dire.

— Mais regarde ça.

Comme Amanda désignait les photos accrochées au mur derrière la table des inscriptions, Sloan comprit que sa compagne parlait de tout autre chose que ce qui occupait ses pensées. Pensées qui se dissipèrent d'ailleurs instantanément lorsqu'elle examina lesdites photos qui représentaient une brochette d'habitants d'Indigo – parmi lesquels ne se trouvaient ni Walker ni Mick – photographiés en différents endroits du village avec un string pour tout vêtement.

— Mon Dieu !

— Comme vous pouvez vous en rendre compte, mesdames, déclara Sucre d'orge en tendant à chacune un carton numéroté pour les enchères, nous avons sélectionné les plus beaux célibataires. Nous vous encourageons à enchérir généreusement. Et surtout, *par pitié*, n'oubliez pas Tasty. Si je dois encore l'entendre se plaindre que personne n'a enchéri sur lui cette année, je ne le supporterai pas.

— Nous ferons de notre mieux, promit Amanda d'une voix étranglée en fixant d'un air horrifié la photo de Tasty.

— Faire au mieux, c'est enchérir, insista Sucre d'orge avant de tourner les yeux vers la femme qui les suivait.

En pénétrant dans le grand auditorium, Sloan demeura un instant sans voix. La décoration rendait celle du hall presque banale.

— Il paraît qu'ils y ont passé presque toute la semaine.

— C'est fantastique, s'extasia Sloan.

Tandis qu'Amanda allait consulter la liste des candidats, elle se dirigea vers les sculptures de glace alignées contre le mur du fond. En se rapprochant, elle s'aperçut qu'elles illustraient des scènes d'histoires d'amour célèbres.

Cendrillon descendait les marches en courant, sa pantoufle de vair à la main.

La Belle au Bois Dormant était allongée, les yeux fermés, sous le regard énamouré du prince penché sur elle, ses lèvres à quelques centimètres des siennes.

Juliette contemplait Roméo du haut de son balcon.

D'autres suivaient, que Sloan admira les unes après les autres, avant qu'une grande tonnelle à l'autre bout de la salle attire son attention.

Composé de plusieurs centaines de roses au parfum délicieux fixées sur une fine structure métallique, l'arche végétale semblait avoir été édifiée pour qu'un couple vienne se tenir au-dessous.

— Comment ont-ils réussi un tel exploit au beau milieu de l'hiver ? s'interrogea Sloan à voix haute en effleurant du doigt l'un des pétales.

— Les roses ont été livrées par avion, répondit Mary O'Shaughnessy juste derrière elle.

Sloan pivota, un peu gênée d'avoir été surprise en train de se parler à elle-même. Vêtue d'une robe longue argentée ornée de sequins, la grand-mère de Mick la gratifia d'un grand sourire.

— C'est mon petit-fils qui s'est occupé de tout. Il a même effectué un dernier voyage aujourd'hui.

— Voilà pourquoi il n'était pas là pendant la compétition, murmura Sloan.

Mary étrécit les yeux.

— En effet. Vous l'avez remarqué ?

— Pour être franche, non. Mais cela n'a pas échappé à quelqu'un que je connais.

Le regard de Mary – du même bleu profond que celui de son petit-fils – s'illumina.

— Ce quelqu'un serait-il votre amie, par hasard ?

— Tout juste, acquiesça Sloan.

Se penchant vers la vieille dame, elle ajouta sur le ton de la confidence :

— Si ça peut vous faire plaisir, sachez que je lui ai dit quelle idiote elle était.

Mary laissa échapper un long soupir.

— Mon petit-fils ne s'est, hélas, guère montré plus intelligent, avoua-t-elle.

— À votre avis, les choses vont s'arranger entre eux ?

— Dieu sait que je l'espère. Je n'ai jamais vu ce garçon à ce point obsédé par quelque chose, hormis les avions.

Sloan ne put se retenir de rire.

— Mieux vaut peut-être garder cette comparaison pour nous.

— Vous avez raison, ma chère, c'est plus sage.

— La décoration est sublime. Ne me dites pas que Julia, Sophie et vous avez tout réalisé vous-mêmes.

Mary s'empourpra légèrement, et un sourire presque enfantin apparut sur son visage ridé.

— Cela fait un an que nous préparons cet événement, rappela-t-elle. Même si nous avons eu besoin d'un peu plus d'aide que d'habitude, nous avons participé à presque tout.

— Vous adorez cette fête, pas vrai ?

— Nous l'aimerions encore plus si, grâce à elle, nous pouvions enfin avoir des arrière-petits-enfants.

Sloan ne put réprimer un grand éclat de rire.

— C'est ce qui me plaît chez vous, déclara-t-elle. La subtilité avec laquelle vous abordez le sujet qui vous tient à cœur.

— La subtilité, c'est pour les jeunes, répliqua Mary en haussant les épaules. Moi, je suis une vieille femme. Chaque minute compte.

Avant que Sloan ait pu répondre, Mary fut happée par un jeune serveur, un des élèves du lycée, qu'elle suivit en trottinant sur ses hauts talons.

Mais ses derniers mots continuèrent à résonner dans la tête de Sloan tandis qu'elle poursuivait sa visite des lieux.

Chaque minute compte.

Profiter de chaque minute, voilà ce qu'elle faisait depuis qu'elle était arrivée en Alaska. Pour la première fois de son existence, elle vivait *vraiment* chaque instant.

Soudain, la perspective de rentrer à New York lui parut insupportable.

Jane sortit de l'ascenseur. Un silence inhabituel l'accueillit dans le hall.

Les festivités devaient déjà battre leur plein au centre Montgomery.

Bien que seuls les célibataires hommes et femmes et les bénévoles soient autorisés à assister aux enchères, le reste du village ne manquerait pas de participer au bal qui suivrait. Tout le monde devait donc être en train de se préparer, supposa-t-elle.

Ce qui faciliterait grandement son projet.

Bien sûr, elle risquait toujours de croiser quelqu'un dans la rue, mais c'était un risque qu'elle était prête à courir.

Elle était consciente que de ne pas en avoir parlé à Sloan était mesquin, mais elle n'avait pas cinq ans. Elle n'avait pas besoin d'un sermon, et moins encore qu'on lui jette son passé à la figure. Quand bien même son amie avait été à ses côtés durant les moments les plus éprouvants de ce passé.

Elle savait ce qu'elle avait à faire, et le moment était venu d'agir.

Depuis des semaines qu'elle y réfléchissait, elle arrivait toujours à la même conclusion : s'en tenir à la loi prenait trop de temps.

Les paroles de Sloan lui résonnant encore aux oreilles, elle s'avança dans le hall.

Tout était si calme que les murmures d'une conversation provenant du petit bureau derrière le comptoir de l'accueil parvenaient jusqu'à elle. Son cœur cognait si fort, elle était convaincue qu'on allait l'entendre. À tort, car personne ne sortit du bureau ni ne la vit quitter l'hôtel.

L'air glacial l'enveloppa comme une cape tandis qu'elle descendait la grand-rue jusqu'à Spruce Street, là où habitait son père.

Elle n'eut pas besoin de regarder les numéros pour trouver sa maison. Sa façade s'était gravée dans sa mémoire six semaines plus tôt, lorsqu'elle l'avait contemplée pour la première fois.

Son père avait vécu sous ce toit.

Avec une femme et un enfant.

Et ce n'est qu'à sa mort qu'il avait pensé à l'inclure dans sa famille.

Jane s'arrêta devant la petite bâtisse aux volets bleus.

Un foyer.

Sans crier gare, les larmes jaillirent et roulèrent sur ses joues.

Les essuyant du revers de la main, elle s'engagea dans l'allée étroite qui menait à la porte d'entrée. Elle tapa des pieds sur le paillasson pour ôter la neige de ses bottes, puis sortit la clé qu'elle avait subtilisée sur le bureau de Walker la veille, et la glissa d'une main tremblante dans la serrure.

— Bon sang qu'est-ce que tu fais ?

Un cri lui échappa tandis qu'elle faisait volte-face pour se retrouver nez à nez avec Mick.

— Ça ne va pas d'arriver sournoisement derrière une femme en pleine nuit ?

— Quand ladite femme s'apprête à commettre un forfait, cela se justifie.

— Ce que je fais ne te regarde pas, répliqua-t-elle, le cœur battant la chamade.

Elle s'accrochait à sa colère de crainte de sentir s'amplifier l'autre sentiment qui montait en elle. Mais quand Mick posa la main sur la sienne en la fixant droit dans les yeux, elle comprit que c'était perdu d'avance.

— Ce que tu fais est illégal, Jane. Tu n'as pas le droit d'entrer ici. Encore moins avec une clé que, je suppose, tu as volée.

Il n'y avait aucun reproche dans sa voix, juste de l'inquiétude.

— Je ne l'ai pas volée, mais empruntée, rectifia-t-elle en s'efforçant de maîtriser le tremblement qui l'avait saisie.

— Pour quoi faire ? Pénétrer dans la maison de Jonas alors que tu n'y es pas autorisé ?

— C'est la maison de mon père, lui rappela-t-elle, se rendant compte avec horreur qu'elle pleurait de nouveau. Et il me l'a léguée. Je voulais juste voir l'intérieur !

Mick essuya les larmes qui coulaient sur ses joues d'un geste empreint d'une douceur poignante.

— Dans ce cas demande à Walker de te la faire visiter.

— Je l'ai fait, mais il ne peut pas à cause de l'injonction du tribunal. Je me suis dit que si je voulais la voir, c'était ce soir ou jamais, pendant que tout le monde se préparait pour la soirée.

Une pensée lui traversa soudain l'esprit, et elle ajouta :

— À ce propos, qu'est-ce que tu fais ici ? Tu m'espionnais ?

— Je t'ai vue sortir de l'hôtel et je t'ai suivie. Je voulais te parler.

— Tu aurais pu me rattraper plus tôt, fit-elle remarquer.

Il la gratifia d'un sourire effronté qui la fit fondre et répondit :

— Je prenais trop de plaisir à contempler vos petites fesses rebondies, mademoiselle la voleuse.

— C'est totalement déplacé.

— Mais tellement vrai, chuchota-t-il tout près de son oreille.

— Mick...

Elle s'interrompit, hésitante. Une part d'elle-même avait envie de s'enfuir en courant, et l'autre de se presser contre lui, de l'enlacer et de ne plus jamais le lâcher.

— Pourquoi es-tu partie ? demanda-t-il.

— Excuse-moi, c'est toi qui es parti.

— Jane, arrête de faire celle qui ne comprend pas. Si j'ai quitté cette chambre, c'est parce que tu t'étais enfermée dans la salle de bains en pleurant et que tu refusais de me répondre.

— Enfin, Mick, tu sais très bien ce qu'il en est. On ne va pas prétendre qu'il y a davantage entre nous. Ou qu'il pourrait y avoir davantage.

Mais tandis qu'elle les prononçait, les mots lui brûlaient la langue parce qu'elle savait, elle, qu'il y avait bien davantage.

— Pourquoi il ne pourrait pas y avoir davantage ? demanda-t-il.

À ces mots, une bouffée d'espoir l'envahit au point qu'elle en eut presque le souffle coupé.

— Tu vis en Alaska, articula-t-elle.

— Et alors ? Des tas de gens vivent dans des endroits différents. Ça ne les empêche pas d'être ensemble.

— Pour l'heure, ma vie est sens dessus dessous. Ma propre sœur ne veut rien avoir à faire avec moi, je ne sais plus où j'en suis...

— Jane.

La façon dont il prononça son prénom l'émut jusqu'au tréfonds. Il y avait tant de désir et de tendresse dans sa voix qu'elle sut, sans l'ombre d'un doute, que cet homme l'aimerait comme jamais personne ne l'avait aimée.

Alors pourquoi ne pas l'accepter ?

Elle n'eut pas le temps d'en décider qu'il l'enlaçait et s'inclinait sur elle. Ses lèvres contre les siennes, il murmura d'une voix rauque :

— Bon sang, Jane, tu ne te rends pas compte de l'effet que tu me fais ?

Serrés l'un contre l'autre dans le froid glacial, ils échangèrent un long baiser enfiévré, leurs corps tremblants d'un désir difficile à contenir.

Seigneur, elle avait l'impression que cela faisait une éternité qu'ils ne s'étaient pas embrassés !

Ce n'est qu'en sentant la poignée de la porte s'enfoncer dans son dos qu'elle reprit ses esprits.

Mais qu'est-ce qu'elle avait dans le crâne ?

Non seulement elle avait failli enfreindre la loi pour entrer dans la maison de son défunt père, mais voilà qu'elle embrassait à bouche que veux-tu un homme qui vivait à des milliers de kilomètres de chez elle. Alors qu'elle s'était juré de ne plus *jamais* mettre son cœur en danger.

Avec un cri étouffé, elle mit fin à leur étreinte.

— Ô mon Dieu, Mick ! Mon Dieu !

Elle essuya ses lèvres gonflées, les yeux brûlants de larmes qui ne demandaient qu'à couler.

— Je suis désolée, souffla-t-elle. Je ne peux pas…

Elle profita de ce que Mick la fixait d'un air perdu pour faire un pas de côté.

Et s'enfuir en courant.

En acceptant de participer aux enchères, Walker s'était attendu à beaucoup de choses. Mais là, ça dépassait les bornes.

Quand il s'était plaint à sa grand-mère des règles auxquelles ils devaient se soumettre, ses compagnons et lui, celle-ci s'était contentée de lui tapoter la joue en répondant :

— Tu as eu toute la journée pour admirer les candidates. C'est à leur tour maintenant de se rincer l'œil.

Il lui aurait bien rétorqué que seule une des candidates l'intéressait, mais avait jugé plus prudent de n'en rien faire. Il n'était pas encore prêt à admettre sa défaite devant Sophie Montgomery.

Même s'il se l'était déjà avoué à lui-même.

À l'instant où il avait posé les yeux sur Sloan McKinley, il s'était senti vaciller, mais leurs ébats après la compétition avaient eu raison de lui.

Il ne pouvait plus le nier, il était amoureux de Sloan.

Et cela ne ressemblait à rien de ce qu'il s'était imaginé.

— Tommy et Chuck mettent sur pied une évasion.

Tiré de ses réflexions par la voix de Roman, il se tourna vers ce dernier.

— Ça va ? demanda celui-ci d'un air inquiet.

— Oui, pourquoi ?

— Je ne sais pas. Tu as la tête du joueur de hockey qui vient de se prendre un sale coup et de s'éclater sur la glace.

— Je ne vois pas de patinoire.

— Figure de style, mon pote. Franchement, tu es sûr que ça va ?

— Certain, assura Walker avant de boire une longue goulée de bière pour se donner une contenance.

Il balaya des yeux la petite salle où on les avait confinés, derrière l'auditorium, à l'abri du regard des candidates.

Au moins, avaient-ils de la bière, des mini hot dogs et un grand écran de télé avec du foot.

— Les grands-mères ont pensé à tout, commenta Roman, la bouche pleine. Elles savent que rien ne vaut l'alcool et la nourriture pour dompter la bête.

— C'est sûr.

— Après ça, il ne reste plus qu'à lui mettre la corde au cou pour la conduire tranquillement à la boucherie.

— Voilà une pensée réconfortante, observa Walker.

Et qu'il aurait sûrement partagée deux semaines plus tôt.

Sauf que, depuis, tout avait changé.

Et que s'il ne se décidait pas à agir, mercredi prochain, Sloan prendrait son avion comme prévu et disparaîtrait définitivement de sa vie.

— Merde, marmonna-t-il en posant sa bière sur le comptoir.

Il avait perdu suffisamment de temps en refusant de lui avouer ses sentiments.

— Où vas-tu ? s'étonna Roman comme il s'éloignait.

Incapable de réprimer le sourire qui lui montait aux lèvres, Walker répliqua :

— Chercher la corde !

Sans attendre, il fonça vers la porte, heureux que sa grand-mère n'ait pas été jusqu'à contrevenir aux règles de sécurité en les enfermant à clé.

D'un pas rapide, il se glissa derrière la scène dressée au fond de l'auditorium. Il suivait les veilleuses en direction de la sortie quand, dans son élan, il faillit renverser sa grand-mère.

Il la rattrapa de justesse.

— Grand-mère, qu'est-ce que tu fais là ?

— Je venais jeter un dernier coup d'œil à la scène.

— À l'arrière ? s'étonna-t-il.

Que fabriquait-elle toute seule dans le noir derrière la scène ?

— Tu es sûre que tout va bien ?

Avisant un groupe de chaises pliantes contre le mur, il en déplia une.

— Allez, viens t'asseoir une seconde, fit-il en la prenant par le coude

— À condition que tu me tiennes compagnie.

Bien que surpris par cette demande, il obtempéra et s'installa à côté d'elle. L'impression qu'il avait eue un peu plus tôt dans la journée que quelque chose clochait le tarauda de nouveau.

— Grand-mère, tu ne te sens pas malade ?

— Non, ne t'inquiète pas, mon chéri, le rassura-t-elle en lui tapotant le bras.

— Alors, que se passe-t-il ? C'est le moment clé de la journée, et on dirait que le ciel est en train de te tomber sur la tête.

— Je n'ai pas le droit d'être un peu mélancolique de temps en temps ?

— Bien sûr que si. Mais pas aujourd'hui. Tu attends ce jour depuis un an. Qu'est-ce qui te rend si triste ?

— La même chose que ce qui attriste Mary et Julia.

Walker se força à la patience.

— Il est arrivé quelque chose ?

— Juste que nos petits-fils ont enfin trouvé l'amour et qu'ils sont trop aveugles pour s'en rendre compte.

Il faillit en tomber de son siège.

Comment avait-elle deviné ?

Et voulait-elle dire que Mick et Roman aussi étaient amoureux ?

— Grand-mère, de quoi parles-tu ?

— Sloan et toi, Mick et Jane, et Roman et Avery – même si ces deux-là sont si entêtés que Julia pense qu'elle sera morte avant qu'ils se décident à voir ce qui crève les yeux de tout le monde. S'ils le voient jamais, du reste. Et maintenant, ces jeunes femmes vont rentrer chez elles, et Mick et toi n'allez sans doute rien faire pour les retenir.

Sur ce point, sa grand-mère se trompait. Car il avait bien l'intention de retenir Sloan. Mais avant de le dire à quiconque, il devait d'abord en parler à la première intéressée.

— Grand-mère, si tu pouvais attendre un peu...

— Je n'ai pas le temps d'attendre, Walker, fit-elle en lui serrant le bras. Nous voyons toutes ce qui se passe, et je ne peux plus me taire.

— Entre nous, je me fiche de Mary, de Julia, de Mick ou de Roman. C'est à toi que je parle. Que tu t'inquiètes pour moi me touche beaucoup, mais je suis un grand garçon. J'aimerais que tu me fasses confiance : je sais ce que je fais.

— Mais tout est en train de partir à vau-l'eau. Tu ne t'en rends pas compte ?

Walker s'apprêtait à protester quand ce qu'elle ajouta le laissa sans voix.

— Exactement comme avec ton père.

— Que veux-tu dire ? interrogea-t-il, la gorge nouée.

— Ne le laisse pas t'empêcher d'être heureux. Cette femme est faite pour toi, Walker. Elle est celle que tu attendais.

— En quoi mon père m'empêcherait-il d'être heureux ?

— Je sais tout, Walker.

Il devait paraître tellement incrédule qu'elle ajouta :

— Depuis très longtemps.

C'était impossible.

Totalement impossible.

Il avait fait tellement attention. Avait porté seul le fardeau de son secret pendant si longtemps. Comment l'avait-elle appris ?

— Comment... ?

— C'est mon fils. Et je l'aime, si méprisable que soit son comportement. Et tu es bien placé pour savoir qu'il est impossible de garder un secret à Indigo.

— Mais ils te l'ont toujours caché. Ils voulaient te protéger.

— Dans ce cas, ton père n'aurait pas dû courir après tous les jupons qu'il croisait à Anchorage, Fairbanks, Juneau et tous les villages autour.

Walker résista à l'envie de se prendre la tête entre les mains tandis qu'il tirait les conséquences des paroles de sa grand-mère.

Une fois de plus, tout ce qu'il pensait savoir se révélait faux. Durant toutes ces années, la personne qu'il croyait protéger savait et ne le lui avait pas dit.

23

De plus en plus perplexe, Sloan balaya des yeux la piste de danse remplie de monde. Autour d'elle, tout le monde riait et s'amusait, mais elle était incapable de participer à la liesse générale.

Où était passé Walker ?

Durant les enchères, elle avait regardé les candidats défiler les uns après les autres sur scène sans s'inquiéter de ne pas le voir. Étant donné la fierté avec laquelle Sophie et Julia avaient annoncé à tout le village que, cette année, leurs petits-fils participeraient aux enchères, elle supposait qu'elles les avaient gardés pour la fin.

Mais les enchères étaient terminées depuis plus d'une demi-heure après la fin, il demeurait invisible.

Elle ne voulait pas jouer les pots de colle et le chercher partout. Elle ne le ferait pas.

Mais où était-il ?

Avisant Roman, elle lui fit signe et se dirigea vers lui. À sa grande surprise, il s'excusa aussitôt auprès de la femme avec qui il discutait et vint à sa rencontre. Dès qu'il fut à sa hauteur, il l'embrassa sur la joue.

— Merci. Si j'osais, je vous baiserais les pieds. J'ai cru que je n'arriverais jamais à m'en débarrasser.

Sloan jeta un nouveau coup d'œil à la jeune femme, qui les regardait d'un air furieux.

— Elle semble, en effet, ne pas avoir envie de vous lâcher. Mais vous devez avoir l'habitude, non ? ne put-elle s'empêcher de l'asticoter.

— Raison de plus pour faire preuve de discernement.

Tout en parlant à Roman, elle continuait à balayer la salle du regard au cas où elle apercevrait Walker, ce qui lui éviterait d'avoir à s'abaisser à demander où il se trouvait.

Ne le voyant pas, elle se jeta à l'eau :

— Vous avez vu Walker ?

— Pas depuis qu'il a subitement quitté la salle où les candidats attendaient d'être mis aux enchères.

— Il était là et il est parti ? s'étonna-t-elle.

— Oui, après avoir déclaré qu'il allait chercher sa corde.

— Pardon ?

— Désolé, s'excusa Roman avec un sourire. C'était une *private joke*.

— D'accord. Et vous ignorez où il est allé ?

— Complètement.

— Si jamais vous le croisez, vous pourrez lui dire que je suis rentrée à l'hôtel ?

— Pas de problème.

Sloan tournait les talons quand Roman lui donna une petite tape sur l'épaule.

— Je peux vous dire quelque chose ?

Elle pivota vers lui. Non seulement il ne souriait plus, mais il affichait une expression grave qu'elle ne lui avait jamais vue.

— Bien sûr.

— Les torts sont partagés.

Elle hésita, se demandant si elle devait feindre de ne pas comprendre ou prendre immédiatement la défense de son amie. Finalement, elle se contenta d'un simple :

— Ah bon ?

— D'accord, ils sont davantage de mon côté que du sien, reconnut Roman.

Il se passa la main dans les cheveux avant de poursuivre :

— N'empêche, au bout d'un moment, c'est difficile de revenir quand on se prend sans cesse son passé en pleine la figure. C'est tout ce que j'avais à dire.

Sloan savait ce que cela signifiait que d'être poursuivi par son passé et, pour la première fois, elle ressentit une certaine sympathie pour Roman Forsyth.

Elle lui sourit.

— C'est la première fois que je vous entends dire quelque chose qui me fait penser que vous êtes un être humain et pas une sorte de dieu du hockey.

Il lui retourna son sourire à la puissance dix.

— Je suis aussi un dieu du hockey.

— Comment ai-je pu l'oublier ?

Elle allait s'éloigner puis se ravisa.

— Vous savez, dit-elle, parfois, la seule façon d'oublier son passé, c'est de transformer son avenir.

— Oui. Encore faut-il le vouloir.

— Je suppose que vous avez raison. Cela dit, je suis toujours stupéfaite de constater que ce sont souvent les solutions les plus simples qui sont le plus difficiles à mettre en œuvre.

Cinq minutes plus tard, elle pénétrait dans le hall de l'*Indigo Blue*, ses propres paroles résonnant encore à ses oreilles.

Solutions simples, décisions difficiles.

Cela correspondait totalement à sa situation avec Walker. Il était peut-être temps qu'elle se montre sincère et lui avoue la vérité.

Si elle le trouvait.

Des voix étouffées lui parvinrent du hall tandis qu'elle attendait l'ascenseur. Apparemment, quelques couples de célibataires s'apprêtaient à mieux se connaître. Ce qui ne la surprit qu'à demi étant donné les échanges de regards brûlants qu'elle avait surpris pendant les enchères.

Si plusieurs histoires pouvaient se concrétiser, ce serait une belle conclusion pour son reportage.

Elle avisa un autre célibataire en smoking, et songea à ce à quoi aurait ressemblé Walker s'il était monté sur scène. Sûr qu'il aurait été canon.

Arrivée à sa chambre, elle glissa la carte dans le lecteur et poussa la porte. Elle fut aussitôt assaillie par le son de la télévision.

— Walker ? s'écria-t-elle en le découvrant couché en chien de fusil sur le lit.

Ce qui lui valut un grognement pour toute réponse.

— Walker ? répéta-t-elle en se précipitant vers lui tout en se débarrassant de son sac et de son manteau. Quelque chose ne va pas ?

L'odeur d'alcool qui émanait de lui l'arrêta net.

Voilà donc ce qu'il faisait pendant que se déroulaient les enchères ? Il se saoulait dans sa chambre d'hôtel ?

Elle attrapa la télécommande sur le lit et coupa la télévision.

— Walker, qu'est-ce qui t'arrive ?

Il roula sur le dos.

— Quatre verres de whisky, répondit-il.

— Pourquoi ?

— Je pensais que ça m'aiderait à oublier. Mais ce sont des conneries. Ou j'aurais dû en prendre plus, parce que c'est encore pire qu'avant.

Il n'avait pas ôté sa parka. Elle le tira par le bras pour le forcer à s'asseoir, et parvint à lui ôter une manche avant qu'il retombe de tout son poids sur l'oreiller.

— Walker, dis-moi ce qui se passe à la fin ! s'exclama-t-elle en le saisissant de nouveau par le bras pour finir de lui enlever sa parka. Tu es ivre et à demi comateux, et tu n'es même pas venu aux enchères alors que tu l'avais promis à ta grand-mère.

— J'y suis allé.

— Dans ce cas, comment t'es-tu retrouvé ici ?

Elle lança la parka sur un fauteuil. Il était bel et bien en smoking dessous ; avec sa cravate desserrée, il semblait tout droit sorti d'un magazine pour hommes. Agacée d'être encore aussi sensible à son charme en dépit de son état, elle se détourna et se dirigea vers le petit réfrigérateur d'où elle sortit une bouteille d'eau.

— Tiens, bois ça, ordonna-t-elle en la lui tendant après l'avoir débouchée.

Se redressant tant bien que mal, il en vida la moitié d'un coup.

— Ça fait du bien !

— Il y en a une autre si tu veux.

Au bout d'une bouteille et demie, Walker avait le regard un peu moins vitreux.

— Maintenant, tu peux me dire pourquoi tu es venu te saouler dans ma chambre au lieu de participer aux enchères et de venir danser.

— Tu devrais plutôt poser la question à ma grand-mère.

— Walker, arrête les devinettes, s'il te plaît. Que s'est-il passé ?

— D'après ma grand-mère, je suis amoureux, mais je suis trop crétin pour faire ce qu'il faut à cause de mon père. Ou c'est lui le crétin.

Walker se frotta le front.

— En tout cas, reprit-il, c'est sa faute si je n'arrive pas à m'engager, et ma grand-mère savait depuis toujours, et elle est triste et abattue, et elle m'a menti.

Sloan n'était pas sûre de tout comprendre. N'osant se risquer à lui demander si c'était d'elle qu'il était amoureux, elle se focalisa sur la fin de sa tirade.

— À quel sujet t'a-t-elle menti ?

— Elle est au courant pour mon père. Quasiment depuis le début.

— Elle a sans doute voulu te protéger.

— Ou le protéger, lui. Bon sang, je n'en sais rien.

— Est-ce vraiment si important ? interrogea-t-elle d'une voix apaisante, s'efforçant d'imaginer ce qu'il ressentait.

Il luttait avec ses propres démons tandis qu'elle mourait d'envie d'en savoir plus sur la nature exacte de leur relation. Qu'éprouvait-il réellement pour elle ?

Il plissa les yeux.

— Quoi ?

— Ton père, ta grand-mère. Tout ce qui s'est passé avant.

Il la considéra d'un air outré. Manifestement, les effets de l'alcool commençaient à s'atténuer, et la colère remplaçait la léthargie dans laquelle il avait tenté de se plonger.

— Évidemment que c'est important, rétorqua-t-il.

— Pourquoi ? Personnellement, je ne vois pas très bien en quoi ça influence ta vie. Ou ce qu'il y a entre nous.

— Il n'y a rien entre nous !

Elle se leva d'un bond et se pencha sur lui.

— Tu peux me répéter ça en me regardant droit dans les yeux ? articula-t-elle.

— Ce n'est pas ce que je voulais dire, marmonna-t-il en lui faisant signe de se rasseoir.

— D'accord, admit-elle sans bouger. Alors explique-toi.

— Je voulais dire…

Il se tut, tentant visiblement de se ressaisir.

— Je t'en prie, Sloan, arrête de me regarder comme ça. Ce que je voulais dire, c'est que nous avons passé un moment merveilleux ensemble, mais tu habites New York.

— Et ?

— Et ce n'est pas comme si tu envisageais de rester, non ?

« Si. Pour toujours. Aussi longtemps que tu voudras de moi », faillit-elle lui rétorquer. Au lieu de quoi, elle déclara :

— Je refuse de jouer à ce jeu-là avec toi. Et tu n'as toujours pas répondu à ma question. En quoi l'infidélité de ton père vis-à-vis de ta mère t'affecte-t-elle aujourd'hui ?

— Elle m'affecte indirectement. J'ai grandi avec. Je me suis construit à partir d'elle.

Sloan secoua la tête. Pourquoi se montrait-il si obtus ? Étaient-ce les effets du whisky ou d'une blessure vieille de vingt ans ?

Ou les deux ?

— C'est n'importe quoi, Walker. Ce qui compte, c'est ce que tu décides de faire de ta vie maintenant. Le passé n'a rien à voir là-dedans.

— Ah oui ? Es-tu sûre de dire la même chose le jour où je te tromperai comme mon père a trompé ma mère ?

— Tu n'es pas ton père.

— Qu'en sais-tu ?

Comprenant qu'elle n'arriverait à rien en essayant de le raisonner, elle décida de changer de tactique et de faire ce qu'elle faisait le mieux.

— Je ne peux pas parler à ta place, Walker, commença-t-elle. J'ignore ce que tu as vécu et ce qui te pousse à voir les choses ainsi. Je peux juste le deviner et émettre des hypothèses. Ce que je sais, en revanche, c'est ce qu'il y a au fond de moi.

À ces mots, elle vit une lueur s'allumer dans le regard de Walker. Il se pencha pour lui prendre la main, et elle sentit l'espoir renaître. Oui, il éprouvait un sentiment pour elle, même s'il luttait contre de toutes ses forces.

Walker porta sa main à ses lèvres.

— Il y a tant de choses en toi, murmura-t-il. Tant de choses merveilleuses.

— Alors pourquoi combattre ce que tu ressens ?

— Parce que je n'ai pas les moyens de changer celui que je suis. Et si tout l'amour du monde ne peut rien y faire, à quoi bon ?

— Oh, Walker ! soupira-t-elle en libérant sa main pour se lever. Tu ne comprends donc pas que les gens changent ? Je ne suis déjà plus la même qu'à mon arrivée ici. Je vois le monde différemment, je n'ai plus les mêmes attentes.

Elle marqua une pause, puis reprit, risquant le tout pour le tout :

— J'envisage mon avenir d'une façon totalement nouvelle.

Comme il demeurait silencieux, elle poursuivit :

— Cela ne fait que deux semaines que je suis ici, et pourtant, je sens que j'ai changé, que je suis prête à modifier mon existence. Ou que je le serais si tu n'étais pas aussi…

Elle s'arrêta, cherchant le mot.

— Si crétin, suggéra-t-il.

— Oui, c'est ça, crétin.

— Je n'en vaux pas la peine.

Elle secoua la tête, incrédule. Walker ne se rendait-il vraiment pas compte qu'il était de loin l'homme le plus merveilleux qu'elle ait jamais rencontré. Et qu'à ses yeux il en valait plus que largement la peine.

— Je ne pourrais pas te convaincre du contraire. Cela doit venir de toi. Sache juste que je ne suis pas d'accord avec toi.

Sur quoi, elle saisit son sac et son manteau.

— Où vas-tu ?

— Tu peux dessaouler tranquillement ici. Je vais dormir dans la chambre d'amis d'Avery.

— Sloan…

Elle se figea, le cœur battant à tout rompre.

— Qu'est-ce que tu veux ? ajouta-t-il d'une voix qui la bouleversa.

— Je veux l'amour, Walker. Je veux quelqu'un pour qui je serais la personne la plus importante au monde et qui le serait pour moi. Quelqu'un qui soit prêt à partager les bons et les mauvais moments, et à prendre le risque de s'engager pour la vie avec moi.

— Ce n'est pas si simple, Sloan.

— Si, ça l'est. Et je veux arrêter de souffler dans mon mirliton chaque réveillon du Nouvel An.

Devant son expression perplexe, elle s'approcha pour déposer un baiser sur ses lèvres. Il voulut l'attirer à lui, mais elle s'esquiva.

— Je veux commencer chaque année en embrassant l'homme que j'aime et continuer à le faire jour après jour, conclut-elle. Je regrette que tu ne puisses être cet homme-là.

Un long moment s'était écoulé depuis qu'Avery lui avait ouvert sa porte. Aucune des deux amies n'avait eu envie de discuter de ce qui s'était passé au cours de la soirée, et Sloan s'était rapidement réfugiée dans la chambre d'amis.

Ce n'est qu'une fois dans son lit, la lumière éteinte, qu'elle s'était autorisée à laisser ses larmes couler.

Walker entendit l'un des boutons de son smoking rouler sur le parquet, mais ne prit même pas la peine de le chercher.

Comment avait-il pu se montrer aussi stupide ?

Après sa « discussion » avec Sloan, il avait quitté l'*Indigo Blue* et était rentré chez lui. Là, il s'était écroulé comme une masse sur le canapé. Il s'efforçait à présent de se redresser avec précaution. Pourtant, ce n'était ni sa gueule de bois ni ses pieds douloureux qui le poussaient à se traiter de crétin, mais la pensée d'avoir laissé partir Sloan.

Il se débarrassa de ses chaussures et gagna la cuisine en chaussettes pour se préparer un café. Il devait réfléchir à un plan d'action. Il avait rencontré suffisamment de femmes en trente-six ans de célibat pour savoir que jamais il n'aurait la chance de tomber sur une deuxième Sloan. Elle était ce qui lui était arrivé de mieux dans la vie.

Il ne la méritait peut-être pas, mais il ne laisserait sûrement pas ce fait se mettre en travers de sa route.

Dès son réveil, Sloan avait préparé son départ. Son reportage n'était pas complètement terminé, mais elle avait les numéros de toutes les personnes qu'elle avait rencontrés, et leur téléphonerait si nécessaire une fois de retour à New York.

Dans exactement une heure, Jack Rafferty viendrait la chercher à l'hôtel pour la conduire à Anchorage.

Jane et Avery, avec qui elle avait passé le dimanche à discuter et à regarder des trucs idiots à la télévision, étaient les seules à être au courant de sa décision.

Elle avait fait envoyer des paniers de fruits à Mary, à Julia et à Sophie avec un petit mot dans lequel elle s'excusait et leur expliquait qu'elle devait rentrer chez elle. Sans doute les trois femmes liraient-elles entre les lignes, mais peu importait.

Elle sortit de l'hôtel et remonta la grand-rue. Le village était désert, et la pâle lumière hivernale, cafardante, ce qui reflétait parfaitement les sentiments qui l'habitaient.

En passant devant les fenêtres du café, elle faillit entrer pour s'offrir une dernière crêpe, puis y renonça. Elle n'était pas d'humeur à discuter avec d'éventuels clients.

Elle poursuivit sa route et, bientôt, le monument dédié à l'amour se dressa devant elle. Elle essaya de le considérer avec le maximum d'objectivité.

C'était une statue imposante – ni plus ni moins.

Et cependant, c'était plus que cela.

C'était un symbole. Un symbole qui disait qu'il y avait des choses dans la vie qui valaient plus que d'autres.

Et qui méritaient qu'on se batte pour les obtenir.

S'agenouillant au pied de la sculpture, Sloan sortit de sa poche l'affreuse casquette qu'elle portait le jour de la bataille de boules de neige. Le jour où Walker et elle avaient fait l'amour pour la première fois.

Elle sourit malgré elle en caressant l'inscription *TASTY – Leurres et hameçons de qualité.* Dire que Walker l'avait trouvée belle avec cette horreur sur la tête.

La repliant de manière à laisser l'inscription bien visible, elle la posa sous la phrase gravée dans le marbre qui l'avait tant touchée la première fois qu'elle l'avait lue.

À tous ceux que le destin a privés de leur amour.

Puis elle se redressa et fit demi-tour pour regagner l'*Indigo Blue*.

— Il était temps ! s'exclama Myrtle lorsque Walker entra.

— Il n'est que 8 heures, Myrtle. Que faites-vous là ?

— Je suis là, c'est tout. Et je m'attendais que mon patron y soit avant moi.

Peu disposé à se battre contre l'étonnante logique et les récriminations de son assistante, Walker fonça dans son bureau, dont il claqua la porte. C'était impoli, mais il était d'une humeur de chien. Surtout, il n'avait aucune envie de s'entendre reprocher qu'il était absent aux enchères samedi soir – sujet que Myrtle ne manquerait sûrement pas d'aborder.

On frappa à la porte.

— Quoi ? beugla-t-il.

— Je vous ai préparé du café, annonça Myrtle en apparaissant, une tasse fumante à la main. Juste comme vous l'aimez : avec quatre cuillères de sucre.

— Merci.

— De rien.

Éberlué, il la regarda déposer la tasse devant lui, puis faire demi-tour. Juste avant de refermer la porte, cependant, elle s'arrêta pour lancer :

— Il paraît que Sloan McKinley a retenu une place sur le vol de Jack dans une heure. Vous avez le choix entre rester ici à pleurer sur votre sort ou vous remuer les fesses.

Sloan partait ?

Si désastreuse qu'ait pu être la soirée de samedi, il n'avait pas douté de réussir à se racheter. Mais pour cela, il lui fallait du temps et un plan d'action.

— C'est impossible ! s'exclama-t-il. Jack m'aurait prévenu.

Myrtle haussa les épaules.

— Les faits sont les faits.

— C'est censé être une espèce de conseil ? interrogea-t-il d'un ton mordant.

— Un peu que c'en est un. Je vous suggère de trouver le moyen d'empêcher cet avion de décoller si vous ne voulez pas vous retrouver comme un vieux con à regretter d'avoir laissé passer la chance de votre vie sans rien faire.

Sous le choc, Walker s'étrangla avec son café.

— Hochez une fois la tête si vous avez compris.

Il hocha la tête.

Sloan rangea son portable d'une main tremblante. Sa directrice de publication avait adoré la première partie de son article, qu'elle lui avait envoyé par mail, et attendait impatiemment la suite. Mais surtout, elle lui proposait de rejoindre l'équipe éditoriale pour prendre en charge l'une des rubriques du magazine tout en continuant à voyager à travers le monde pour écrire des articles. Le tout pour un salaire plus que généreux.

Sloan attendait cela depuis si longtemps qu'elle avait du mal à croire que c'était enfin arrivé.

Alors pourquoi sentait-elle malgré tout comme un grand vide en elle ?

Elle se laissa tomber sur le lit et fixa ses valises près de la porte. La vue de son gros manteau posé dessus lui fit monter les larmes aux yeux.

Ne s'était-il vraiment écoulé qu'une semaine depuis qu'elle l'avait acheté chez Sandy ?

Comment tout ce qui constituait sa vie – son fondement même – avait-il pu changer aussi rapidement ?

Un coup frappé à la porte la sortit de ses tristes réflexions. Elle essuya ses larmes en hâte. Qu'en était-il de cette promesse qu'elle s'était faite à elle-même ? Celle qui l'avait convaincue de quitter Walker ?

Pour être heureuse et joyeuse et prête à recevoir ce que le monde avait à lui offrir ?

— L'année prochaine, se promit-elle à voix basse en allant ouvrir. L'année prochaine.

Walker fit irruption dans le bureau de sa grand-mère, retenant la porte juste à temps pour qu'elle ne claque pas.

— J'ai besoin de ton aide !

Sophie leva les yeux du dossier qu'elle était en train de lire, l'air inquiet.

— Que se passe-t-il ?

— Sloan. Elle s'en va.

— Je sais.

Walker la considéra d'un air incrédule.

— Et tu ne m'as rien dit ? !

— J'en ai fini de me mêler de ta vie.

— Mais c'est le pire moment pour arrêter. J'ai besoin que tu le fasses une dernière fois.

— Que t'arrive-t-il ?

— Je suis amoureux, grand-mère. Ça m'est tombé dessus d'un coup, et ça ne me lâche pas.

L'expression soucieuse de Sophie disparut comme par magie tandis qu'elle se levait et demandait :

— Qu'attends-tu de moi ?

— Je suis désolé, Sloan, mais nous allons devoir faire un petit détour.

Les yeux encore humides des larmes qu'elle avait versées en embrassant Jane et Avery, Sloan rangeait dans son sac les billets qu'elle avait imprimés à l'hôtel.

— Pas de problème répondit-elle à Jack.

— Ne t'inquiète pas, nous serons à Anchorage à l'heure.

— Je ne suis pas inquiète, assura-t-elle.

Tandis qu'il démarrait, elle fouilla dans son sac à la recherche de son téléphone et garda les yeux baissés de crainte d'apercevoir Walker par la vitre.

Walker portait la lourde banderole en vinyle roulée sous le bras. Il l'avait repérée dans le bureau de sa grand-mère, et avait soudain su quoi faire.

Il fixa avec une corde un côté à un poteau sur le trottoir, puis la déroula jusqu'au monument. Comme il s'agenouillait dans la neige, il aperçut au pied de la sculpture ce qui ressemblait à... une casquette. Il allait s'en détourner lorsque son regard fut attiré par l'inscription sur le devant.

TASTY – Leurres et hameçons de qualité.

Alors, il comprit.

Sloan l'avait déposée là délibérément. Juste sous la phrase gravée qui l'avait émue aux larmes.

À tous ceux que le destin a privés de leur amour.

Brusquement, comme si on venait d'appuyer sur un interrupteur, il eut l'impression que sa vie entière s'illuminait. Il cligna des yeux, un peu désorienté, puis tout lui apparut avec une netteté aveuglante.

Il avait vraiment été au-dessous de tout.

Mais s'il avait de la chance, la femme qu'il aimait le lui pardonnerait.

Plus déterminé que jamais, il continua d'installer la banderole.

— Attends, je vais t'aider à la fixer.

Grizzly se dirigeait vers lui, la main tendue.

— Merci, vieux.

— Je vais l'attacher, proposa à son tour La Glisse, qui venait d'apparaître au côté de Grizzly.

Walker leva les yeux, et se rendit compte que tout le village s'avançait vers eux, sa grand-mère en tête. Quand elle l'eut rejoint, il murmura :

— Qu'est-ce que c'est que ça ?

— Un geste d'envergure, mon cher petit-fils. Quitte à reconnaître tes erreurs, autant le faire devant tout le monde.

Walker serra sa grand-mère contre lui, conscient que tout ce qu'il savait de l'amour, c'était à cette femme extraordinaire qu'il le devait.

— Sloan ?

— Oui, Jack ?

— On dirait que la grand-rue est bloquée.

— Quoi ?

Levant à contrecœur les yeux de son téléphone, Sloan s'aperçut avec surprise que quasiment tout le bourg semblait être rassemblé là.

— C'est le monument ?

— Oui.

— Qu'est-ce qu'ils font là ?

— Je ne sais pas. Descendons voir.

— Jack, attends...

Mais Jack était déjà sorti et contournait la voiture pour lui ouvrir sa portière.

— Écoute, je ne préfère pas…

— Viens, coupa-t-il en lui tendant la main, allons voir ce qui se passe. J'espère que ce n'est pas l'une des grands-mères.

À l'idée qu'il ait pu arriver quelque chose à l'une des vieilles dames, Sloan n'hésita pas à le suivre.

La foule s'écarta devant eux, mais dans son inquiétude, elle ne s'en étonna pas.

Ce fut alors qu'elle les découvrit.

La banderole.

Et Walker.

Debout au pied du monument, il triturait l'horrible casquette de Tasty entre ses doigts. Au-dessus de lui était déroulée l'une des banderoles qu'elle avait remarquée le jour de son arrivée à Indigo. Sauf que plusieurs mots avaient été rayés au feutre noir et remplacés par d'autres, ce qui donnait :

WALKER MONTGOMERY ~~INDIGO SOUHAITE LA BIENVENUE À~~ AIME ~~TOUTES LES CHARMANTES CÉLIBATAIRES VENUES S'AMUSER PARMI NOUS~~ SLOAN MCKINLEY. ~~NOUS SOMMES HEUREUX DE VOUS ACCUEILLIR~~ ACCCEPTES-TU DE M'ÉPOUSER ?

Elle se figea sur place, les jambes flageolantes.

— Walker ? souffla-t-elle, son regard passant sans cesse de son visage au texte sur la banderole.

— Je n'avais rien d'autre sous la main.

Sloan le fixait, les yeux humides de larmes.

Malgré toutes les phrases qui se bousculaient dans sa tête, Walker ne parvint pas à prononcer un mot.

Tout ce dont il était capable, c'était de la dévorer des yeux. Puis il se rendit compte qu'il n'y avait qu'une seule chose à dire.

— Je t'aime, Sloan.

Il vit les larmes rouler sur ses joues, mais il continua :

— Je sais que je me suis conduit comme le dernier des imbéciles, et je ne t'en voudrais pas si tu décides de ne plus jamais me revoir. Mais… même dans ce cas, je ne te laisserai pas le choix. Je veux passer le restant de ma vie avec toi. À New York, à Indigo, entre les deux, ça m'est égal. Tout ce qui compte, c'est que nous soyons ensemble.

— Walker…

— Nous non plus, on ne vous laisse pas le choix, mademoiselle Sloan, intervint Grizzly.

Un grondement approbateur monta de la foule autour d'eux.

Walker regarda sa grand-mère s'avancer vers eux et poser la main sur le bras de Sloan.

— En qualité de maire de ce village, j'aimerais appuyer fermement le souhait de mes concitoyens.

— Vraiment ? répondit Sloan, incapable de réprimer plus longtemps un sourire.

— Tout à fait, très chère. Vous êtes l'une des nôtres, désormais. Et nous n'aimons pas laisser partir l'un d'entre nous. Vous faites partie de la communauté d'Indigo.

— Dans ce cas, comment refuser ? répondit Sloan en se tournant vers Walker.

Il lui ouvrit les bras, et elle s'y blottit sans hésiter. Il la serra contre lui avec le sentiment d'avoir enfin trouvé ce qu'il ignorait chercher jusqu'alors.

— Walker, murmura-t-elle, tu auras toute la vie pour te racheter, mais pour l'instant, tais-toi et embrasse-moi.

Elle n'eut pas besoin de le lui répéter.

Épilogue

Installé avec Sloan sur le canapé, Walker songea une fois encore combien c'était bon de la tenir dans ses bras. Ils étaient venus à New York pour les vacances, et il l'avait docilement suivie jusqu'à Westchester pour faire connaissance avec sa famille et ses amis.

En revanche, il avait mis son veto pour le réveillon du jour de l'An.

Ce soir-là, il voulait le passer seul avec elle.

Après avoir éliminé des dizaines de possibilités, ils avaient décidé de rester ensemble devant la télé en mangeant chinois.

C'était le plus beau réveillon de sa vie, dut-il admettre.

Il se pencha pour l'embrasser dans le cou.

— Walker, murmura-t-elle en se lovant contre lui.

— Mmm ?

— Qu'y a-t-il dans ce sac ?

— Quel sac ?

— Celui que tu as posé sur le comptoir ce matin en rentrant après être sorti acheter des bagels.

Comment avait-il pu oublier ?

— Je vais te montrer, répondit-il en se levant, non sans l'avoir d'abord embrassée.

Il alla chercher le sac en question, puis revint s'agenouiller devant elle.

— Je me suis rappelé une chose que tu m'as dite avant de m'abandonner à mon sort dans ta chambre à l'*Indigo Blue*.

Quand il brandit deux mirlitons, le regard de Sloan s'illumina. Elle secoua la tête en souriant.

— Je les avais presque oubliés, continua-t-il, et il va bientôt être minuit.

Il déchira les emballages, lui tendit un mirliton et garda l'autre pour lui. Ensemble, ils regardèrent les secondes défiler sur le réveil.

— Dix, neuf, huit...

Ils décomptèrent à voix haute, les doigts entrecroisés.

— Trois, deux, un ! hurlèrent-ils en chœur.

Tandis que des cris de joie et les sifflets résonnaient dans les haut-parleurs du téléviseur, ils scellèrent cette première seconde de la nouvelle année – et leur amour – d'un long baiser.

Abandonnés, les mirlitons roulèrent sur le sol.

Découvrez les prochaines nouveautés des différentes collections J'ai lu pour elle

Le 2 janvier

Inédit **_Les fantômes de Maiden Lane - 4 - L'homme de l'ombre_ ☙ Elizabeth Hoyt**

Directeur d'un orphelinat le jour, Winter Makepeace devient, chaque nuit, le Fantôme de St. Giles. Un soir, blessé, il est secouru par Isabel Beckinhall, qui lui offre un baiser passionné sans même connaître son identité. S'engage alors entre eux une liaison voluptueuse et dangereuse... Car la mort rôde autour du justicier de Maiden Lane.

Inédit **_Beauté fatale_ ☙ Sherry Thomas**

La baronne de Seidlitz-Hardenberg est d'une beauté à couper le souffle. Il a suffi d'un regard pour que le jeune duc de Lexington tombe sous le charme. À tel point qu'il la demande bientôt en mariage ! Or elle disparaît sans laisser la moindre trace. Déterminé à connaître la vérité, le duc se lance à la poursuite de l'intrigante beauté...

La ronde des saisons - 1 -Secrets d'une nuit d'été ☙ Lisa Kleypas

Dénicher la perle rare dans la haute société est loin d'être facile, Annabelle Peyton le sait. Et ce n'est pas ce malotru de Simon Hunt qui aura ses chances auprès d'elle. Lui qui a osé prétendre qu'elle serait sa maîtresse ! Enrichi dans l'industrie, ce fils de boucher n'est pas un bon parti. Même s'il embrasse divinement bien...

Le 16 janvier

Inédit *Abandonnées au pied de l'autel - 1 - Le mariage de la saison* ☙ **Laura Lee Guhrke**
Si Beatrix aimait tendrement son fiancé William, la folle passion de ce dernier pour l'Égypte était plus qu'envahissante. À tel point qu'elle lui avait demandé de choisir : les pyramides ou elle ! Et s'était vue abandonnée juste avant la cérémonie. Six ans plus tard, William est de retour. Seulement voilà, Beatrix se marie dans quelques semaines.

Inédit *Les trois grâces - 1 - Par la grâce de de Sa Majesté* ☙ **Jennifer Blake**
1486, Angleterre. Au plus grand désespoir de lady Isabel Milton, sa main a été offerte à sir Braesford. Bientôt, ce dernier réclamera ses droits d'époux, or Isabel redoute ce qu'il en adviendra. Car, en dépit de sa jeunesse et de sa bravoure, Braesford ne pourra lutter contre la malédiction qui pèse sur sa fiancée…

Captifs du désir ☙ **Johanna Lindsey**
Quelle humiliation pour Warrick de Chaville, le Dragon noir ! Capturé, il s'est réveillé enchaîné sur un lit, obligé d'endurer les assauts charnels d'une beauté blonde... Rowena n'a bien sûr pas ourdi elle-même ce plan diabolique, elle obéit au cruel Gilbert d'Ambray. Or Warrick, qui ignore cela, n'a qu'une obsession : se venger de Rowena.

Le 16 janvier

CRÉPUSCULE

Inédit ***Le royaume des Carpates - 3 - Désirs dorés***

Christine Feehan

Entièrement dévouée à son jeune frère, Alexandria Houton donnerait tout pour le protéger des créatures qui rodent à San Francisco. Un jour, alors qu'ils sont attaqués par un vampire, un inconnu surgit de l'obscurité : Aidan Savage, un Carpatien. Qui est-il, ange ou démon ?

Chasseuses d'aliens - 3 - Mortelle étreinte

Gena Showalter

Mi-humaine, mi-robot, Mishka Le'Ace a été conçue pour tuer, dans un monde envahi par d'ignobles créatures. Sa dernière mission ? Secourir un agent de l'A.I.R., les forces spéciales anti-aliens, menacé de mort. Au premier regard lancé à Jaxon Tremain, Mishka comprend que l'attraction est réciproque...

Le 16 janvier

Romantic Suspense

Inédit **BLACKS OPS - 1 - Impitoyable**

Cindy Gerard

Seules deux choses pouvaient amener la journaliste Jenna McMillan à revenir à Buenos Aires si peu de temps après son enlèvement : l'interview exceptionnelle d'un mystérieux multimillionnaire et le souvenir de Gabriel Jones, l'homme sombre et dangereux l'ayant sauvée.
Un bombardement au Congrès National les réunit, mais très vite, la joie laisse place au doute.
Et si cette rencontre surprise n'était pas le fruit du hasard mais l'œuvre d'un ennemi commun ?

Inédit **Silence mortel** **Allison Brennan**

Étouffée par un sac poubelle, les lèvres collées à la glue : autant dire que les dernières heures d'Angie Vance, 18 ans, ont été un calvaire. Le meurtre semble être personnel, c'est pourquoi la détective Carine Kincaid concentre tous ses efforts sur l'ex-compagnon de la victime. Malheureusement, sans preuve matérielle, impossible de boucler l'affaire, surtout quand le Shérif Nick Thomas – frère du suspect – mène une enquête parallèle.
Mais les certitudes de chacun vont être ébranlées lorsqu'une amie de la victime disparaît à son tour. Carine et Nick décident alors d'unir leurs efforts...

Et toujours la reine du roman sentimental :

Barbara Cartland

« Les romans de Barbara Cartland nous transportent dans un monde passé, mais si proche de nous en ce qui concerne les sentiments. L'amour y est un protagoniste à part entière : un amour parfois contrarié, qui souvent arrive de façon imprévue.
Grâce à son style, Barbara Cartland nous apprend que les rêves peuvent toujours se réaliser et qu'il ne faut jamais désespérer. »

Angela Fracchiolla, lectrice, Italie

Le 2 janvier
Le plus ridicule des paris

10135

Composition
FACOMPO

Achevé d'imprimer en Italie
par GRAFICA VENETA
le 5 novembre 2012.

Dépôt légal : novembre 2012.
EAN 9782290056165
L21EPSN000912N001

ÉDITIONS J'AI LU
87, quai Panhard-et-Levassor, 75013 Paris

Diffusion France et étranger : Flammarion